Conception de la couverture : Bruno Paradis
Photo de la couverture : ShutterStock
Mise en pages : Maryse Bédard
Correction d'épreuves : Pierre-Yves Villeneuve

Imprimé au Canada

ISBN : 978-2-89642-460-3

Dépôt légal – Bibliothèque et Archives nationales du Québec, 2011

Les éditions Caractère remercient le gouvernement du Québec – Programme de crédit d'impôt pour l'édition de livres – Gestion SODEC

Les Éditions Caractère reconnaissent l'aide financière du gouvernement du Canada par l'entremise du Fonds du livre du Canada pour nos activités d'édition.

Visitez le site des Éditions Caractère
editionscaractere.com

ANNE DUFOUR CATHERINE DUPIN

MA SANTÉ PAR L'ALIMENTATION

« Certainement, l'acide est-il le plus nuisible de tous les états des humeurs. »

HIPPOCRATE (MÉDECIN GREC ANTIQUE)

« On ne dira jamais assez l'importance de l'équilibre acido-basique dans le maintien de la santé. Les microbes, les virus et les champignons naissent spontanément en fonction de l'état du "terrain" lié au changement de pH. »

DR CATHERINE KOUSMINE

« Le mode de vie et l'alimentation d'aujourd'hui conduisent à l'acidification de l'organisme et, par là, à une foule de maux. »

CHRISTOPHER VASEY, NATUROPATHE

SOMMAIRE

PRÉFACE DU Dʀ JEAN-CHARLES SCHNEBELEN

Radicaux libres, équilibre acido-basique, aliments alcalinisants ou acidifiants, nutrition… ces sujets vous interpellent. Vous avez essayé de trouver des explications, des livres ? Sans y comprendre tellement plus ensuite. À chaque fois, cela vous paraissait même plus compliqué. Les réponses vous ont semblé confuses ou complexes. Mais cette fois, ça y est, on a LA réponse : l'acidité… on s'en « tamponne » ! Rien de trivial à cela, la réalité s'impose, l'organisme fait comme ça ! Face aux agressions qui le mettent à mal et qui l'acidifient – pollutions extérieures et intérieures – il encaisse, et se défend en modulant les variations. Bref : il fait tampon. Sinon, nous ne resterions pas en vie bien longtemps… À notre insu, il met tout son talent à tamponner nos gestes acidifiants pour tenter de rééquilibrer le terrain. Et son plus gros chantier lui vient de notre assiette !

Alors, au fil des pages, avec compétence et bonne humeur, Anne Dufour explique, applique de nombreuses et nouvelles bonnes raisons de commencer ou continuer à consommer cinq, ou plus, fruits ET légumes par jour. On vous avait dit que c'était pour les antioxydants ou les vitamines : en fait, c'est bien plus encore. Les fruits et les légumes interviennent dans l'équilibre général du corps à chaque instant. Car le pauvre est sans cesse acidifié par son propre fonctionnement et par notre hygiène de vie parfois discutable ! Dans ce grand chantier homéostatique, en permanence mis et remis en œuvre, il règle les compteurs, même si, sans vergogne, nous en rajoutons ! Ça marche, l'organisme s'en sort, alors… remettez-moi ça, patron !

Pourtant, notre inconscience n'a pas de limites. On entend encore : « Steak frites ? C'est pas bien ? Mais moi je fonctionne comme ça, j'ai l'habitude. » Le temps passe, la machine « à équilibre acido-basique » fait le plus souvent bien son travail, trouve des alternatives en faisant fi de notre ingratitude. Jusqu'au jour où elle déclare forfait et laisse le champ libre aux pathologies les plus diverses.

Ève avait pourtant donné l'exemple : une pomme pour l'homme, vrai que c'était tentant ! Et vous comprendrez qu'une pomme ça tamponne… sans neutraliser ! Un vrai slogan publicitaire : une pomme ça tamponne… et tous les autres fruits aussi : rejoignons le jardin des Hespérides. Vous ne comprenez rien ? C'est normal, tout va s'éclairer en lisant cet ouvrage. Et vous verrez : on n'en ressort pas comme on y est entré…

Alors, résumons. La vie acidifie, les protéines aussi… Les fruits tamponnent, les légumes neutralisent nos erreurs ou excès alimentaires… Tout ça, Anne Dufour nous l'explique, nous prend par la main à travers des menus, des recettes (140 !), des programmes d'une semaine ciblant un problème ou une maladie, et nous ravit ! On va se faire du bien en mangeant… Au fait, je vous propose un énorme steak… de céleri-rave, cuit à la vapeur en tranche épaisse, dégusté tiède avec de l'huile d'olive et du citron ou poêlé aux épices ou graines. Mille mercis, Anne.

Jean-Charles Schnebelen
Docteur en pharmacie
Spécialiste des plantes
Chargé de cours à Paris XIII

INTRODUCTION

Vous êtes fatigué le matin ? Hyperactif mais en même temps épuisé ? Frileux ? Vous êtes spasmophile et faites crise sur crise ? Vous ne vous sentez pas « bien » : appétit perturbé, mauvaise haleine, douleurs diffuses (surtout musculaires ou articulaires)... ? Vous avez des renvois acides et souffrez de douleurs digestives ? C'est peut-être dû à un déséquilibre acido-basique. Il s'agit d'un déséquilibre chimique interne de l'organisme, susceptible de conduire à long terme à des problèmes de santé et un mal-être importants. N'attendez pas pour réagir !

L'homme, une belle plante

Imaginons que vous tentiez de faire pousser une plante dans une terre acide alors qu'elle a besoin, au contraire, d'une terre basique. C'est exactement le même problème lorsque notre propre milieu interne n'est pas adapté à nos besoins. Ce que nous mangeons modifie notre équilibre physiologique. C'est une question de chimie ! Or, notre alimentation actuelle, trop protéinée et trop sucrée, est acidifiante pour le corps : elle perturbe notre équilibre acido-basique, pourtant vital. Un déséquilibre de notre « chimie interne » entraîne une cascade de troubles plus ou moins graves, probablement (co) responsables de la majorité des maladies chroniques qui raccourcissent notre longévité et amoindrissent notre qualité de vie. Certes, nous avons des mécanismes de compensation, contrairement à la plante qui dépend totalement de son milieu. Mais ces compensations ont un coût physiologique exorbitant : elles se font notamment au détriment de notre réserve en calcium (squelette). En effet, comme la composition du sang doit absolument être constante, en cas d'acidité trop intense, le corps doit neutraliser avec ce qu'il trouve.

En l'occurrence, du calcium, qu'il va puiser dans l'os. Une alimentation chroniquement acidifiante (excès de viande/sel/fromage) est le plus court chemin pour avoir un squelette en mauvais état. C'est ce que l'on appelle l'acidose métabolique latente.

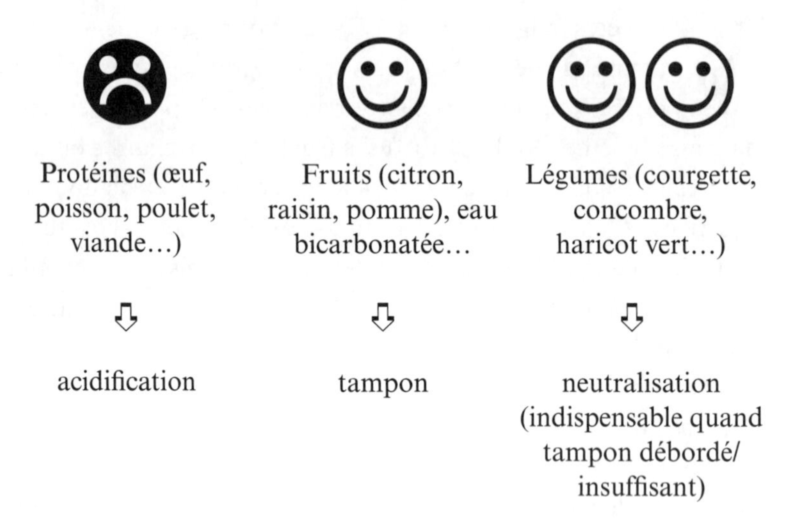

Des habitudes de vie acidifiantes

L'acidose n'est pas un concept nouveau. L'impact d'une acidose métabolique latente sur la santé et le bien-être, en revanche, est sérieusement étudié depuis peu. Par « latente », il faut comprendre « sourde », « pernicieuse ». Le mal silencieux qui avance sans qu'on le remarque. Les scientifiques soupçonnent cette « mini-acidité chronique » d'être fortement délétère pour le corps, et d'affecter autant notre bien-être que notre santé. L'une des raisons pour lesquelles ils se penchent sur ce problème, c'est que nos modes de vie ont fortement évolué ces dernières décennies pour tendre, toujours plus, vers l'acidification. Ainsi :

- *Nos aliments sont raffinés*, appauvris en composants alcalinisants (minéraux…), neutralisants.
- *Nous ne mangeons pas assez de fruits et légumes neutralisants* ou alcalinisants, mais ingérons trop de viande, de poisson, d'œufs, de produits laitiers, acidifiants.
- *Nous buvons moins d'eau,* neutre ou basique, mais plus de boissons sucrées, acidifiantes.
- *Nous vivons dans un stress permanent* avec une pression économique et sociale de plus en plus forte. Or le stress est acidifiant et, en plus, est un gros consommateur de magnésium alcalinisant.
- *La pollution atmosphérique* et l'habitude de se confiner, au bureau comme à la maison, entravent une oxygénation pourtant nécessaire à l'équilibre acido-basique.
- *Notre activité physique est insuffisante,* ce qui ralentit l'élimination des acides par les voies naturelles (poumons…).

Tout cela contribue à une acidification globale de l'organisme. Il est pourtant facile de retrouver l'équilibre acido-basique : quelques réflexes alimentaires simples, quelques gestes d'hygiène de vie accessibles à tous suffisent à nous ramener sur la bonne voie.

Les « pionniers » de l'acido-basique (Catherine Kousmine, Christopher Vasey, Paul Carton…)

Le concept de l'équilibre acido-basique ne date pas d'hier. Les docteurs Catherine Kousmine et Paul Carton, tous deux dans leur genre pionniers de médecine naturelle, ainsi que Christopher Vasey et tous les naturopathes l'intègrent dans leurs pratiques de soins depuis des dizaines d'années. D'autres noms moins connus résonnent aussi aux oreilles des « Anciens », comme Howard Hay ou J. P. Geoffroy, ou encore John H. Tilden. Plusieurs de ces précurseurs ont publié des livres très bien faits relatant les enjeux physiologiques

→

de ce précieux équilibre. Cependant, il peut être parfois ardu de mettre en pratique leurs recommandations, et c'est tout l'intérêt de cet ouvrage. Nous ne prétendons nullement « inventer » ce concept, mais vous aider à l'appliquer au quotidien, simplement et efficacement, pour une meilleure santé et un mieux-être. Pour aller encore plus loin, en dehors des menus et conseils acido-basiques types, nous vous proposons des programmes sur-mesure. Par exemple, si vous souhaitez protéger votre squelette, il est indispensable de respecter ces conseils acido-basiques, indépendamment d'un traitement substitutif à la ménopause ou/et antiostéoporose. L'acido-basique relève en effet d'une véritable écologie du corps, sans laquelle il serait vain d'imaginer protéger son squelette.

Comment utiliser ce livre

Après avoir intégré les rouages de l'équilibre acido-basique et les conséquences d'une acidose métabolique latente, suivez votre programme acido-basique sur mesure pendant une semaine. Il suffit de choisir parmi les aliments adaptés (à la fois «acido-basiques» et conçus pour apaiser vos troubles) et d'instaurer les bons gestes d'hygiène de vie au quotidien. Vous constaterez en quelques jours un mieux-être évident. N'oubliez pas que ce sont des conseils à suivre sur le long terme, pas du tout un «régime» par définition déséquilibré et limité dans le temps.

Êtes-vous en équilibre acido-basique ? Un petit test pour commencer

Voici 55 questions pour évaluer votre équilibre acido-basique. Répondez par oui ou par non à chacune de ces questions. Ce petit test tout simple permet d'évaluer l'impact de votre alimentation et de votre hygiène de vie sur votre équilibre acido-basique.

Les facteurs acidifiants

Hygiène de vie

- Je fume .... Oui ❑ Non ☒
- Je fume plus de 5 cigarettes par jour .... Oui ❑ Non ☒
- Je marche moins de 30 minutes par jour .... Oui ❑ Non ☒
- Je suis stressé au bureau .... Oui ❑ Non ❑
- Je suis stressé à la maison (enfants, conjoint, factures, bruits…) .... Oui ❑ Non ❑
- La fin de semaine, je me repose en restant à la maison, souvent devant la télé ou l'ordinateur .... Oui ❑ Non ❑
- Je travaille dans un milieu confiné avec des odeurs fortes (nettoyeur, parfumerie, telier, usine…) .... Oui ❑ Non ❑
- Dans mes loisirs, je suis régulièrement confronté à des produits comme de la colle, de la peinture ou des solvants .... Oui ❑ Non ❑
- J'utilise chaque jour du parfum et/ou des produits cosmétiques parfumés .... Oui ❑ Non ❑
- Je cours sans arrêt à droite à gauche pour m'occuper des enfants, de la maison, du travail… Le temps file, pas une minute à moi ! .... Oui ❑ Non ❑
- Le jour, la fenêtre est toujours fermée (bureau, maison, voiture, avion…) .... Oui ❑ Non ❑
- Je dors la fenêtre fermée .... Oui ☒ Non ❑
- Je dors mal, mon sommeil n'est pas reposant .... Oui ☒ Non ❑
- Je prends régulièrement des médicaments (traitement médical pour une maladie chronique ou prise régulière d'aspirine ou autre) .... Oui ❑ Non ☒

Alimentation et habitudes alimentaires

- Je mange beaucoup (de grandes quantités chaque repas)............. Oui ☒ Non ☐
- Je grignote souvent.. Oui ☒ Non ☐
- Au dîner et au souper, je mange de la viande ou du poisson.............................. Oui ☒ Non ☐
- Je mange toujours un dessert (crème caramel, gâteau, crème glacée...)...... Oui ☐ Non ☐
- Je bois des boissons gazeuses (avec ou sans sucre) plusieurs fois par semaine.. Oui ☐ Non ☒
- Je bois de l'alcool (vin...)................................ Oui ☐ Non ☒
- Je bois plus de 3 verres de boissons alcoolisées par jour.. Oui ☐ Non ☒
- Je bois mon thé et mon café avec du sucre ou un édulcorant.. Oui ☐ Non ☒
- Je suis en surpoids.. Oui ☒ Non ☐
- Je mange principalement des plats préparés... Oui ☐ Non ☐
- J'achète presque toujours les mêmes aliments en épicerie.. Oui ☒ Non ☐
- Je mange pas mal de friandises (chocolat, bonbons, biscuits...)...................... Oui ☐ Non ☒
- Je mange du pain blanc, des pâtes blanches, du riz blanc....................................... Oui ☐ Non ☒
- Je consomme du sucre blanc........................... Oui ☐ Non ☒
- J'utilise des huiles végétales raffinées........... Oui ☐ Non ☒
- Je bois 3 tasses de café par jour ou plus ...... Oui ☒ Non ☐
- Je mange pas mal de charcuterie................... Oui ☐ Non ☒
- Je mange pas mal de friture et de plats en sauce.. Oui ☐ Non ☒
- Je mange du fromage presque à chaque repas... Oui ☐ Non ☒

- J'ai des troubles digestifs, je mets des heures à digérer, je me sens souvent « lourd »........ Oui ☐ Non ☒
- Je mange souvent debout, ou au bureau devant mon ordinateur, ou dans le métro, vite fait........ Oui ☐ Non ☒

Si vous avez répondu « oui » à au moins 15 de ces questions, vous avez globalement une hygiène de vie acidifiante.

Les facteurs alcalinisants

Hygiène de vie

- Je marche au moins 1 heure par jour........ Oui ☐ Non ☒
- J'ai l'impression d'être globalement détendu... Oui ☐ Non ☒
- Je fais du sport au moins 1 fois par semaine (natation, course à pied, bicyclette...)........ Oui ☐ Non ☒
- La fin de semaine, je m'oxygène pendant de longues balades à pied ou à vélo dans la nature........ Oui ☐ Non ☒
- Je fais du yoga, des arts martiaux, du chant ou toute autre activité qui m'aide à améliorer ma respiration........ Oui ☒ Non ☐
- Je prends régulièrement des bains pour me détendre........ Oui ☐ Non ☒
- Je vais souvent dans la forêt, au bord d'un lac ou en montagne........ Oui ☐ Non ☒
- J'aère ma maison/mon appartement au moins un quart d'heure matin et soir (fenêtres grandes ouvertes)........ Oui ☒ Non ☐

- J'aère mon bureau (fenêtre ouverte en permanence ou grande ouverte quelques minutes chaque heure) .... Oui ☐ Non ☐
- Je lis beaucoup, je vais au cinéma, je sors, je m'amuse, je prends du bon temps .... Oui ☒ Non ☐
- Je dors bien et suffisamment .... Oui ☐ Non ☒
- J'écoute de la musique classique, cela me fait du bien .... Oui ☐ Non ☒
- Je jardine .... Oui ☐ Non ☒
- Je dors la fenêtre ouverte .... Oui ☐ Non ☒
- Je vais régulièrement au sauna .... Oui ☐ Non ☒

Alimentation

- Je mange un fruit au déjeuner, au dîner et au souper .... Oui ☒ Non ☐
- Je mange une salade ou des crudités au dîner et au souper .... Oui ☒ Non ☐
- Je mange de la soupe de légumes et/ou des légumes verts au dîner et au souper .... Oui ☐ Non ☒
- Je bois principalement de l'eau .... Oui ☒ Non ☐
- Je bois environ 1 litre d'eau par jour (y compris le thé et le café) .... Oui ☒ Non ☐
- Je cuisine, même simplement, au quotidien (je ne mange pas « tout préparé ») .... Oui ☐ Non ☒
- J'achète mes aliments en épicerie, dans des magasins de produits naturels et au marché (je varie) .... Oui ☒ Non ☐
- Je mange/bois pas mal de produits bio (notamment le thé et le café) .... Oui ☐ Non ☒
- Je mange du pain complet, des pâtes complètes, du riz complet .... Oui ☐ Non ☒

- Je mange du sucre complet ou du miel, du sirop d'érable .... Oui ☒ Non ☐
- J'utilise des huiles végétales non raffinées (achetées dans les magasins de produits naturels) .... Oui ☐ Non ☒
- Je bois maximum 2 tasses de café par jour .... Oui ☒ Non ☐
- Je bois au moins 1 tasse de thé vert par jour .... Oui ☒ Non ☐
- J'aime bien boire des tisanes .... Oui ☒ Non ☐
- Je digère bien, merci ! .... Oui ☒ Non ☐
- Je prends le temps de manger à table, calmement et assis .... Oui ☒ Non ☐

Si vous avez répondu «oui» à au moins 15 de ces questions, vous avez globalement une hygiène de vie équilibrée sur un plan acido-basique.

Découvrez dans les pages suivantes 24 conseils simples et pratiques pour un équilibre acido-basique au quotidien.

14 conseils alimentaires

1. Mangez moins de sel minéral et de chlore

(Ce dernier accompagne presque toujours le sel.) Donc moins de plats salés, de fromage, de produits préparés. Pas d'eaux minérales riches en chlorures – plus de 200 mg/l – au quotidien (Arvie, Vichy Célestins, Vichy Saint-Yorre).

2. Mangez plus de potassium

Donc plus de légumes racines (carottes, panais, etc.), de légumes verts (concombre), de pommes de terre, d'abricots et de bananes. À vous les bonnes petites soupes réconfortantes au potiron et les smoothies rafraîchissants en été !

3. Mangez plus de sels organiques présents dans les végétaux

Notamment dans les agrumes (voir p. 73). Ces derniers sont aussi mal nommés « acides organiques » alors qu'ils ne génèrent aucun acide dans notre organisme. Au contraire, ils vont donner des bicarbonates « tampons » !

4. Accompagnez toujours viandes, œufs, poissons, céréales et légumes secs de légumes verts

5. Préférez les protéines d'origine végétale

(céréales complètes, légumes secs, soja…) à celles d'origine animale. Au moins une fois par semaine (puis deux fois, puis trois…), essayez de manger « végétarien ». Vous n'aurez pas faim, car vous consommerez plus de fibres, très impliquées dans la sensation de satiété.

6. Choisissez des céréales complètes

Pour les pâtes, le pain, la farine, le riz… Dans la version raffinée (blanche), potassium et autres minéraux « antiacidité » ont disparu. Résultat, l'organisme digère des protéines végétales « non tamponnées », donc quasiment aussi acidifiantes que celles de la viande, des œufs et autres protéines animales.

7. Hiérarchisez vos priorités alcalines

Les fruits et légumes verts font mieux que les céréales complètes et les légumes secs, qui eux-mêmes font mieux que les céréales raffinées.

8. Buvez beaucoup d'eau

Surtout de l'eau minérale riche en bicarbonates.

9. Ne vous privez pas d'aliments au goût acide ou acidulé

La saveur acide n'a aucun rapport avec l'acidification dont nous parlons. Le citron est acide en bouche, mais ne libère pas d'acidité dans le corps.
Au contraire, les agrumes (citrons, pamplemousses…) sont riches en citrates, hautement alcalinisants.

10. Faites simple

Les aliments « nature » sont meilleurs pour la santé. Plus l'étiquette d'un produit vous semble longue, avec un grand nombre d'additifs, plus il faut vous en méfier.

11. Ne rejetez pas par principe tout ce qui est nouveau

(Ce serait dommage !), mais souvenez-vous que la plupart des aliments récemment mis sur le marché ne correspondent qu'à un coup de marketing. Ces produits sont bien souvent fortement éloignés des besoins de l'organisme. Si vous ne savez plus à quel critère vous vouer, simplifiez-vous les courses et la vie : n'achetez pas un aliment que votre grand-mère n'aurait pas acheté.

12. Consommez de larges quantités de fruits et légumes très colorés

Plus ils sont foncés, plus ils sont riches en pigments antioxydants.

13. Mangez moins de produits laitiers

Surtout de fromage, fortement acidifiant.

14. Consommez des épices !

Muscade, poivre, cannelle... sont autant de merveilleuses « petites mains » acido-basiques, détox et antioxydantes...

10 conseils d'hygiène de vie

1. Apprenez à mieux respirer

Plus profondément, moins vite.

2. Bougez

Solliciter ses muscles nécessite un afflux de sang, donc des battements cardiaques accélérés, donc une respiration, elle aussi, plus rapide. Or, c'est par la respiration que l'on élimine une grande partie de nos acides. Bougez, respirez, éliminez !

3. Transpirez

La sueur est, elle aussi, un excellent moyen corporel d'éliminer les acides du corps. Courez, nagez, allez au sauna, dans un spa... tout est bon pour une bonne suée.

4. Soignez votre flore intestinale

Elle joue un rôle fondamental dans la digestion, la transformation de certains acides gras (acide butyrique...), et par conséquent le ravitaillement des cellules. C'est aussi elle qui transforme les polyphénols antioxydants non absorbables par l'organisme (par exemple, les tanins du thé vert et du vin rouge, de molécules trop grandes pour se faufiler dans le sang) en petites molécules absorbables et donc effectivement antioxydantes. Une cure de prébiotiques et/ou de probiotiques adaptés peut être indispensable. Tout simple : pensez à incorporer des aliments riches en probiotiques/prébiotiques dans vos menus quotidiens, pour être sûr de bien assimiler vos antioxydants.

5. Si vous n'arrivez pas

à rétablir votre équilibre acido-basique malgré nos conseils, accélérez le retour à la normale en faisant une cure de minéraux tamponnants (citrates de magnésium, potassium, calcium). Il en existe de diverses marques. C'est très efficace.

6. Buvez des tisanes spéciales acido-basiques

Par exemple de bruyère, de queue-de-cerise ou de framboisier.

7. Utilisez certaines huiles essentielles dans votre cuisine

Celle de petit grain bigarade, par exemple. Prenez des bains aux huiles essentielles antistress (lavande...).

8. Recherchez le calme

Protégez-vous au maximum du stress, du bruit, détendez-vous.

9. Confiez votre santé et bien-être quotidiens aux plantes

Prenez celles adaptées à votre cas proposées dans les programmes de ce livre. Par exemple, si vous êtes spasmophile, orientez-vous vers la mélisse, antispasmes. Si vous êtes à l'âge de la ménopause et craignez pour vos os, pensez à la prêle ou au litothame fortement reminéralisants.

10. Si vous êtes en surpoids, mettez tout en œuvre pour mincir

Ne serait-ce qu'un petit peu. Trop de kilos déséquilibrent tous nos systèmes d'adaptation, y compris celui chargé de l'équilibre acido-basique.

L'ÉQUILIBRE ACIDO-BASIQUE, UN ÉQUILIBRE ÉLÉMENTAIRE

Un équilibre fondamental pour l'organisme

Le corps recherche en permanence un équilibre chimique interne (l'homéostasie), nécessaire à son bon fonctionnement et, même, à sa survie. Grâce à cet équilibre, on digère bien, on dort profondément, notre peau se renouvelle à un rythme normal, notre squelette s'autorépare, remplaçant en permanence de vieilles cellules par des neuves. Grâce à cet équilibre, toujours, nos enzymes, ces «petites mains» sans lesquelles rien ne serait possible dans notre corps, fonctionnent parfaitement bien, car elles ont besoin d'un pH donné et d'une température de 37 °C. C'est pourquoi le corps s'efforce de toujours rester dans le cadre de ce pH et autour de 37 °C, abaissant la fièvre (même si elle est utile temporairement), et, à l'inverse, maintenant la chaleur interne, y compris en cas de froid intense.

Le corps tend naturellement vers l'acidité

À chaque instant, il se passe quelque chose dans notre organisme. On respire, on digère, on rit, on se douche, on réfléchit, les cellules anciennes sont remplacées par des nouvelles, les globules blancs luttent contre les microbes, nous produisons de la chaleur pour rester à 37 °C. Bref, la vie. Chacun de ces mini-événements produit un peu d'acidité. Parce que chacun de ces mini-événements n'est possible que grâce aux échanges d'électrons. Cette vision «chimique» de notre corps est rarement mise en lumière, et c'est pourtant bien ainsi que nous sommes conçus, et c'est autour de cet échange d'électrons que la vie s'organise. Sinon nous serions figés, morts. C'est ce que les biologistes appellent le métabolisme. Ce dernier est constitué de deux composantes: *l'anabolisme* (le corps qui se construit, se répare, etc.) et le *catabolisme* (les processus de dégradation indispensables pour pouvoir éliminer les vieilles cellules). Ces deux composantes sont indépendantes de notre volonté, elles sont le fruit d'une cascade permanente de réactions chimiques.

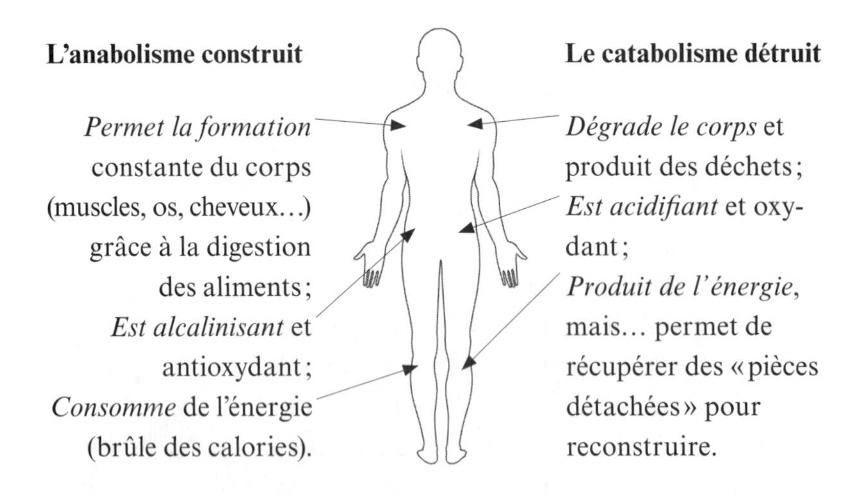

Malgré les apparences, ces deux composantes sont aussi indispensables l'une que l'autre pour l'organisme.

L'ACIDOSE AIGUË, UNE URGENCE MÉDICALE

Parmi l'innombrable liste des paramètres chimiques que l'organisme vérifie à chaque instant, l'un des plus essentiels est l'équilibre acido-basique. Notre corps ne pourrait fonctionner si le pH de notre sang était trop élevé ou trop bas. D'ailleurs, une véritable acidose, tout comme une véritable alcalose, constitue une urgence médicale absolue bien connue des ambulanciers et des médecins. En quelques minutes de « beaucoup trop d'acide » ou de « beaucoup trop de base », c'est la mort. Fort heureusement, cet état extrême est rare ! En revanche, l'acidose métabolique latente, c'est-à-dire le « légèrement trop acide » en permanence, serait, de l'avis de nombreux experts, beaucoup plus répandue. Jusqu'à constituer une véritable « épidémie » ! Elle serait due à notre mode de vie et à nos habitudes alimentaires occidentales actuels. Sur le long terme, elle peut perturber de nombreux organes, de nombreuses fonctions, et fortement « abîmer » le corps.

L'ACIDOSE LATENTE : UNE URGENCE... À LONG TERME !

La différence entre l'acidose aiguë (l'urgence) et l'acidose métabolique latente – ou acidose chronique de faible niveau – pourrait se comparer avec la différence entre une *carence* en vitamine C (qui mène au scorbut : perte des dents, hémorragies internes...) et une *déficience* en vitamine C, courante, qui rend irritable, fatigué, provoque de petits saignements et douleurs de gencives, une légère faiblesse immunitaire, une tendance à faire des allergies et de l'asthme, etc. Pas « grave », mais suffisant pour taxer la qualité de vie, gêner au quotidien, attraper tous les virus qui passent, mal s'en défendre et donc faire des surinfections bactériennes avec recours aux antibiotiques, puis une mycose due aux antibiotiques, etc. Bref, une déficience, ce n'est pas si anodin. Il en va de même pour le magnésium, le calcium, le fer, la vitamine A, les oméga-3, etc. Pour l'équilibre acido-basique, c'est la même chose : un petit peu trop d'acidité chaque jour, ce n'est pas grave... mais à long terme, on doit en payer le prix. Car ce fameux équilibre est vital pour que les cellules, donc les amas de cellules qui constituent nos organes, puissent fonctionner correctement. En cas de déséquilibre important, nos pauvres cellules vont même jusqu'à changer de forme et ne peuvent plus assurer leur rôle. Ce n'est pas une situation viable bien longtemps !

Comment ça fonctionne ?

Avec un tout petit effort de mémoire, vous devriez vous souvenir, même vaguement, de quelques notions de chimie apprises à l'école. L'équilibre acide-base (ou acido-basique) repose sur un échange constant de protons. Une molécule qui « donne » son proton est dite « acide », celle qui l'accepte est dite « base ». Peu importent les détails chimiques, l'essentiel est de comprendre que si trop de molécules donnent leur proton, il y a un excès de molécules acides, donc une acidification du milieu. Et c'est l'organisme tout entier qui est en péril ! Il cherche toujours à rétablir un équilibre acido-basique, et doit pour ceci s'ajuster en permanence.

Petit cours accéléré de digestion

Lorsque l'on digère, les aliments produisent dans notre corps des acides ou des bases.

- *Les protéines* (protides) donnent du CO_2 et de l'eau, éliminés par les poumons ainsi que de l'urée, éliminée par les reins.
- *Les sucres* (glucides) donnent du CO_2 et de l'eau, éliminés par les poumons.
- *Les graisses* (lipides) donnent du CO_2 et de l'eau, éliminés par les poumons.

→

> Les poumons et les reins se partagent donc la majorité du travail d'élimination, l'un prenant (relativement) en charge le travail de l'autre en cas de problème. Fait méconnu, le foie et les muscles jouent un rôle dans l'élimination des acides. Il est donc important d'avoir un foie en bonne santé et non surchargé, et de faire travailler ses muscles.

Il ne s'agit pas de faire la chasse à toute acidité. Ne tombons pas dans cet excès puisque le corps recherche un équilibre. Mais comme il produit lui-même de l'acidité, ne serait-ce qu'en respirant ou en digérant, nous avons tendance à aller naturellement vers un déséquilibre en faveur de l'acidité. Déséquilibre qu'il corrige de lui-même grâce aux systèmes de tampons et de neutralisation, dont nous parlerons en détail plus loin. Le problème se pose lorsqu'à l'acidité propre du corps s'ajoutent une alimentation elle-même acidifiante, un manque de sommeil, un stress, la consommation de tabac, d'alcool… et toute activité générant « un peu » d'acidité. À terme, cela fait « beaucoup trop d'acidité ».

Les différents pH dans notre corps (il les maintient coûte que coûte)

Notre corps est constitué d'un million de milliards de cellules, de 200 types différents (celles de la peau, de la bouche, du foie, des reins, des seins, des os, du cerveau…). Chaque jour, nous fabriquons 70 millions de nouvelles cellules, pour remplacer les « anciennes » et ce, en majeure partie avec ce que l'on mange. Leur qualité dépend donc, forcément, de la qualité et de l'équilibre acido-basique de notre alimentation. Nous sommes ce que nous mangeons ! Maintenant, penchons-nous sur ces cellules d'un peu plus près. Nous avons des compartiments précis dans l'organisme, qui ont besoin de conditions de vie précises, dans des limites précises. En effet, nos cellules sont toutes très spécialisées. Une cellule de foie, ce n'est pas une cellule d'os ou de langue. Chacune fonctionne dans le cadre strict de paramètres chimiques donnés ; s'ils sont modifiés, les cellules elles-mêmes se modifient, changent de forme, d'architecture, et ne peuvent plus faire ce qu'elles sont censées faire ! C'est pourquoi il est vital que le pH du sang reste parfaitement stable. Une modification du pH sanguin de 0,2 peut conduire à de très graves troubles, voire à la mort. C'est aussi pourquoi le pH de l'urine peut varier bien plus : le rein filtre pour permettre au sang de ne pas varier, justement.

Qu'est-ce que le pH ?

Le pH correspond à la concentration en hydrogène (d'un aliment, d'un métal, d'un organe...) allant de 0 à 14. Il se mesure sur une échelle d'acidité.

La neutralité se situe pile au milieu à 7.
De 0 à 6,99 le pH est dit acide.
De 7,01 à 14, le pH est dit alcalin (ou basique).

L'équilibre acido-basique, c'est lorsque les deux font correctement leur travail ensemble.

À chaque organe son pH

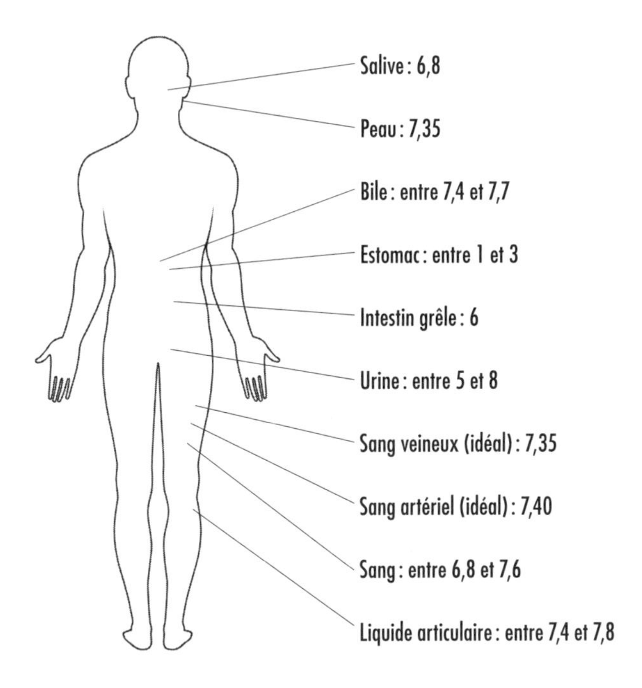

Le pH sanguin, vital pour chacune de nos cellules

Le sang constitue environ 8 % de notre poids corporel. En volume, cela correspond grosso modo à 5 litres (3 litres pour un enfant). Chaque jour, notre corps en « fabrique » : 150 000 globules rouges et des milliers de globules blancs, qui flottent dans du liquide constitué d'eau, de minéraux et d'albumine, le plasma. Grâce à la pompe cardiaque, le cœur, il circule dans les artères et les veines, est oxygéné par les poumons et y retourne pour éliminer le gaz carbonique récupéré dans le corps. Un sang de bonne qualité et suffisamment fluide est extraordinairement important pour la santé. En effet, c'est lui, et lui seul, qui est chargé d'acheminer la nourriture et l'oxygène vitaux à chacune de nos cellules (globules rouges), d'évacuer les déchets (plasma), de défendre le corps contre les maladies (globules blancs).

Son pH normal est de 7,35, soit légèrement alcalin. Il peut varier très, très légèrement, entre 7,28 et 7,42, mais surtout pas plus. Au-delà de ces seuils, et d'une manière générale, plus on s'éloigne de 7,35, plus les ennuis sérieux guettent. Une acidose métabolique latente rend le sang (légèrement) trop acide, et tout l'organisme, naturellement, s'en ressent. Y compris le cerveau, car une modification de seulement 0,2 du pH sang artériel perturbe l'influx nerveux, et peut mener à de graves anomalies, voire à la mort. C'est dire si le corps est vigilant sur cet équilibre acido-basique.

Sur le pH sanguin

Parmi les maladies du sang, il y a le manque de globules rouges (anémie), l'excès de globules rouges (polyglobulie), les anomalies de globules blancs (leucémie), etc., et une modification du pH. Cette dernière peut mener à de simples dysfonctionnements si la modification est faible, et à de graves troubles voire au décès si elle est importante.

Pourquoi le goût acide (citron) et l'acidification de l'organisme n'ont strictement rien à voir

Il est important de bien distinguer *l'acidité d'un aliment*, par exemple le citron, et les *acides produits par la digestion d'un aliment*, par exemple la viande. L'équilibre acido-basique s'intéresse presque exclusivement à la deuxième partie, c'est-à-dire aux aliments dont la digestion génère des acides. En effet, pour le corps, ce n'est pas tant ce qui « entre » qui compte, mais ce qu'il en fait ! Vous découvrirez ainsi, dans cet ouvrage, que le citron génère, finalement, des tampons dans l'organisme alors que la viande, à la saveur pourtant douce, se décompose en divers acides. Comme quoi, pour gérer son équilibre acido-basique, il ne faut pas se fier aux apparences, ni à ses papilles gustatives !

Digestion et CO_2

Le simple fait de digérer et de cataboliser les aliments produit du CO_2, donc de l'acide. Ce processus, auquel il est impossible de se soustraire, provoque la production d'environ 18 000 mMo (millimolaire) de CO_2, et donc d'une quantité d'acide équivalente.

Les systèmes d'adaptation du corps

L'équilibre acido-basique est si important pour l'organisme qu'il dispose de systèmes extrêmement efficaces pour que le pH ne bouge pas, quels que soient les apports extérieurs et la production interne d'acides. Mais ça marche seulement dans une certaine limite!

Pour la petite histoire... alchimique et chimique

Il existe une classification chimique des:

- acides forts: HCl, H_2SO_4, H_3PO_4, HNO_3
- acides faibles: H_2CO_3, $HCOOCH_3$, acides organiques
- bases fortes: NA, K, Ca, Mg
- bases faibles: NH_4, amines, polyamines

Nous la devons en partie aux alchimistes, qui découvrirent les acides forts: l'acide chlorhydrique, l'acide nitrique et le vitriol (acide sulfurique). Concernant ce dernier, l'origine du terme est pour le moins hermétique, c'est l'acronyme de *Visita Interiora Terrae Rectificando Invenies Occultum Lapidem* («visite l'intérieur de la Terre et en te rectifiant tu trouveras la pierre cachée»), une des formules initiatiques classiques des alchimistes. Toujours parmi ces

→

derniers, Jean-Baptiste Van Helmont (XVIe siècle) distinguait l'alcali volatil (l'ammoniac) des bases fixes. Puis Paracelse chercha toute sa vie un acide universel (l'acide sulfurique, selon Stahl), Glauber découvrit le sulfate de sodium (sel de Glauber), fabriqua le premier de l'acide chlorhydrique, et nuança la force des acides. Rouelle, enfin, découvrit que lorsqu'on oppose un acide et une base, on obtient un sel. Les alchimistes furent peu à peu remplacés par les chimistes, qui ont approfondi tout cela. Il fallut attendre 1909 pour que Störensen mette au point le principe du pH, puis le début du XXe siècle pour tourner autour de la notion « d'acido-basique ». Au-delà des éléments acides et alcalins, les savants remarquent que certaines substances sont ampholytes, c'est-à-dire qu'elles peuvent se comporter soit comme un acide (donc accepter un électron), soit comme une base (donc donner un électron) : ce sont les acides aminés, les protéines, et l'eau. Puis, Van Slyke met en évidence la constance du pH sanguin chez l'homme, entre 6,8 et 7,6.

De l'équilibre acido-basique à l'équilibre antioxydant

Usanovitch (savant russe) montre dès 1939 que l'équilibre acido-basique et l'équilibre oxydants-antioxydants sont intimement liés. Ainsi lorsqu'un oxydant vole un électron à un aliment, un tissu, une substance quelconque, il se produit une oxydation, qui n'est autre qu'une perte d'électron. À l'inverse, lorsqu'un antioxydant donne un électron, on dit que la substance qui en bénéficie « réduit », et on appelle d'ailleurs les antioxydants des réducteurs.

Les systèmes tampon : ils gèrent l'urgence

Les tampons ressemblent à une zone spéciale où il y a des échanges de protons pour parvenir à l'équilibre. Inutile d'entrer dans des détails compliqués, dites-vous juste que c'est une histoire de chimie interne, relativement simple dans sa conception, mais de haut niveau de performance. Ces « tampons », comme leur nom l'indique, amortissent un excès d'acide (ou éventuellement de base), un peu comme s'ils les absorbaient telle une éponge. Ce mécanisme est si fin qu'il existe des tampons à l'intérieur de la cellule et d'autres, complètement différents, à l'extérieur de la cellule.

- *Les tampons intracellulaires.* Dans la cellule, les tampons intracellulaires sont, grosso modo, les phosphates et les bicarbonates. Ils servent à capturer les acides. Ils tamponnent environ la moitié des acides dus à l'alimentation.
- *Les tampons extracellulaires.* À l'extérieur, les tampons extracellulaires sont essentiellement les bicarbonates et certaines protéines présentes dans le plasma, comme l'albumine. Ils piègent les acides et les escortent ainsi fermement vers la « sortie » c'est-à-dire vers leur lieu d'élimination. Certains acides sont en effet éliminés par les reins, d'autres par les poumons, d'autres par la peau, comme nous le verrons plus tard. Un vrai tri sélectif ! Ils tamponnent environ l'autre moitié des acides dus à l'alimentation.

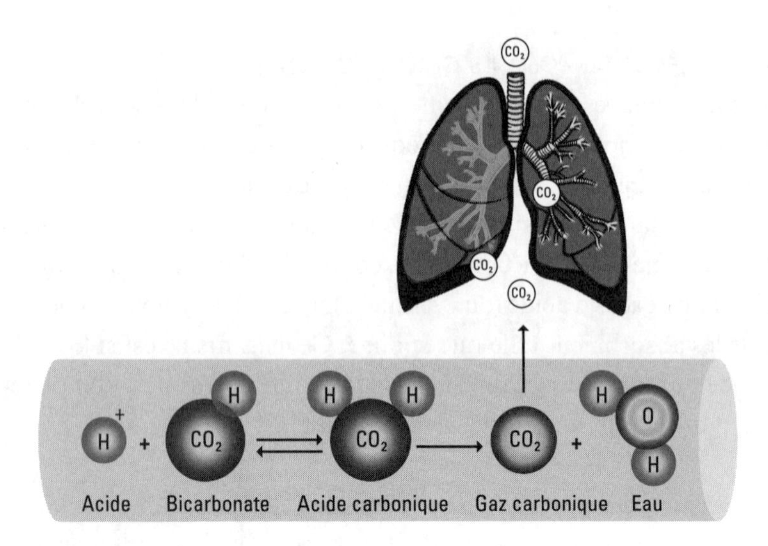

Les bicarbonates présents dans notre sang capturent les acides. Ce mariage donne de l'acide carbonique, éliminé par les poumons sous forme de gaz carbonique. Les bicarbonates sont principalement fabriqués à partir des fruits et des eaux minérales riches en bicarbonates.

Les tampons *amortissent*, mais *n'éliminent* pas les acides. Ce détail permet de comprendre que de nombreux éléments sont en jeu, et qu'apporter à la fois des phosphates et des bicarbonates est capital, mais insuffisant. Vive la variété alimentaire !

Ce qu'il faut retenir

Lorsque l'on manque de tampons parce qu'on ne mange pas assez de fruits et légumes, les cellules sont obligées de « s'automutiler » (de se sacrifier) pour fournir des éléments afin de « tamponner » tant bien que mal. Le résultat est médiocre et, en plus, la cellule ne fonctionne plus correctement car elle a sacrifié de précieux constituants qui n'étaient pas là pour cela. Protégez vos cellules : mangez des fruits ! Plus l'organisme dispose de bicarbonates, plus il « bloque » rapidement et facilement les acides.

Les systèmes de neutralisation : les « tueurs » d'acide

Pour neutraliser un acide, il faut une base, c'est-à-dire principalement des minéraux antiacides (potassium, calcium, magnésium…). C'est une simple équation mathématique. Plus on consomme d'aliments acidifiants (viande), plus on doit consommer de «bases» (légumes).

Les neutralisateurs *éliminent*, mais *n'amortissent* pas les acides. Nous avons impérativement besoin de ces deux systèmes complémentaires et en bon état de marche.

Ce qu'il faut retenir

On «tamponne» grâce aux fruits – bicarbonates et acides organiques. On «neutralise» grâce aux légumes – minéraux (potassium, calcium, magnésium…).

Les systèmes de régulation : par ici la sortie !

La respiration, les reins, et dans une moindre mesure la peau et le système digestif sont les «portes de sortie» des acides. C'est par l'un de ces émonctoires (organes d'élimination) que sont évacués les acides. Lorsque notre corps se sent «débordé» par les acides, il en informe le cerveau, qui nous fait respirer alors plus vite et active aussi notre production d'urine. Retrouvez tous les détails à «Hygiène de vie» (p. 117).

Ce qu'il faut retenir

En moyenne, nous ingérons 1 mEq (milliéquivalents) d'acide par jour et par kilo de poids corporel. Ainsi, une personne pesant 70 kg devra éliminer 70 mEq d'acides provenant exclusivement de l'alimentation (sans compter sa propre production d'acides par le stress, le travail musculaire, le métabolisme, etc.).

ACIDES VOLATILS ET ACIDES FIXES

Le métabolisme, c'est-à-dire le simple fait de rester en vie, provoque la fabrication d'acides volatils (éliminés par les poumons) et d'acides fixes (éliminés par les reins). Les poumons ne sont donc pas conçus pour éliminer les acides fixes, et les reins les acides volatils. Ces deux organes-clés de l'élimination doivent par conséquent être en parfait état de marche. Protégez-les. En particulier, ne fumez pas! Le tabac s'attaque aux poumons (cancer du poumon), tout le monde le sait, mais aussi aux reins (insuffisance rénale), ce qui est bien moins connu.

Enfin, nous l'avons évoqué rapidement à la page 31, dans l'encadré dédié aux alchimistes, l'équilibre acido-basique et l'équilibre antioxydant sont intimement liés. Le déséquilibre de l'un entraîne automatiquement un déséquilibre de l'autre. C'est pourquoi les programmes de ce livre intègrent aussi des conseils pour augmenter vos défenses antioxydantes tout en respectant et améliorant votre équilibre acido-basique. L'un ne va pas sans l'autre!

ÊTES-VOUS EN DÉSÉQUILIBRE ACIDO-BASIQUE ?

Notre corps produit naturellement en permanence des acides. Il doit donc les éliminer. C'est pourquoi il est doté de systèmes puissants d'élimination de ces acides : les systèmes tampon et de neutralisation que nous venons de voir. Tout ce mécanisme est complexe, extrêmement performant et relativement adaptable. C'est pour cela qu'une personne en bonne santé peut manger une fondue bourguignonne ou une raclette, deux plats particulièrement acidifiants, sans que son équilibre acido-basique en souffre trop, ni trop durablement. Cependant, parfois, ce système de haute précision fonctionne moins bien. Et les ennuis commencent. L'organisme élimine en grande partie l'excès d'acides par les poumons (voie respiratoire) et par les reins (voie urinaire). Pour la voie respiratoire, il est facile de s'en rendre compte par un simple constat : l'haleine du diabétique en acidose ou de la personne au régime hyperprotéinée, qui exhale une typique odeur d'acétone, c'est-à-dire de pomme aigrelette. Soit parce que le corps doit « gérer » un surplus d'acidité suite à un excès alimentaire ou d'alcool, soit parce qu'il manque de bicarbonates par insuffisance de fruits, de légumes, d'eau ou à cause d'une diarrhée, par exemple. Nettement plus rares, les situations d'alcalose (trop de bases) sont dues à des problèmes médicaux très particuliers, à la prise répétée de médicaments – notamment de diurétiques – ou à des pertes exceptionnelles d'acides (vomissements répétés).

L'impact sur le corps d'un déséquilibre acido-basique

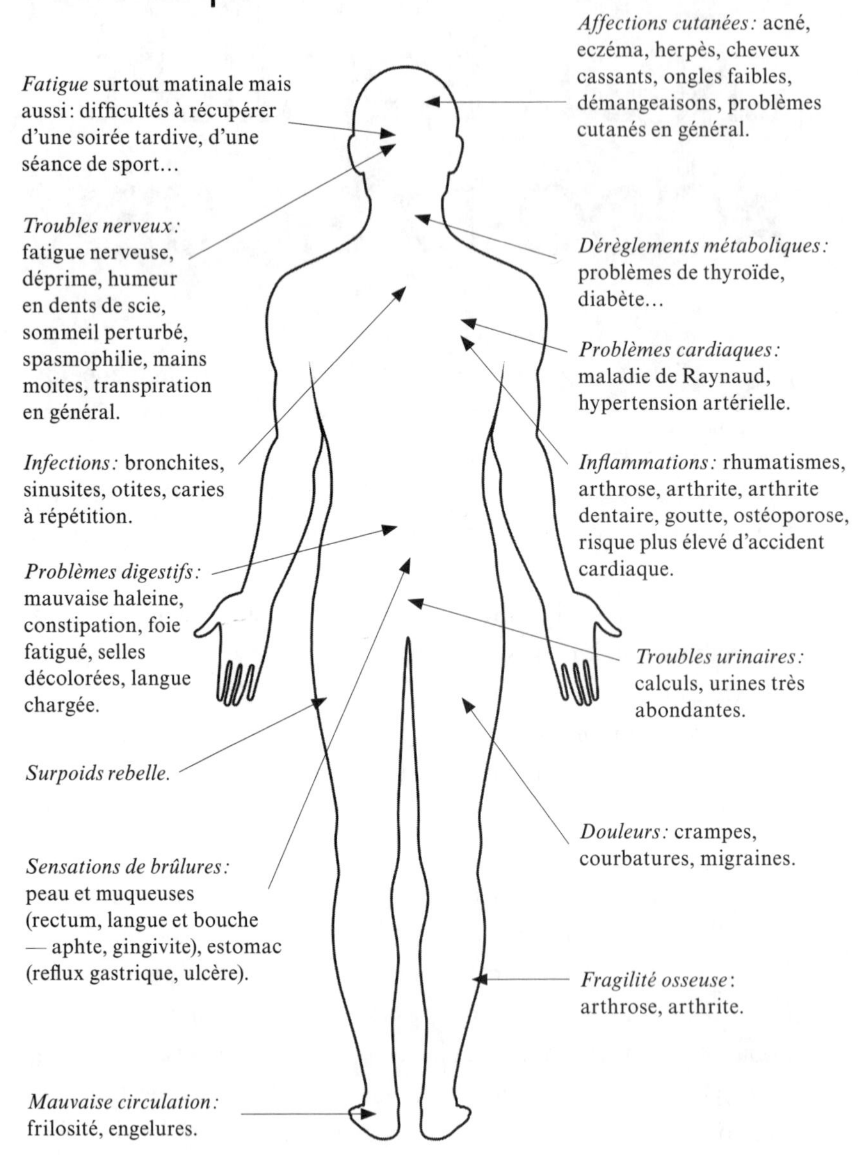

Il est bien entendu que ces troubles sont multifactoriels : de nombreux autres facteurs sont impliqués dans un mauvais sommeil (le stress, une chambre mal aérée…), le surpoids (tendance à manger trop pour s'apaiser, activité physique insuffisante…), les troubles digestifs (flore intestinale déréglée), etc. Mais quoi que vous mettiez en œuvre pour régler ces problèmes – hygiène de vie, prise de médicaments, psychothérapie –, rétablir l'équilibre acido-basique est une priorité. Exactement comme il ne servirait pas à grand-chose de déverser de l'engrais dans le pot de la plante dont nous parlions en début de livre : si ses racines sont plantées dans une terre inadaptée, tous vos efforts seront vains pour la rendre plus épanouie.

L'abécédaire santé d'un déséquilibre acido-basique

Le déséquilibre acido-basique peut s'exprimer de nombreuses façons en fonction de vos propres faiblesses, de vos antécédents médicaux, de votre manière de somatiser, aussi. Certaines personnes ont des poussées articulaires douloureuses, d'autres plutôt des symptômes cutanés ou digestifs, d'autres encore se plaignent de cystites récidivantes… Heureusement, personne ne cumule tous les maux reliés à une hyperacidité !

Vous allez découvrir dans les pages suivantes de nombreux exemples concrets, mais la liste est loin d'être exhaustive. Encore une fois, il ne s'agit pas d'imputer au seul déséquilibre acido-basique cet abécédaire de maux, mais de comprendre qu'un tel déséquilibre peut être la source, sinon au minimum impliqué, de dysfonctionnements et de maladies extrêmement diverses. Si d'autres facteurs sont évidemment à prendre en compte, le déséquilibre acido-basique est cependant le premier à corriger pour recouvrer la santé. On ne peut pas vivre en bonne santé si les besoins physiologiques élémentaires de l'organisme ne sont pas respectés.

Appétit « détraqué » (boulimie, anorexie, fringales)

Un déséquilibre acido-basique perturbe d'une part l'appétit, provoquant des fringales ou au contraire «coupant l'appétit», d'autre part la glycémie (taux de sucre dans le sang). Or, une glycémie non maîtrisée, c'est l'assurance de manger trop, de grignoter, de ne pas arriver à se contrôler vis-à-vis de la nourriture. En effet, la faim est directement reliée à notre taux de sucre sanguin: dès que celui-ci baisse au-delà d'un certain seuil, le cerveau ordonne de manger, de préférence des aliments sucrés. C'est déjà très gênant, surtout si l'on cherche à perdre du poids ou à ne pas grossir, mais chez une personne diabétique ou prédiabétique, cela peut devenir un vrai problème médical.

Calculs biliaires

Les calculs biliaires sont comme des «pierres» constituées d'amas de cholestérol et de minéraux accumulés. Ils peuvent être indolores, autrement dit, on les a, mais on ne le sait pas. Ce qui explique que nombre d'entre nous soyons porteurs de calculs biliaires sans en souffrir. Rien de très grave tant qu'ils ne se manifestent pas. Lorsqu'ils provoquent une crise, c'est une autre affaire. Nausées, voire vomissements, lenteurs digestives, mal de ventre intense et prolongé, douleur «à distance», souvent dans l'épaule ou l'omoplate droites, peuvent se manifester brusquement. Chez les personnes prédisposées, un déséquilibre acido-basique favorise les crises de calculs biliaires, ainsi que leur récidive. La meilleure (et la seule) façon d'éviter ces calculs, c'est de manger moins de viande, de sauces grasses, mais plus de fruits, de légumes et de châtaignes/haricots secs (pour les fibres), boire beaucoup d'eau ou, mieux, d'eau (chaude ou froide) à laquelle on aura ajouté un peu de jus de citron.

Calculs rénaux

Le déséquilibre acido-basique favorise les calculs rénaux, c'est-à-dire l'amalgame d'acides et de sels minéraux présents dans l'urine (sur le point d'être éliminés) qui finissent par former des « cailloux ». La parade est relativement simple : moins on consomme d'aliments acidifiants, moins on risque de retrouver d'acides dans l'urine et moins il y aura de matière pour fabriquer des « cailloux » (calculs). Comme pour les calculs biliaires, trop de protéines, de sel, et passez de fibres et d'eau est le plus court chemin pour « faire des calculs ».

Caries

Le sucre – y compris « lent » comme dans le pain, les pâtes, les fruits, les jus de fruits – est le principal fournisseur de caries. C'est pour cela qu'il est conseillé de se brosser les dents après chaque repas ou grignotage. Ainsi, on évite la plupart des caries et des maux de la bouche. Mais un autre mécanisme plus insidieux peut abîmer les dents : le déséquilibre acido-basique. Lorsque l'organisme trop acide pioche dans nos réserves de calcium pour rétablir son équilibre, il se sert dans notre squelette, mais aussi dans nos dents ! Petit à petit ces dernières sont fragilisées, et plus sensibles aux attaques de tout type, dont les caries. Naturellement, une bonne alimentation acido-basique ne dispense pas d'un brossage de dents biquotidien, au minimum !

Constipation

Ce n'est pas une grande découverte : une alimentation trop riche en protéines et trop pauvre en fibres, donc en aliments d'origine végétale (classique en Occident), et en eau est l'équation type pour une constipation opiniâtre. La situation s'aggrave en l'absence d'activité physique. À personne sédentaire, transit intestinal paresseux ! Les conseils acido-basiques alimentaires et d'hygiène de vie de ce livre viendront à bout de la grande majorité des constipations. À condition de les suivre et pas seulement de les lire !

Courbatures

La plupart des douleurs musculaires banales – et néanmoins fort handicapantes – de type courbatures, crampes et contractures, sont liées à un déséquilibre acido-basique. Les courbatures dues au sport sont d'ailleurs en partie imputables à l'accumulation d'acide lactique dans les fibres musculaires ; une histoire d'acide donc. Par ailleurs, s'il y a courbature, c'est que le muscle a travaillé au-delà de ses capacités, et qu'il doit se réparer : il a subi de petites « déchirures ».

Les crampes nocturnes et les douleurs pendant ou après un effort nul ou modéré sont, elles, plutôt favorisées par un manque de potassium et de magnésium, deux minéraux hautement alcalinisants. Si vous êtes victime à répétition de ce type d'incident, il y a deux raisons majeures. Soit ces deux minéraux manquent cruellement dans votre assiette, probablement parce que vous ne consommez pas suffisamment de fruits et de légumes, soit vous les assimilez mal à cause d'un déséquilibre acido-basique. Retour à la case « fruits et légumes » ! Si vous assimilez mal ces minéraux, ce n'est pas en les prenant à forte dose sous forme de suppléments alimentaires que les choses vont s'arranger, mais en améliorant votre équilibre acido-basique. Une solution à la fois plus efficace, moins coûteuse et plus respectueuse de votre organisme.

Et, bien sûr, il y a aussi les crampes d'origine neurologique, ou dues au froid, ou à une mauvaise circulation, ou tout cela à la fois...

Même alors, un déséquilibre acido-basique est presque toujours impliqué dans le problème.

Voir « Sport, douleurs musculaires » (p. 51).

Diabète

Voir « Appétit » (p. 40) « Perturbations de la glycémie » (p. 49) et « Syndrome métabolique » (p. 53).

Déprime

Notre humeur résulte d'un équilibre subtil entre de nombreux paramètres. Le bien-être ne va pas de soi, il se « mérite ». Pour que nous nous sentions bien, il faut un bon confort thermique (ni trop chaud ni trop froid), des sucres « lents » (on parle maintenant d'aliments à index glycémique bas), une quantité suffisante d'oméga-3, du sommeil, de la lumière, de la vitamine D, etc. Mais aussi, suffisamment de minéraux, principalement de magnésium et de calcium. Or, ces deux minéraux, très alcalinisants, sont pillés par l'organisme pour neutraliser l'acidité. Il n'en reste pas toujours suffisamment pour remonter votre humeur. Un raccourci, un peu simpliste mais non dénué de bon sens, est de se dire qu'un déséquilibre acido-basique n'irrite pas seulement les articulations ou le système urinaire, mais aussi nos petits nerfs. Rectifier son assiette facilite le retour à la sérénité et à la joie de vivre.

Douleurs articulaires et tendineuses (arthrite, arthrose, épicondylite...)

Un excès d'acide peut se manifester sous la forme de rhumatismes, parfois extrêmement douloureux. Dans tout type de douleur mécanique, y compris les sévères tendinites capables d'empêcher de dormir et de tourmenter sans répit, il y a de l'acidité à éliminer. Lorsque la douleur est ponctuelle, suite à un mauvais mouvement par exemple, c'est différent : le traumatisme est évident et passager. Mais les douleurs articulaires chroniques, installées ou qui vont et viennent, doivent faire soupçonner un déséquilibre acido-basique, que le diagnostic de l'arthrose soit ou non posé ne change rien à cet état. En effet, une hyperacidité entretient l'inflammation partout où elle siège : dans les articulations, les gencives, le long des vaisseaux sanguins…

Voir aussi « Courbatures » (p. 42) et « Goutte » (p. 46).

Fatigue, épuisement

On l'a vu : nos enzymes travaillent, partout dans notre corps, à un pH bien précis. S'il varie, même un petit peu, nos petites enzymes ont du mal à assurer leur tâche. Tout est plus fastidieux, plus lent. N'oublions pas que leur rôle est d'accélérer les échanges, le métabolisme, la digestion, etc. Sans elles, il nous faudrait plusieurs jours pour digérer le moindre morceau de pain ! Et ne parlons pas du ragoût…

La fatigue persistante, qui ne disparaît pas malgré un bon sommeil, des vacances, une hygiène de vie correcte, constitue l'un des symptômes les plus courants et les plus évidents d'un déséquilibre acido-basique. Plutôt que de vous bourrer de vitamine C, de café et de plantes stimulantes, ou même de compléments alimentaires naturels mais acidifiants (pollen, gelée royale, levure de bière), commencez par étudier de près votre assiette et reportez-vous à votre programme (p. 135). Comptez plutôt sur la spiruline, micro-algue alcalinisante qui recharge les batteries.

Fertilité

Un mauvais équilibre acido-basique peut participer à une baisse de la fertilité. Par ailleurs, une jeune maman qui allaite doit également veiller à un bon équilibre acido-basique pour protéger son squelette et pour que son lait ne soit pas acide pour le bébé. Les sages-femmes savent que sinon, le tout-petit risque davantage de présenter des coliques. Rien de grave, mais autant éviter ce désagrément !

Fonte musculaire (sarcopénie)

Contrairement aux idées reçues, consommer beaucoup de viande ou d'autres aliments riches en protéines animales n'est pas le meilleur moyen d'augmenter, ni même de conserver, sa masse musculaire. Certes, nous en avons besoin, et c'est évident que manquer de protéines affecte nos muscles. Mais en consommer trop, ce n'est pas mieux ! (*voir « Sport » p. 51*). En nutrition, vous le savez, c'est toujours le juste milieu qu'il faut viser : ni trop, ni trop peu, c'est le bon repère. Pensez-y lorsque vous serez tenté de suivre un régime déséquilibré, quel qu'il soit.

Frilosité (pieds et mains froids), faible résistance au froid

Cette sensation désagréable d'avoir « tout le temps froid » est une des manifestations les plus classiques d'un déséquilibre acido-basique. On l'a dit, ce dernier conduit à une sorte de ralentissement général. Fatigue, vivacité d'esprit au ralenti, corps « rouillé », circulation médiocre : tout ceci est lié. S'emmitoufler et se calfeutrer chez soi n'est certainement pas la solution, au contraire. Sortir, respirer, bouger sera nettement plus efficace, non seulement pour relancer la circulation du sang et l'oxygénation des cellules, mais aussi pour éliminer plus d'acides par la voie respiratoire.

Gencives douloureuses

Sur le même principe que les douleurs articulaires, les douleurs gingivales résultent d'une irritation due à des petites inflammations. Si une mauvaise hygiène buccale est la cause nº 1 de ce type de problème, un déséquilibre acido-basique l'amplifie et l'entretient. Trop d'acides résulte en un risque plus élevé d'inflammations partout dans le corps !

Voir aussi « Caries » (p. 41).

Goutte

La crise de goutte illustre on ne peut plus directement l'excès d'acide dans le corps. Elle fait mal au point que, parfois, il n'est plus question de poser le pied par terre. Elle survient lorsque des cristaux précipitent dans les articulations en raison d'une trop grande acidité, presque toujours après une suite de repas lourds, chargés, riches en viandes, sel (sodium), graisses et alcool. La crise de goutte est un grand classique de début janvier, après les fêtes. L'avantage, c'est que l'année suivante, on y réfléchit à deux fois avant de recommencer les abus alimentaires !

Immunité faible

Un déséquilibre acido-basique prolongé conduit systématiquement à un affaiblissement de l'immunité. On est moins bien protégé face aux microbes, et on risque davantage d'attraper rhume sur rhume, grippe sur gastro-entérite. Bien sûr, l'immunité résulte également d'un nombre important de points qui n'ont rien à voir avec l'équilibre acido-basique, comme une flore intestinale en bon état, un sommeil suffisant, une hygiène adéquate (notamment le lavage des mains fréquent pendant les périodes d'épidémies)... La santé est un tout, la protéger aussi.

Mauvaise haleine

Une bouche trop acide donne des caries, des gingivites, de la plaque dentaire et une mauvaise haleine. Un reflux gastro-œsophagien peut aussi être impliqué : trop d'acidité dans l'estomac charge l'haleine. Plutôt que de vous ruiner en produits miracles douteux censés solutionner cet embarras en un « pschitt » dans la bouche, attaquez-vous au problème de fond : traquez l'excès d'acidité.

Mycose (candidose)

La mycose, colonisation de la bouche, du vagin, de la peau et/ou de l'intestin par un minuscule champignon, est l'illustration parfaite d'un déséquilibre en faveur de l'acide. En effet, le champignon *candida albicans* ne se développe qu'en milieu acide, qu'il affectionne donc particulièrement. Une mycose isolée, c'est un « accident ». Mais une mycose récidivante, rebelle malgré vos efforts, qui éventuellement se « déplace », et/ou est associée à un reflux ou à un ulcère gastrique, trio classique, est probablement entretenue par un déséquilibre acido-basique. Malheureusement, elle peut durer des années avant qu'un médecin pose le diagnostic, car la candidose (surtout intestinale) est relativement méconnue du corps médical.

Les spécialistes constatent pourtant toujours plus de candidoses dans leur cabinet. À commencer par les dentistes, qui s'alarment d'un nombre en constante augmentation de candidoses buccales. Or, ces mycoses buccales posent un vrai problème car une fois installées, elles sont difficiles à déloger, comme toute autre candidose d'ailleurs. Et elles sont responsables de maux gingivaux et parodontaux parfois sévères. Par ailleurs, nombreuses sont les femmes désespérées par une mycose vaginale dont elles n'arrivent pas à se débarrasser, entrave sérieuse à un épanouissement sexuel et à la qualité de vie au quotidien. Ce n'est pas par l'usage répété d'ovules

« antimycoses » que l'on en vient à bout, mais en corrigeant l'équilibre acido-basique et la flore intestinale (probiotiques).

Ostéoporose

C'est la conséquence la plus connue et la plus étudiée du déséquilibre acido-basique. Le sang au pH trop acide cherche par tous les moyens à récupérer des « bases », afin de retrouver son pH idéal. Pour ce faire, il va piocher dans la plus grande réserve minérale du corps : l'os. Non pas en « dissolvant » un peu d'os comme on l'a longtemps cru, mais en stimulant les cellules qui détruisent notre squelette, appelées les ostéoclastes. Le résultat est le même : un squelette fragilisé.

Attention aux recommandations classiques « 3 produits laitiers par jour ». Sans rentrer dans des débats « pour » ou « contre » le lait, rappelez-vous qu'il n'est pas seulement une source de calcium (alcalinisant). Il renferme aussi beaucoup de phosphore (acidifiant). De nombreux experts estiment ainsi que consommer trop de produits laitiers ne renforcerait certainement pas les os, mais au contraire, les fragiliserait ! Ces spécialistes nuancent nos besoins, et estiment que 1 produit laitier par jour serait suffisant.

Un coca ?

Avec les boissons gazeuses, on ne fait pas de vieux os. Le débat focalise trop souvent sur la seule présence ou non de sucre, ou d'aspartam, etc. C'est important, mais n'oublions pas qu'en dehors de cet aspect calorique, la boisson gazeuse (principalement les colas) est riche en phosphore, ou acide phosphorique, hyperacidifant. Plusieurs études concluent à sa nocivité envers l'os, avec augmentation du risque de fractures. Car non seulement le

→

phosphore est acidifiant, mais en plus, il empêche l'assimilation du calcium. Autre chose : la consommation régulière (2 verres par jour) de cola multiplierait par deux le risque d'insuffisance rénale. Or, vous savez maintenant combien nos reins sont essentiels à l'équilibre acido-basique. Remarque : la plupart des boissons gazeuses autres que le cola procurent la saveur acidulée à leur boisson avec de l'acide citrique (plutôt alcalinisant), et non de l'acide phosphorique (acidifiant). Ce qui n'en fait guère des boissons recommandables pour autant, mais déjà moins acidifiantes !
Sans compter que le sucre n'est déjà pas le meilleur ami des dents, mais il y a pire : la combinaison sucre + acide. Une vraie machine à caries !
Conclusion : 1 boisson gazeuse de temps en temps, pourquoi pas. Mais 1,5 à 2 litres par jour, un excès courant, est évidemment néfaste à long terme. Quant au cola, avec ou sans sucre, avec ou sans caféine, sauf cas exceptionnel, mieux vaut l'éviter.

Perturbations de la glycémie

Pour une glycémie (taux de sucre sanguin) stable et maîtrisée, l'équilibre acido-basique est indispensable. En cas de déséquilibre acido-basique, on peut s'attendre à des troubles de la glycémie, et aux conséquences connues : fringales, appétit insatiable, coups de pompes et hypoglycémies. À moyen terme, diabète de type 2 ; et à long terme, syndrome métabolique. Les anomalies glycémiques doivent toujours être suivies par un médecin endocrinologue/diabétologue.

Problèmes cardiaques

Déséquilibre acido-basique égale micro-inflammations. Or, ces micro-inflammations sont désignées depuis quelques années comme les responsables n° 1 des accidents cardiaques, qu'il s'agisse d'un infarctus ou d'une attaque cérébrale. Là encore, de nombreux autres facteurs sont impliqués : taux de cholestérol, pression artérielle, niveau d'activité physique, etc. Mais c'est l'inflammation qui « met le feu aux poudres » et déclenche l'accident, lorsque tous les facteurs néfastes sont réunis. Et, dans tous les cas, vous le savez, pour protéger son cœur, mieux vaut favoriser les aliments d'origine végétale, tout en limitant la viande, les sauces, les pâtisseries. Cela tombe bien : c'est exactement ce que nous vous proposons dans votre programme (p. 293).

Problèmes de peau, d'ongles, de cheveux (peau terne, cheveux cassants, ongles qui se dédoublent…)

Plaques, boutons, rougeurs, irritations, zones cutanées douloureuses, comme « irritées » sont des manifestations inflammatoires évidentes. Des facteurs locaux (froid, chlore de la piscine, sueur, produit cosmétique inadapté…) peuvent évidemment être à l'origine d'un problème passager. Mais s'il revient, insiste, malgré une modification appropriée (changement de savon, de vêtements…), et plus encore s'il se manifeste conjointement à d'autres troubles (douleurs, fatigue importante même sans fournir d'effort, mauvaise haleine…), un déséquilibre acido-basique est peut-être en cause. Car la peau possède un pH particulier. Relativement acide à l'extérieur, pour pouvoir se défendre contre les microbes, elle devient plus basique au fur et à mesure que l'on s'enfonce dans les couches profondes. Et son pH s'élève jusqu'à 7,35 dans la zone la plus intime ! Peu d'organes sont aussi alcalins qu'ici. Une modification de ce pH, et vous connaissez la suite.

Rhumatismes

Voir « Douleurs articulaires » (p. 43).

Spasmophilie

Le spasmophile est particulièrement sensible à un manque de minéraux, surtout le calcium et le magnésium. Là où une telle déficience peut passer inaperçue chez un non-spasmophile, le spasmophile, lui, réagit violemment. Si le sang est obligé de récupérer des minéraux dans les cellules pour rétablir son pH, il y a de fortes chances pour que cela ne passe pas inaperçu et déclenche des fourmillements, un mal-être et autres symptômes bien connus du spasmophile, éventuellement même une crise de tétanie. Une hygiène de vie très étudiée, beaucoup de calme, un sommeil profond, des repères et des horaires réguliers pour les repas, les activités, etc., une assiette très riche en minéraux et en composés végétaux est, de toute façon, toujours profitable au spasmophile.

Sport (faire du muscle)

Certains sportifs croient encore que pour « faire du muscle », il faut consommer des quantités déraisonnables de protéines. Or, au-delà d'un certain seuil, c'est exactement l'inverse qui se produit : un apport excessif en protéines perturbe la construction musculaire. On l'a vu : trop de protéines provoquent un déséquilibre acido-basique et, si l'on persiste, une acidose chronique de bas niveau sur le long terme. Cette acidose métabolique latente diminue la synthèse protéique (la construction des protéines et des muscles) et augmente la protéolyse (la dégradation des protéines et la fonte musculaire). Donc des protéines, oui, mais uniquement dans le cadre d'une alimentation équilibrée. C'est l'effort physique qui fabrique le muscle, pas le steak saignant !

Sport (douleurs musculaires)

Le travail musculaire intense induit la fabrication d'acide lactique, responsable des raideurs et douleurs musculaires (courbatures).

On trouve là une application particulièrement spectaculaire de l'équilibre acido-basique. Plutôt que de laisser cet acide lactique s'installer dans les fibres musculaires au fur et à mesure que l'on se « refroidit », pensez à terminer votre effort par des étirements suivis si possible de sauna/longue douche chaude. Toutes ces méthodes de récupération éliminent l'acide lactique en le chassant des muscles. Pour faciliter encore l'opération, buvez dès que possible après le sport une eau riche en bicarbonates (eau minérale gazéifiée, tel du Perrier, San Pellegrino ou l'Abénakis) ou éventuellement du jus de fruits fortement dilué dans de l'eau, si votre estomac le permet. Ce simple geste tamponnera et neutralisera une bonne partie de cet acide lactique, aidant ainsi à son élimination.

Voir « Courbatures » (p. 42).

Stress, irritabilité, mauvaise humeur

Une alimentation acidifiante augmente l'élimination urinaire de magnésium. Or, ce précieux minéral est notre bouclier antistress. Plus on mange de « viande », plus on perd de magnésium, plus on est sensible au stress, au bruit, moins on supporte les petites tracasseries du quotidien. Déjà que ce minéral est plus ou moins déficient chez nombre d'entre nous (surtout chez les femmes au régime), c'est dommage d'en « jeter » encore par les fenêtres... Par ailleurs, le magnésium est fortement impliqué dans la santé cardiaque. Autrement dit, une mauvaise humeur chronique, une angoisse de chaque instant, un état de stress quotidien, pavent la voie à une menace cardiaque. Tous les cardiologues savent que colère, irritabilité, dépression et accident cardiaque sont souvent liés. Pour prendre soin de votre cœur, calmez vos nerfs !

Surpoids (impossible de maigrir malgré de gros efforts)

Voir « Syndrome métabolique » (p. 53).

Syndrome métabolique (cholestérol + hypertension + surpoids abdominal)

L'équilibre acido-basique est indispensable à d'autres équilibres dans le corps, y compris celui qui régit les hormones. Trop d'acidité déséquilibre le cortisol, hormone du stress, lequel augmente par effet domino la glycémie (taux de sucre sanguin). À long terme, une perturbation chronique de la glycémie favorise le syndrome métabolique, et tout son cortège de conséquences graves (diabète, accident cardiaque, hypertension, augmentation du risque de cancer...)*.

Tendinites à répétition

Mal bien connu des sportifs, mais aussi du grand public : la tendinite récidivante. C'est un peu le même problème que pour la goutte : un excès d'acide urique qui va se loger là où il n'a rien à faire, en l'occurrence dans les tendons. Plus la personne mange d'aliments riches en protéines animales, plus elle pratique un exercice physique intense et moins elle boit (de l'eau...), plus la tendinite s'aggrave et perdure dans le temps. En effet, l'acide urique se solubilise normalement dans les liquides physiologiques, mais seulement en cas de pH adapté. Si ce dernier est trop acide, l'acide urique précipite en cristaux, provoquant une inflammation, et de la douleur bien sûr.

Vieillissement accéléré

L'équilibre acido-basique est indissociable de l'équilibre antioxydant. Ces deux grands mécanismes fonctionnent main dans la main : lorsque le premier est déséquilibré, il favorise l'oxydation de l'organisme, donc son vieillissement ; à l'inverse, trop d'oxydants liés principalement à une mauvaise hygiène de vie (tabac, manque

---

* Pour en savoir plus sur le syndrome métabolique, lire *Le régime IG métabolique* du Dr Pierre Nys (Leduc.s Éditions).

d'activité physique, stress, prise de médicaments…) grippe l'équilibre acido-basique, et favorise l'acidification de l'organisme. En intégrant dans votre menu des fruits et légumes, vous vous garantissez un bon équilibre acido-basique. Et si les fruits et légumes en question sont, en plus, antioxydants, c'est encore mieux! Pensez notamment aux herbes (persil, thym…) qui possèdent le gros avantage de gagner sur tous les tableaux: bourrés de minéraux et de composés antioxydants, leur PRAL = (Potential Renal Acid Load qui est l'unité de mesure de l'acidité des aliments, voir p. 78) est remarquable. Aromatisez vos petits plats grâce aux herbes!

Comment vérifier si l'on est en acidose métabolique?

Vous présentez plusieurs symptômes parmi ceux listés dans les pages précédentes, et vous soupçonnez un déséquilibre métabolique. Pour confirmer votre hypothèse, pliez-vous à un test biologique, seul moyen d'être sûr de votre problème, et seul moyen aussi de vérifier vos «progrès» au fil de votre programme. Plusieurs pistes sont à votre disposition pour cela, l'ENA (Excrétion nette acide) étant la plus convaincante à ce jour.

Le papier tournesol et la prise de sang

Des tests urinaires, disponibles en pharmacie ou dans les boutiques d'aliments naturels, permettent de vérifier l'acidité de l'urine, censée refléter l'acidité interne. Le mode d'emploi est extrêmement simple: il suffit d'uriner quelques gouttes sur une petite bande de papier tournesol, qui réagit à l'acidité. En réalité, plusieurs études concluent que ces tests ne sont pas très fiables car il n'y aurait pas forcément une corrélation nette entre le pH urinaire (et donc la couleur obtenue sur le papier) et l'excrétion réelle des acides. Ce peut être un petit test à réaliser facilement chez soi, mais qu'il sera prudent de confirmer avec une prise de sang mesurant notamment la glycémie (taux de sucre), la créatinémie (taux de créatine), la kaliémie (taux de potassium) et l'acide lactique (à voir avec votre médecin).

L'ENA (Excrétion nette acide)

Pour une fiabilité maximale, les experts recommandent plutôt de mesurer l'ENA à partir des urines de 24 heures, selon la formule : acidité titrable + NH_4 - HCO_3 (pour ceux que les détails techniques intéressent !). La grande force de l'ENA est de déterminer non pas la charge acide d'un aliment ou d'un repas, mais, bien plus finement, votre capacité à « gérer » cette charge acide. Car, en pratique, votre organisme pourra bien mieux supporter une côte de bœuf si vous prenez l'air et consommez habituellement de belles quantités de fruits et légumes. Si, au contraire, vous êtes stressé, sédentaire, dormez mal, fumez, etc., l'impact de cette même côte de bœuf pourra se révéler plus néfaste et acidifiant. Un œil averti peut aussi en déduire comment votre corps fait face à l'hyperacidité, c'est-à-dire quelle est sa voie d'élimination privilégiée (reins, poumons...). Les résultats sont facilement interprétables : le chiffre obtenu doit être de zéro, ou négatif. Or, les analyses montrent que l'alimentation actuelle « donne » des ENA de 10 à 150 mEq, soit jusqu'à 150 fois trop élevés !

Les médicaments qui acidifient l'urine

Les médicaments peuvent influencer l'acidité de l'urine. C'est le cas de plusieurs diurétiques ainsi que de certains antiseptiques urinaires. Si vous êtes sous traitement, posez la question à votre médecin. Et n'oubliez pas que si vous suivez un traitement à long terme, votre organisme doit forcément en évacuer les « déchets », ce qui implique des organes d'élimination en parfait état de marche.

L'ALIMENTATION ACIDO-BASIQUE, C'EST FACILE !

Manger acido-basique, c'est facile et cela concerne chacun d'entre nous. C'est tout sauf un régime restrictif, il n'y a aucun interdit et il ne s'agit en aucun cas d'éliminer les aliments acidifiants ! Ces derniers sont riches en protéines, dont nous avons un besoin vital. De plus, bien qu'étant acidifiantes, les protéines aident les minéraux (alcalinisants) à se fixer dans notre corps ! En revanche, il s'agit de rééquilibrer les aliments acidifiants (viandes, poissons, œufs, légumes secs, céréales) avec les aliments alcalinisants (fruits, légumes) et ce, en proportions correctes. Pour cela, il suffit de s'alimenter intelligemment et avec bon sens, tout simplement. Si vous consommez une viande très acidifiante, limitez-vous à 100 g et compensez avec, en face, des fruits et légumes très alcalinisants. Si vous consommez des aliments riches en protéines végétales, vous aurez besoin de moins de fruits et légumes pour retrouver l'équilibre.

L'alimentation acido-basique permet d'améliorer de très nombreux paramètres de santé. Par rapport à une alimentation classique :

✓ elle est plus riche en fibres ;
✓ elle possède un index glycémique* plus bas ;

---

* IG : rapidité et « force » avec laquelle le sucre passe dans le sang. Plus l'IG est bas, meilleur c'est pour la santé et l'équilibre acido-basique.

- ✓ elle contient davantage de minéraux, de vitamines et d'antioxydants ;
- ✓ elle est moins riche en graisses, surtout en graisses saturées d'origine animale ;
- ✓ elle est moins sucrée ;
- ✓ elle a plus de saveurs, notamment grâce à l'usage des aromates (herbes, épices, câpres...) ;
- ✓ elle est globalement moins calorique ;
- ✓ elle aide à perdre du poids si besoin, même si ce n'est pas son but premier ;
- ✓ elle réapprend à manger correctement, varié, équilibré...
- ✓ ... et à mâcher. À chaque coup de mâchoire survient une micro-injection de salive qui commence la digestion des sucres et des protéines ;
- ✓ elle peut se conjuguer à tous les temps et en tous lieux : au restaurant, chez des amis, en pique-nique et même au fast-food ; il suffit d'associer les bons aliments pour rétablir la balance ;
- ✓ elle n'interdit aucun aliment, elle n'oblige à manger aucun aliment ;
- ✓ elle coûte moins cher.

C'est donc l'alimentation santé par excellence, et les plus célèbres régimes santé et longévité – Régime méditerranéen, Régime Okinawa, Régime nordique – sont, de fait, des modèles d'équilibre acido-basique.

Des habitudes simples, agréables et bon marché

Pas d'inquiétude : aucune révolution compliquée à prévoir dans vos courses, votre cuisine ni dans vos habitudes alimentaires. Sauf si vous ne mangez que du steak et des pâtes à chaque repas... auquel cas oui, ce sera une révolution pour vous, et il est grand temps! Pour tous les autres, il suffit de compenser, si possible à l'échelle de chaque repas mais, sinon, au moins, dans la journée, des aliments acidifiants par des aliments alcalinisants. Vous y parviendrez en instaurant des habitudes d'hygiène alimentaire simples à comprendre et à mettre en œuvre au quotidien. En plus, il y a de fortes chances pour que vous fassiez des économies, puisque ce qui coûte le plus cher en alimentation, ce sont les protéines animales. Ce que nous vous proposons précisément de limiter!

Faut-il manger acide ou faut-il manger alcalin ?

Les deux! En bonnes proportions! Globalement, nous devrions consommer 70% d'aliments alcalins pour 30% d'aliments acidifiants. Ce qui signifie qu'il vaut mieux se limiter à une portion maximale de 100 g de viande ou de poisson au repas (70 à 90 g serait même suffisant). Si vous souffrez d'acidité, augmentez encore, temporairement, le pourcentage d'aliments alcalins.

Le principe à intégrer une fois pour toutes est celui des «bonnes associations alimentaires». Non pas dans un objectif minceur, mais dans le but d'atteindre globalement un score PRAL (unité de mesure de l'acidité des aliments – voir p. 78) acceptable par repas. Par exemple, en associant du riz et de la tomate, des pâtes et des épinards, de la viande et du chou-fleur…

BONNE ASSOCIATION ACIDO-BASIQUE ☺	MAUVAISE ASSOCIATION ACIDO-BASIQUE ☹
Steak + épinards Spaghetti sauce napolitaine Lasagne aux légumes Saumon + haricots verts Œuf + tomates provençales Salade thon/maïs/mâche/pignons de pin Fromage + raisin Sandwich jambon crudités + 1 fruit	Steak + pâtes Spaghetti sauce bolognaise Lasagne 4 fromages Saumon + lentilles Œuf + chorizo + riz Salade jambon + saucisson + œuf + croûtons Fromage + pain Sandwich jambon beurre + 1 yogourt

Pour la petite histoire

À propos des acides. Selon l'encyclopédie Larousse, l'adjectif acide vient du latin *acidus*, c'est-à-dire « de saveur aigre, piquante » : *le prunellier a des fruits acides.* Quant au nom masculin « acide », il désigne sous ce nom générique des corps capables de donner des protons et dont le pH est inférieur à 7. Dès 3 000 ans av. J.-C., on attribuait au vinaigre une saveur aigre, acide. Quand on verse un acide sur la teinture de tournesol, elle rougit.

À propos des bases. Toujours selon l'encyclopédie Larousse, l'adjectif basique, ou alcalin, se dit d'un corps ou d'un milieu au pH supérieur à 7 : *la silice est basique (ou alcaline).* Quant au nom féminin base, il désigne un corps capable de neutraliser les acides en se combinant à eux. Quand on verse une base sur la teinture de tournesol, elle bleuit.

Les petites bandelettes que l'on utilise pour vérifier le pH des urines (voir p. 54) fonctionnent exactement sur ce principe, connu depuis fort longtemps, de « papier tournesol ».

La pyramide alimentaire acido-basique

Acide

Bonbons, douceurs, gâteaux, crèmes glacées
1 par jour si pas de problème de poids
(sinon, limiter à 2 ou 3/semaine)

Produits laitiers (yogourt, fromage)
1 portion/repas maximum
(si repas sans viande, poisson…)

Œuf, poisson, viande
Moins de 100 g/repas

Légumes secs, céréales,
pain, féculents
1 à 2 portions/repas

Fruits et légumes à volonté
(grandes quantités)
2 à 3 portions/repas

Eau minérale
riche en bicarbonates
1 l/jour
+ 2 tasses de thé

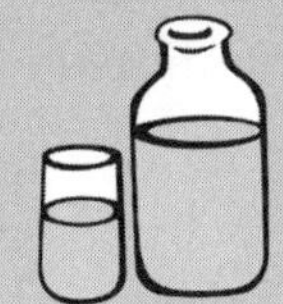

Base

Pourquoi faut-il manger plus de fruits ?

Parce qu'ils *tamponnent* les acides. C'est-à-dire qu'ils apportent des acides organiques faibles. Après traitement par le corps, ils vont donner des tampons capables d'amortir des acides forts.

De plus, ils sont riches en vitamines. Les vitamines sont indispensables au travail enzymatique. Lorsqu'on manque de vitamines, les enzymes fonctionnent moins bien, l'assimilation des nutriments est mauvaise, l'élimination des déchets, incomplète. Une déficience en vitamines peut favoriser l'acidification.

Ce qu'il faut retenir

Ayez toujours des fruits de saison sous les yeux, à la maison. Un bol plein d'oranges, de clémentines, de pommes, d'abricots, de pêches, c'est décoratif, c'est gai, plein de couleurs, ça donne envie ! Et en partant au bureau le matin, glissez une pomme dans votre sac.Les fruits « à mâcher/croquer » sont préférables aux smoothies*, eux-mêmes préférables aux jus.

Pourquoi faut-il manger plus de légumes ?

Parce qu'ils apportent des minéraux qui *neutralisent* les acides. La bonne idée pour faire le plein sans avoir l'impression de brouter toute la journée? Les smoothies de légumes ! Nous vous en proposons un adapté à chaque programme. Attention, si vous avez un intestin délicat, ne le submergez pas brusquement de fibres : introduisez les légumes progressivement. Les légumes cuits et/ou mixés sont toujours plus digestes que les légumes crus.

* Presque toujours à la banane : fruit le plus alcalin !

Ce qu'il faut retenir

Un repas du midi ou du soir ne se conçoit pas sans légumes verts. Quelle que soit la forme : salade, légume d'accompagnement, à boire en soupe, en jus vert, ou à tartiner sur du pain… comme vous voulez !

Pourquoi faut-il manger moins de sel (sodium) et plus de potassium ?

Parce qu'une alimentation trop salée et trop pauvre en potassium favorise l'hypertension artérielle, le risque d'infarctus, la fonte musculaire (sarcopénie), l'excrétion urinaire de calcium. C'est aussi un facteur majeur de déséquilibre acido-basique et d'ostéoporose. Tandis qu'une alimentation riche en potassium (fruits et légumes) et pauvre en sodium (donc en chlore, puisque sel et chlore sont associés) aboutit exactement à l'effet inverse : un cœur, des muscles et des os plus solides.

À savoir : le sel de table (ou dans les plats préparés), s'appelle en langage scientifique du chlorure de sodium. Le sodium y est donc toujours accompagné de chlore, acidifiant, dont notre consommation a par conséquent augmenté dans les mêmes proportions. Tandis que le potassium, lui, accompagne souvent les acides organiques « tamponnants » et antioxydants du végétal.

Ce qu'il faut retenir

Salez moins vos aliments. En contrepartie, aromatisez-les avec davantage d'épices ou de fines herbes, d'oignon, d'ail, d'échalote… Vous gagnez sur tous les tableaux : le goût et la santé.

Pourquoi faut-il éviter les céréales raffinées ?

Parce que la farine blanche, le riz blanc, les pâtes blanches, le pain blanc... tout ce qui est raffiné est appauvri en minéraux et en fibres, très précieux pour l'équilibre acido-basique et pour la santé en général. Notamment en chrome qui, comme les fibres, ralentit le passage de sucre dans le sang et aide l'insuline à faire son travail.

Ce qu'il faut retenir

Achetez l'équivalent en semi-complet, voire en complet si vos intestins supportent les fibres. Nous préconisons volontiers le semi-complet, bonne alternative au raffiné, permettant de bénéficier des fibres et des nutriments protecteurs sans modifier la saveur ni la digestibilité. En plus, on trouve des pâtes semi-complètes dans toutes les grandes (et petites) surfaces maintenant, tandis que les « vraies », restent encore rares en dehors des magasins d'aliments naturels. Mais à vous de voir selon vos goûts.

Pourquoi faut-il manger moins de sucre blanc ?

Parce que privé de ses minéraux, devenu trop purifié, il favorise le déséquilibre acido-basique. En plus, pour le métaboliser, notre corps est obligé de puiser dans ses propres vitamines et minéraux. Or, vous le savez maintenant, ces précieux micronutriments sont des petites mains nécessaires à notre équilibre acido-basique. Nous ne pouvons pas nous permettre d'en gâcher une partie simplement pour métaboliser des aliments inadaptés à nos besoins !

Ce qu'il faut retenir

Le sucre blanc ne présente aucun intérêt pour la santé, ni pour le goût. Pourquoi ne pas le remplacer par de la mélasse, du miel, du sirop d'agave ou du sirop d'érable, ou même du sucre complet? Ces sucres plus bruts, plus naturels, sont tellement meilleurs et tellement plus adaptés à nos besoins!

Pourquoi faut-il manger moins de protéines animales et plus de protéines végétales?

Parce que la digestion des protéines animales libère dans le corps des acides forts (acide sulfurique, acide phosphorique...), directement impliqués dans l'acidification de l'organisme. Ces acides forts doivent impérativement être éliminés par les reins. En plus, la viande est riche en acide arachidonique, qui favorise les inflammations et les micro-inflammations.

Ce qu'il faut retenir

Les acides aminés sont *neutres*, acides ou alcalins. Ils constituent les protéines. Les protéines ne deviennent *acidifiantes* que lors de la digestion. Mais elles ne sont pas acides en elles-mêmes.

Les protéines végétales libèrent aussi des acides, mais ce sont des acides organiques dits faibles, accompagnés de minéraux basiques (potassium, calcium...) qui tempèrent leur impact acidifiant. Ces acides organiques, issus des végétaux (acides citrique, tartrique, malique, etc.), sont transformés dans l'organisme en gaz carbonique, facilement éliminé par les poumons. Rappelons que ces organes se chargent d'éliminer environ 90% des acides du corps. Ce qui explique l'importance de la respiration, de l'activité physique, de respirer «du bon air pur»!

Ce qu'il faut retenir

De la viande ou du poisson une fois par jour suffit amplement. Mais quelle que soit votre consommation, que vous en mangiez une ou deux fois par jour, veillez à ce que votre assiette renferme toujours une belle quantité de légumes. Et mangez des fruits ! Essayez de remplacer plusieurs repas « viande » par un repas « céréales + légumineuses » ou « tofu » chaque semaine. Surtout ne vous privez pas de protéines : qu'elles soient d'origine animale ou végétale, elles sont indispensables à l'organisme !

Manger trop de viande « fatigue les reins » ?

L'expression est un peu vieillotte, mais l'idée est là. Lorsque l'on mange beaucoup de protéines animales, le corps doit les digérer. Cette opération génère beaucoup d'acides non assimilables et non excrétables par les poumons. Ce sont donc les reins qui s'en chargent. Méfiez-vous des régimes hyperprotéinés qui recommandent de consommer de grandes quantités de viandes.

Pourquoi faut-il limiter les huiles végétales industrielles ?

Comme pour le sucre raffiné et les céréales raffinées, les huiles végétales obtenues par un procédé fortement industrialisé sont purifiées à l'extrême, et par conséquent privées de nombreux micronutriments protecteurs pour la santé d'une part, participant à l'équilibre acido-basique d'autre part.

Ce qu'il faut retenir

Achetez toujours une huile vierge 1re pression à froid.

Pourquoi faut-il éviter les plats « tout prêts » ?

Pour toutes les raisons que l'on vient d'énumérer. Souvent, ils cumulent les défauts : riches en sel (sodium), donc en chlore (acidifiant), en huile végétale industrielle ; pauvres en potassium, vitamines, minéraux…

Ce qu'il faut retenir

Pour manger correctement, il est indispensable de faire, un minimum, la cuisine. Rien de compliqué, comme vous pouvez le constater dans nos menus et nos recettes. Mais il faut s'y astreindre. Il n'y a qu'en préparant vous-même à manger que vous savez exactement ce que vous avalez !

Pourquoi faut-il limiter les produits laitiers ?

Parce que certains d'entre eux, principalement les fromages, sont encore plus acidifiants que la viande. Ils renferment certes du calcium, mais aussi beaucoup de phosphore, fortement acidifiant. De plus, consommés en excès, comme c'est le cas si l'on suit un régime hyperprotéiné 100 % axé « animal », les produits laitiers constituent une source importante de sel : à cause d'eux, on peut doubler la quantité de sodium ingérée par rapport à la dose recommandée.

Ce qu'il faut retenir

On n'est pas obligé de consommer un produit laitier à chaque repas, et encore moins deux. Dans la catégorie « petit dessert à manger en pot pour terminer un repas », il y a aussi les yogourts au soja, les compotes sans sucre ajouté… Mieux : on peut tout simplement finir un repas avec un carré de chocolat noir en guise de dessert !

Et les calories dans tout cela ?

C'est toujours important, de même que l'index glycémique des aliments ! Mais ce n'est pas parce que l'on cherche à manger moins de calories qu'il faut, pour autant, mettre sa santé en danger. C'est l'un des risques des régimes hyperprotéinés suivis sur le long terme : l'équilibre acido-basique est rompu sur, parfois, une longue durée.

Ce qu'il faut retenir

Rétablir l'équilibre acido-basique est très positif pour la silhouette. On consomme moins de viandes, de sauces, de graisses ainsi que de sel et de sucre qui favorisent tous deux la rétention d'eau. En plus, on bouge davantage. Résultat : moins de calories qui entrent, plus qui sortent, forcément, on perd du poids. Doucement mais sûrement, sans s'affamer, sans brusquer son corps.

Frais, conserve ou surgelés ?

Le frais, c'est l'idéal, mais à moins d'aller faire les courses tous les jours, c'est peu compatible avec notre vie quotidienne trépidante. En plus, cela coûte cher. Les surgelés nature (non cuisinés) constituent une très bonne alternative et permettent de disposer en permanence de fruits et de légumes bon marché, juste sous la main, dans le congélateur. En plus, rien à rincer, à préparer, pas de déchet ni d'aliment qui s'abîme. En revanche, attention aux conserves, nettement plus salées. Bien entendu, vos propres habitudes alimentaires ont un impact également. Si vous mettez beaucoup de sel sur vos haricots verts frais amoureusement équeutés, ils deviendront hélas, eux aussi, des haricots verts trop salés…

Ce qu'il faut retenir

Ne soyez jamais pris au dépourvu de légumes et de fruits. Dans votre congélateur, il doit toujours y avoir au moins 4 sortes de légumes (petits pois, épinards, haricots verts, brocolis) et 3 sortes de fruits (fruits rouges, mangue en tranches, melon).

La meilleure cuisson acido-basique

Pour respecter l'équilibre acido-basique chaque étape culinaire compte. Il convient de respecter les vitamines, les minéraux, dénaturer le moins possible les protéines, conserver le maximum des enzymes présentes dans les aliments, etc. Partant de ce postulat valable pour toute alimentation santé au quotidien, il est préférable de cuisiner :

✓ à la vapeur ;
✓ à l'étouffée (casserole à feu doux, cocotte en fonte, papillote...).

Attention aux modes de cuisson...

✗ *Qui font perdre beaucoup de minéraux :* lorsque vous jetez l'eau de cuisson de vos carottes, en vidant la casserole dans l'évier, c'est autant de minéraux alcalinisants que vous évacuez. Quel dommage ! Sur ce plan, la soupe est imbattable, puisque l'on consomme à la fois l'aliment et l'eau dans laquelle il a cuit, bourrée de minéraux actifs et protecteurs.

✗ *Qui brûlent.* Cela dit, il ne faut pas non plus tomber dans une position dogmatique et extrémiste. L'usage du wok, par exemple, traditionnel en Asie, est parfaitement compatible avec les préceptes de la santé : il chauffe certes très fort, mais très vite ! Ce qui permet de saisir l'aliment et de préserver ses vertus santé. De même, une grillade de temps à autre n'a jamais tué personne (à condition de ne pas consommer le brûlé, ça, c'est important).

✗ *...« sans cuisson ».* C'est l'une des tendances du moment : le courant « alimentation vivante » qui préconise une alimentation très crue ou cuite à moins de 40 °C. S'en tenir à cela, c'est se priver de nombre d'aliments et de préparations parfaitement adaptées à la santé. En plus, sur le plan toxicologique, n'oublions pas que seule une cuisson «sérieuse» neutralise certains microbes. Alors vouloir préserver les enzymes, c'est très bien, mais éradiquer les bactéries responsables d'intoxications alimentaires, c'est bien aussi!

Rappel: pour soutenir l'action des enzymes digestives (voir p. 128), un petit peu d'aliments crus, ou un smoothie aux légumes, à chaque repas est un bon réflexe.

Ce qu'il faut retenir

Dès qu'il y a une interdiction alimentaire, une incitation à éviter une famille entière d'aliments, un extrémisme quel qu'il soit, méfiez-vous. Ne vous privez pas d'une soirée «raclette» entre amis, sous prétexte que c'est «acidifiant». Oui, et alors? Aucune importance, vous compenserez avant, après, et même pendant avec la salade, les cornichons, les pommes de terre...

Acides forts, acides faibles et bases

De quoi dépend la capacité acidifiante d'un aliment?

Globalement, de 3 choses:

1. de sa teneur en protéines: plus il en renferme, plus il sera acidifiant;
2. de sa teneur en minéraux: chlore et phosphore sont acidifiants, mais potassium, sodium, calcium et magnésium sont alcalinisants;
3. de sa teneur en acides organiques: acide citrique, acide malique... plus il en renferme, plus il sera tamponnant (sous certaines réserves).

Les aliments acidifiants (en résumé)

Viande, poisson, crustacés, œufs, fromages et produits laitiers (surtout fromage) sont à consommer avec modération. De même que, dans une moindre mesure, les céréales, surtout raffinées. Ces aliments ne sont pas du tout acides au goût, mais le corps produit des acides lorsqu'il les digère. On dit qu'ils renferment des acides minéraux forts. *Ils acidifient.*

Les aliments alcalinisants (en résumé)

Les fruits et légumes frais et non acides en bouche : salade verte, carotte, fenouil, céleri, haricot vert, choux, petit pois, potiron, banane, pêche, framboise, mangue, melon, pastèque... Consommez-les en grande quantité. Leur forte teneur en minéraux « doux » (calcium, magnésium, potassium) les rend incontournables pour l'équilibre acido-basique. Certains féculents sont également légèrement alcalinisants : la châtaigne, la pomme de terre et les haricots secs. *Ils neutralisent l'acidité.*

Les aliments au goût acide/acidulé (en résumé)

Citron, cornichon, vinaigre... ils ne sont pas acidifiants, au contraire ! Ils renferment ce qu'on appelle des acides dits faibles, comme l'acide citrique, l'acide lactique, l'acide acétique... Au cours de la digestion, ces acides sont oxydés et se transforment en bicarbonates. Et vous connaissez bien ce bicarbonate que vous utilisez en poudre diluée dans de l'eau (ou que vous absorbez sous forme d'eau minérale gazéifiée) pour calmer justement les brûlures acides de l'estomac ! Les fruits sont indispensables à l'équilibre acido-basique. *Ils tamponnent l'acidité.*

Remarque : les acides faibles organiques sont *généralement* transformés en tampons, c'est-à-dire que cela se passe ainsi chez la plupart des personnes. Mais pas chez toutes. Les naturopathes distinguent deux types d'individus. Ceux globalement « solides », résistant à la fatigue, ayant toujours chaud, d'humeur joviale : a priori, ceux-là « supportent » parfaitement bien les aliments riches en acides organiques (citron et fruits en général, vinaigre...). Au cours de la digestion, ils transforment leurs acides dits «faibles» en bicarbonates, tamponnants. Pas de problème. En revanche, parmi les personnes maigres voire longilignes, de santé plus délicate, au mauvais sommeil, frileuses, plusieurs se méfient de ce type d'aliments qu'elles toléreraient moins bien, car elles ne transforment que partiellement leurs acides, lesquels, du coup, restent acides et ne deviennent donc pas tampons. Les aliments riches en acides faibles participent moins bien à leur équilibre acido-basique, tout comme ceux riches en acides forts (viande…). Si vous appartenez à cette deuxième catégorie et que les aliments acidulés, les agrumes surtout (voire tous les fruits), vous donnent des renvois et du fil digestif à retordre, limitez-en la consommation, tout simplement. Ou éventuellement consommez-les isolément, car c'est souvent en fin de repas qu'ils posent problème. Ou encore, faites-les cuire. Et rappelez-vous que les légumes ne se transforment pas en bicarbonates, et ne remplacent donc pas les fruits.

ALIMENTS ACIDIFIANTS	ALIMENTS ALCALINISANTS ET/OU TAMPONNANTS
Viandes Poissons Œufs Fromages (et produits laitiers) Céréales raffinées Huiles raffinées Biscuits, gâteaux Légumes secs et graines	Légumes verts Fruits Graines germées Herbes et épices Pomme de terre Châtaigne Algues Haricots secs

Ce qu'il faut retenir

Pour neutraliser un acide, il faut une base. Les bases sont fabriquées par le corps à partir des minéraux (calcium, magnésium, potassium) contenus dans les végétaux, principalement les légumes.

À propos des aliments au goût acide/acidulé (riches en acides organiques)

Citron, grenade, oseille, vinaigre... La saveur acide ressentie en bouche vient de certains acides présents dans les aliments: l'acide acétique, l'acide lactique, l'acide citrique, l'acide malique... tous ces acides ont une composition bien différente, donnent un «toucher acide» en bouche lui aussi très différent et, enfin, se décomposent dans l'organisme de façon là aussi très différente. Mais au final, aucun d'entre eux n'est acidifiant! Notre langage est très pauvre pour désigner les saveurs, et encore plus lorsque l'on rentre dans les nuances, mais vous, vous savez bien qu'il n'y a rien de commun entre une rondelle de citron et un yogourt, alors que ces deux aliments sont considérés comme acidulés. Au fil des pages suivantes, vous en apprendrez davantage sur ces acides.

Quelques exemples d'aliments acides au goût (mais non acidifiants pour l'organisme):

ACIDE	EXEMPLE D'ALIMENT OU DE PLANTE QUI EN RENFERME	REMARQUE
Acide acétique	Vinaigre	Il est antiseptique et antihypertenseur.
Acide carbonique	Eau gazeuse	Les bulles ! Cet acide apaise les troubles digestifs. Il est légèrement anesthésiant, cicatrisant et antiseptique.
Acide citrique	Agrumes (citron, orange, mandarine, pamplemousse…), baies et fruits rouges, cerise	Il « pique » fort en bouche, mais n'est pas bien méchant. Au contraire, il « fluidifie » le sang, détruit les bactéries et les champignons microscopiques. À savoir : notre corps produit une grande quantité d'acide citrique chaque jour, intimement impliquée dans notre production d'énergie (appelée cycle de Krebs ou cycle de l'acide citrique)
Acide lactique	Produits laitiers fermentés (yogourt, kéfir, fromage blanc…), choucroute et légumes lactofermentés (cornichons…)	Il y a beaucoup d'acide lactique dans la nature. Notre propre corps en fabrique : c'est l'acide lactique qui est responsable des courbatures quand le muscle est mal oxygéné.

→

ACIDE	EXEMPLE D'ALIMENT OU DE PLANTE QUI EN RENFERME	REMARQUE
Acide malique	Pomme, abricot, ananas, baies, cerise, coing, pêche, poire, prune, raisin, tomate	Il est comparable à un conservateur naturel, il lutte contre les germes.
Acide oxalique	Oseille, rhubarbe, épinard, plantes à feuilles vertes, tomate	Il stimule le foie et les intestins ; il favorise le transit. Attention : en excès, il favorise les calculs rénaux.
Acide tartrique	Ananas, raisin	Il lutte contre l'hyperacidité dans la gorge (mal de gorge) ou dans l'estomac (brûlure gastrique). Légèrement diurétique et laxatif, il facilite l'élimination. Il stimule la salivation.
Acide succinique	Laitue, haricot vert, sureau	Il procure un petit goût bien à lui, entre le salé, l'amer et l'acide.

Agbayon, l'illusion sensorielle parfaite

Le goût est un sens facétieux, facilement perturbé. L'agbayon (*Synsepalum dulcificum*), fruit exotique originaire d'Afrique de l'Ouest, possède l'extraordinaire propriété de rendre sucré ce qui est acide, amer, ou même simplement fade. Une fois que vous avez avalé cette baie rouge, sans saveur particulière et non sucrée, croquez dans un citron. Allez-y à pleines dents. Ce dernier vous paraîtra aussi doux et sucré qu'un bonbon ! La magie dure de 30 minutes à 1 heure, de quoi bien s'amuser, et disparaît d'elle-même, ou plus rapidement si vous vous rincez la bouche avec de l'eau ou du thé.

Évidemment, des petits malins se sont empressés d'exploiter cette propriété d'illusionniste en ouvrant à Tokyo* un café dédié à ce fruit miracle. On y achète des desserts légers (moins de 100 calories, soit environ 5 fois moins qu'un dessert « moyen ») et pourtant hypersucrés en bouche.

Ce tour de force est réalisé par une protéine nommée miraculine** (on comprend pourquoi !), qui trompe nos papilles gustatives, éliminant la sensation d'acidité et d'amertume. On la trouve aussi sous forme de tablettes à sucer et autres présentations, exploitant son étonnante faculté à modifier nos perceptions gustatives, y compris la désagréable impression « métallique » en bouche dont se plaignent certains patients sous traitements (chimiothérapie). Si le cœur vous en dit, vous pouvez aussi participer à l'une de ces soirées de dégustations, aux USA ou au Canada, où pour environ 20 $, on vous « offre » une petite baie à croquer et on vous invite à goûter ensuite différents aliments acides (citron, rhubarbe…) ou amers (Guiness). Les amateurs de cuisine moléculaire sont convaincus, alors que les gourmands friands de saveurs authentiques rechignent à faire passer un brocoli ou une bouchée d'oseille pour des fraises

→

Tagada, même si ce tour de passe-passe aiderait les enfants à manger plus de légumes... Mais c'est amusant à essayer !

* *Miracle Fruit Cafe*
** *K Kurihara and LM Beidler. "Taste-Modifying Protein from Miracle Fruit."* Science, *1968, Vol. 161. n° 3847, pp. 1241-1243.*

Combien faut-il manger d'aliments acidifiants ? Et alcalinisants ?

Le principe théorique idéal, c'est la table des 5, à savoir : 1 ration (100 g) de viande = 5 rations de fruits et légumes = 500 g. Soit 2 rations de viande = 10 rations de fruits et légumes = 1 kg, etc. En pratique, cela semble difficile et, de plus, peu compatible avec nos habitudes alimentaires. Par ailleurs, pour quelqu'un qui n'a pas l'habitude de consommer de grandes quantités de végétaux, multiplier brusquement les apports en fruits et légumes, ainsi qu'en légumineuses et en céréales complètes peut poser des soucis digestifs, comme des ballonnements. Rien de grave, mais autant éviter les problèmes et inconforts, l'idée est de se faire du bien, et uniquement du bien. Pas de souffrir pour être en bonne santé !

Plus réaliste et parfaitement efficace, visez globalement le 30 % d'aliments acidifiants pour 70 % d'aliments alcalinisants. Ci-dessous, deux menus types acido-basiques autour de plats comparables. Et deux menus types avec un mauvais équilibre acido-basique !

	☺	☹
Menu 1	Salade de tomate au basilic Steak, épinards, riz (2 fois moins que d'épinard) Yogourt	Œuf mayo Steak, pâtes Riz au lait
Menu 2	Soupe de légumes Pavé de saumon, ratatouille, boulgour (2 fois moins que de ratatouille) Sorbet framboise	Soupe de poisson Pavé de saumon, lentilles Œuf au lait

Le PRAL

Les recommandations alimentaires acido-basiques ont été longtemps confuses, voire contradictoires. C'est parce que certains se basaient sur la saveur des aliments (« surtout ne mangez pas de citron, acide ! »), d'autres sur l'acidité du sang, d'autres sur l'acidité des urines, etc. Le PRAL (*Potential Renal Acid Load*), l'outil de mesure acido-basique d'un aliment, a l'avantage de mettre tout le monde d'accord en prenant en compte plusieurs composants de l'aliment (protéines, magnésium…) et en les pondérant selon leur importance. Il existe différentes tables pour classifier les aliments selon leur capacité à acidifier ou à alcaliniser l'organisme (ou à rester neutre). Chacune a ses propres calculs, et on ne retrouve pas forcément les mêmes chiffres d'une table à l'autre. C'est d'ailleurs le cas de beaucoup d'autres tables de classements alimentaires, par exemple, l'index glycémique. Mais globalement, à ce jour, il est d'usage de se référer au PRAL mis au point par les scientifiques Remer et Manz*, un indice fiable même s'il reste imparfait. Demain, ce sera peut-être

* Institut de recherche pour la nutrition des enfants, Dortmund, Allemagne.

différent, car le PRAL possède inévitablement quelques lacunes. Ainsi, il prend en compte les éléments acidifiants et alcalinisants de chaque aliment, pour 100 g, et intègre même leur coefficient d'absorption intestinale. Mais il ne peut pas TOUT prendre en compte, et notamment, comme toutes les tables, il ne s'intéresse qu'à chaque aliment isolément, et non au repas dans son ensemble, ce qui peut changer beaucoup de choses ! Par ailleurs, ce n'est pas parce qu'un aliment possède un « bon » PRAL qu'il est forcément « bon » pour la santé (ex. les bonbons à la menthe enrobés de chocolat, ou le Coca-Cola). Mais pour le moment, c'est la référence, et personne n'a proposé de calcul plus performant.

PRAL (GÉNÉRALITÉS)	TENEUR MOYENNE EN MEQ (MILLIÉQUIVALENT)*	REMARQUES
Poissons, viandes, fromages…	25 mEq/100 g	Viandes, charcuteries et poissons sont aussi acidifiants les uns que les autres. L'œuf l'est moins. Les fromages de vache sont plus acidifiants que ceux de brebis, et, globalement, plus acidifiants que la viande rouge. Les autres produits laitiers (lait, crème…) sont relativement « neutres ».
Produits céréaliers	10 mEq/100 g	Il y a une grande disparité. Châtaignes, pommes de terre et haricots secs sont alcalinisants. Lentilles et céréales complètes sont un peu acidifiantes. Pain, pâtes et riz blancs (raffinés), le sont beaucoup.
Fruits, légumes, herbes, épices	- 3 mEq/100 g	Ce sont les seuls aliments vraiment alcalinisants. Les fruits secs le sont encore plus. Épices et herbes, fortement alcalinisants, méritent d'être consommés à chaque repas.

Tous les aliments dont le chiffre est supérieur à 0 sont acidifiants. Plus le chiffre grimpe, plus l'aliment est acidifiant.

Notre sélection des meilleurs aliments acido-basiques (et les meilleures combinaisons)

Comme nous l'avons déjà dit et répété, il n'est pas question d'éliminer les aliments acidifiants, ce qui serait impossible et surtout néfaste pour le corps, mais de trouver les bonnes combinaisons alimentaires pour que, dans l'organisme, l'équilibre chimique soit maintenu. Avec quoi manger de la viande? Du poulet? Du poisson? Des lentilles? Une omelette? Ce n'est pas sorcier avec les bonnes «tables» alimentaires acido-basiques!

Retrouvez nos 2 tables complètes en annexes:

1. Table classée par ordre alphabétique d'aliments (p. 345).
2. Table classée par ordre croissant d'acidification (p. 353).

LÉGENDE
SCORE ACIDO-BASIQUE

★	**Un coup de pouce acido-basique**
★★	**Un incontournable acido-basique**
★★★	**Un expert acido-basique, à consommer au moins 4 fois par semaine**

ALGUES ★ : LES EXTRAORDINAIRES LÉGUMES DE LA MER

Les algues occupent un statut à part dans notre alimentation. Nous ne les considérons, au mieux, que comme d'insolites aromates. Ainsi, on en trouve ici ou là dans du beurre, du pain, dans du sel aussi, mais c'est à peu près tout. C'est vrai, on n'en achète pas aussi facilement que des pommes. Cependant, dans certaines régions d'Europe, en Bretagne et Normandie par exemple, il est courant d'en trouver à l'épicerie du coin, à la boutique de la coopérative, ou même en grande surface sous forme de tartare d'algues à servir à l'apéritif. C'est un bon début, mais nous pouvons faire mieux. Les Japonais, eux, mangent des algues, comme nous des haricots verts. Et même plus ! Pour eux, c'est vraiment un « légume » comme un autre.

De fait, les algues sont extraordinaires à divers points de vue. D'abord, elles sont puissamment pourvues en minéraux alcalinisants. Sans surprise, leur PRAL est donc très « bon ». Mais leurs compétences ne s'arrêtent pas là. Leur composition est bien différente de celle des légumes terrestres : leur structure est faite de fibres douces (mucilages) et non de fibres dures (cellulose indigeste). Non seulement on les digère très facilement, mais en plus ces mucilages forment un gel intéressant dans notre système digestif.

- Il coupe la faim, et pour un bon moment.
- Il piège une partie des graisses et des sucres, ce qui permet de mieux maîtriser taux de cholestérol et glycémie (taux de sucre sanguin). Une aubaine pour tous, particulièrement pour les diabétiques et les personnes sujettes au surpoids et aux fringales.
- Par effet de lest, ce gel de mucilage et d'eau favorise le transit intestinal, luttant contre la constipation (et les diarrhées le cas échéant). C'est un régulateur de transit, pas un laxatif, ce qui est complètement différent.

En outre, les algues renferment des antioxydants uniques, puissants et remarquables, sur lesquels les chercheurs se penchent avec beaucoup d'espoirs. Et pour conclure, elles favorisent l'anabolisme (voir p. 24), c'est-à-dire le processus, alcalinisant, de construction du corps.

On les trouve parfois fraîches dans les boutiques bio, mais bien plus souvent sèches (déshydratées). Si vous n'êtes pas encore prêt à manger des algues comme légume, goûtez au moins aux salicornes (ces drôles de légumes/algues). Vous serez probablement étonné du résultat. On vous laisse la surprise (elle sera bonne). Certains experts recommandent également la spiruline, la chlorelle ou la klamath, principalement disponibles sous forme de compléments alimentaires. Il s'agit de micro-algues exceptionnellement riches en protéines et pourtant, alcalinisantes.

- **Les bonnes combinaisons acido-basiques avec les algues:** cabillaud, saumon, choucroute de la mer, rouget, salade de pommes de terre.

ANANAS ★★ : IL AIDE À DIGÉRER LES PROTÉINES

Vous ne le consommerez plus en dessert pour « brûler les graisses » (une légende !), mais pour améliorer l'indice PRAL de votre repas. Autre bonne raison de penser à lui : il se marie à merveille avec certaines « viandes », le canard et le poulet, par exemple. Comme au restaurant chinois ! Sa botte secrète : il renferme de la bromélaïne, une enzyme qui facilite la digestion des protéines. Or, les protéines sont « compliquées » à assimiler par l'organisme, qui mobilise d'ailleurs toute une batterie d'enzymes internes rien que pour cette tâche (voir tableau p. 130). Une petite aide n'est donc pas de trop…

- **Les bonnes combinaisons acido-basiques avec l'ananas:** canard, poulet, pintade, porc, lait de coco.

Aubergine ★ : ratatouille !

Bien qu'irréprochable, ce légume ne décroche aucune médaille acido-basique. Son intérêt réside dans sa texture, très dense et fibreuse, qui rappelle un peu celle des féculents : il faut mâcher, on a l'impression de manger « sérieusement ». Ce qui évite de se lancer dans les abus de pâtes et autres riz blancs temporairement nourrissants, mais plus acidifiants. Sa saveur peut être lassante ; mariez-la avec d'autres légumes du soleil, elle adore la compagnie.

Les bonnes combinaisons acido-basiques avec l'aubergine : lasagnes, poulet, agneau, fromage de brebis, moussaka.

Avocat ★ : avocat-crevettes, l'entrée parfaite

Le classique « avocat-crevettes » est une excellente idée d'entrée au PRAL de quasiment 0, la neutralité bienveillante, donc. Nature, au poivre, c'est encore plus alcalinisant, bien sûr. Mais moins nourrissant... Assurément un bien meilleur parti acido-basique qu'une entrée de saucisson ou rillettes (PRAL 5) ou, pire, de sardine à l'huile (PRAL 16).

Les bonnes combinaisons acido-basiques avec l'avocat : crevette, crabe, saumon fumé, feta, pamplemousse.

Banane ★★ : l'amie de la tension

C'est le fruit frais le plus alcalinisant. Et c'est heureux, car tout le monde l'adore ! Fort riche en potassium, elle aide à prendre soin de la pression artérielle. Elle se fait velours pour l'estomac et pour les intestins, pas étonnant que même les tout jeunes enfants l'apprécient ! À condition de la choisir bien jaune voire tigrée ; encore verte, elle donne du fil digestif à retordre.

Côté PRAL, elle est suivie de la goyave, nettement moins consommée sous nos latitudes, et de la rhubarbe, hélas généralement noyée de sucre à cause de son intensité acidulée en bouche. Pour nos amis des îles, c'est une vieille connaissance fidèle voire quasi quotidienne.

- **Les bonnes combinaisons acido-basiques avec la banane :** chocolat, cannelle (banane classique), poulet, arachides, boudin antillais (banane plantain).

BETTE À CARDE ★ : LA MACHINE À REMINÉRALISER

Ce modeste légume réussit l'exploit d'être le légume frais le plus alcalinisant ! Certes, en gratin avec de la béchamel, c'est un peu moins flagrant. Mais doucement braisé, il est à la fois délicieux, hyperminéralisé et donc reminéralisant, juste parfait pour le squelette.

- **Les bonnes combinaisons acido-basiques avec la bette à carde :** jambon cru, thon, daube de bœuf, filet mignon de porc, couscous.

CACAO EN POUDRE (MAIGRE) ★★ : ESSAYEZ-LE DANS LES PLATS SALÉS !

Spectaculaire, ce PRAL à - 30 ! Bien sûr, nul ne consomme 100 g de poudre de cacao maigre. En revanche, cela vaut le coup de saupoudrer un peu de cacao sur une volaille (oui, salée !) et/ou d'en insérer dans un dessert classique de type riz au lait.

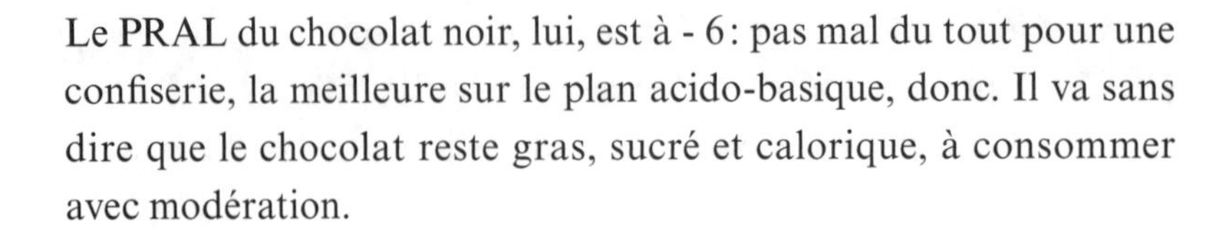

Le PRAL du chocolat noir, lui, est à - 6 : pas mal du tout pour une confiserie, la meilleure sur le plan acido-basique, donc. Il va sans dire que le chocolat reste gras, sucré et calorique, à consommer avec modération.

🍽 **Les bonnes combinaisons acido-basiques avec le cacao :** volailles, bar, cabillaud, lait, riz au lait, poire, menthe.

CASSIS ★ : SUPER-LÉGER, SUPER-ANTIOXYDANT

Triple tableau d'honneur pour le cassis, extra-riche en vitamine C, en polyphénols protecteurs et antioxydants, ainsi qu'au PRAL exemplaire. À la belle saison, à vous les barquettes de cassis frais ! Et aux mauvais jours, cap sur les baies surgelées.

🍽 **Les bonnes combinaisons acido-basiques avec le cassis :** fromage blanc, canard, riz au lait.

CÉLERI ★★ : MON AMI DU CŒUR

Nous avons tort de cantonner trop souvent cet humble végétal à un second rôle dans les moules marinières ou épisodiquement dans quelques salades en été. Il possède quatre bottes secrètes : ses vitamines B6 et C, antikilos, son 3-n-butyl phtalide, draineur expert et antihypertenseur, et sa flopée de molécules antioxydantes et anticancer. Côté « rave », rien de plus simple que de préparer du céleri râpé, exactement comme les carottes. Et rien de plus simple que d'ajouter des branches de céleri crues coupées en tronçons dans vos petites crudités et salades vertes quotidiennes. Remarque : les branches ont un meilleur PRAL que les raves.

🍽 **Les bonnes combinaisons acido-basiques avec le céleri :** poissons, volailles, poulet, agneau, anchois, travers de porc, rôti de veau, couscous.

CÉRÉALES COMPLÈTES ★ : MIEUX QUE LES RAFFINÉES

Le PRAL du riz blanc classique « monte » à 1,61, le riz sauvage, à 2. Ce n'est pas énorme, mais cette différence mérite d'être soulignée par rapport au riz brun (1). Pensez au riz basmati complet, on commence à en trouver dans presque toutes les grandes surfaces : il change du riz complet habituel et en plus, il cuit bien plus vite.

Dans la catégorie des produits de grignotage, les galettes de riz grimpent à 7 : peu caloriques, certes, mais elles n'aident pas à rétablir l'équilibre acido-basique, contrairement aux fruits séchés par exemple.

Les bonnes combinaisons acido-basiques avec le riz complet : poissons, crevettes, volailles, gâteau de riz.

CERISE ★★ : LA BONNE FÉE DES ARTICULATIONS

Elle possède un bon PRAL, comme tous les fruits et légumes. Mais surtout, la cerise est traditionnellement utilisée comme « anti-goutte » car elle combat avec énergie l'acide urique. Cerises fraîches, en jus, surgelées… c'est une grande amie des victimes d'articulations douloureuses. Utile si votre déséquilibre acido-basique s'exprime plutôt par des agressions articulaires.

Les bonnes combinaisons acido-basiques avec la cerise : clafoutis, fromage blanc, yogourt, tarte, agneau, dinde, caille, magret de canard, veau, chevreuil.

CHÂTAIGNE ★★ : LE FÉCULENT ACIDO-BASIQUE !

Avec les pommes de terre et les haricots secs, c'est le seul féculent alcalinisant. Pensez-y plus régulièrement pour vos poêlées : utilisez la châtaigne à la place du riz et des pâtes, devenus des réflexes trop quotidiens. Par exemple, un mélange châtaignes et chou de Bruxelles, c'est délicieux, inattendu, très nourrissant et… alcalinisant !

Les bonnes combinaisons acido-basiques avec la châtaigne : dinde, boudin, carré de porc, choux de Bruxelles, fromage blanc.

CHOU ET CHOUCROUTE ★ : LES SUPERLÉGUMES

Bien qu'ils soient riches en sulfates (acidifiants), les choux sont surtout extraordinairement pourvus en minéraux alcalinisants, comme le calcium et le magnésium. Ce sont donc de très bons aliments acido-basiques. Ils possèdent par ailleurs de formidables propriétés santé, notamment pour soutenir notre immunité.

À propos de la choucroute. Lorsqu'on met des choux dans de la saumure, cette dernière empêche la prolifération de certaines bactéries, mais en favorise d'autres, comme le *Leuconostoc mesenteroides* puis le *Lactobacillus plantarum*. Ces ferments travaillent dans l'ombre : ils prédigèrent le chou, le rendant infiniment plus digeste. De plus, l'aliment final renferme des probiotiques, bactéries amies de la flore intestinale, tout comme le yogourt. La choucroute est donc un aliment lactofermenté, c'est-à-dire ayant subi une fermentation lactique (rien à voir avec le lait).

Les bonnes combinaisons acido-basiques avec le chou : pomme, noix, porc, pigeon, perdrix, faisan, haddock, saumon, bar.

CITRON ★★★ : DÉTOX, PURIFIANT ET ALCALINISANT

Les agrumes caracolent en tête des aliments riches en acide citrique, citron en tête. Il est suivi du pamplemousse puis de l'orange, plus douce. Lorsque l'on boit de la limonade (dans sa version originale, soit de l'eau additionnée de jus de citron… sans sucre ni miel ajouté !), en y prêtant attention, on peut ressentir de l'acidité, mais aussi, en deuxième goût, du sucré. Comme nous l'avons expliqué p. 128, si vous possédez l'équipement enzymatique digestif adéquat, vous transformez sans problème cet acide citrique en bicarbonates, tamponnants. C'est bien ! En revanche, si vous « supportez mal les agrumes », inutile de vous lancer dans une cure de citron, elle ne vous vaudra rien de bon.

- **Les bonnes combinaisons acido-basiques avec le citron :** volailles, poissons crus, saumon fumé, avocat, fruits de mer.

LA CURE PROGRESSIVE DE JUS DE CITRON (POUR RETROUVER L'ÉQUILIBRE ACIDO-BASIQUE)

Le principe de la cure progressive de jus de citron : consommer chaque matin, au réveil, du jus de citron pur, non dilué. Commencez par ½ citron par jour durant 2 jours puis augmentez les doses graduellement jusqu'à prendre 7 citrons par jour. Restez à 7 durant quelques jours, puis diminuez progressivement jusqu'à ne plus boire que 1 citron par jour en phase de stabilisation.

Le citron n'est pas acidifiant, sur un plan équilibre acido-basique, mais il est bien acidulé, c'est même l'aliment le plus acide en bouche ! Aussi, il ne convient pas à tous les estomacs. Si le vôtre rechigne, surtout le matin à jeun, remplacez le citron par une cure de suppléments alimentaires à base de carbonates, citrates, magnésium, calcium, potassium et vitamines B. étant entendu

→

que vous ne bénéficierez alors pas des autres bienfaits du citron, comme son exceptionnelle richesse en vitamine C et en flavonoïdes protecteurs.

Source : *Le citron malin*, Julie Frédérique, Leduc.s Éditions.

Courges et courgette ★★ : anti-rétention d'eau

Ne passez jamais à côté d'une soupe au potiron lorsqu'il fait froid… Cuisinez des courgettes poêlées toutes simples, aux herbes, à la belle saison. Pas si bête, la courge ! Mademoiselle s'offre un joli score PRAL, en grande partie grâce à sa très forte teneur en potassium et autres minéraux alcalinisants. Les amateurs savent d'ailleurs bien qu'une forte consommation de courgettes ou de potiron accélère immanquablement l'élimination de l'excès d'eau. Il ne faut pas être trop loin des toilettes mais… on s'allège !

Les bonnes combinaisons acido-basiques avec la courgette/courge : couscous, tomate, courgette et fromage de chèvre, courgette farcie, lasagne.

Eau ★★ : cherchez les bicarbonates

Toutes les eaux ne sont pas équivalentes. En fonction de leur composition minérale, elles ont telle ou telle action sur l'organisme. Par exemple, il est connu que l'Hépar facilite le transit intestinal, tandis que la Saint-Yorre aide à digérer et lutte contre les brûlures d'estomac. En France, leurs propriétés sont reconnues officiellement par l'Académie nationale de médecine. Sur un plan acido-basique, une petite exploration « chimique » des eaux est nécessaire. Pour qu'elle participe à l'équilibre acido-basique, une eau doit apporter dans l'idéal d'une part des bicarbonates (tampons) et/ou des minéraux alcalins bien précis, d'autre part pas trop de sulfates acidifiants. Par exemple, la Contrex ou la Courmayeur sont effectivement très riches en calcium, mais renferment davantage de sulfates que de bicarbonates. Leur utilité acido-basique est par conséquent discutable. Plusieurs eaux « à bulles » comme la Quézac, la Badoit, l'Arvie ou la San Pellegrino, à la fois pourvues en calcium, magnésium et bicarbonates, tout en étant pauvres en sulfates, semblent plus appropriées. Donnez la préférence au bicarbonate de calcium plutôt qu'à celui de sodium. De ce point de vue, Salvetat est préférable à Badoit. À ce propos, le bicarbonate de sodium ne se comporte pas comme le chlorure de sodium (le sel de table ou celui des aliments) : contrairement à ce dernier, il n'élève pas la tension artérielle. La Vichy Saint-Yorre en renferme de grandes quantités, c'est précisément ce qui tamponne l'acidité gastrique. Malheureusement, dans cette eau, les bicarbonates et les chlorures sont tous deux présents en quantité importante, mieux vaut ne pas la boire au quotidien.

- **Les bonnes combinaisons acido-basiques avec l'eau alcalinisante :** jus de citron, tisanes, thé…

Thé ou café ?

Le thé et le café sont légèrement alcalinisants (environ – 0,8). C'est l'idéal, surtout sans sucre ni lait bien sûr. Attention, cela ne retire en rien leur caféine, auquel chacun d'entre nous est plus ou moins sensible. À consommer avec modération tout de même, surtout si vous voulez passer de bonnes nuits réparatrices.

Épices ★★ : les reines alcalines

Avec les herbes (voir p. 94), elles dominent haut la main le sujet acido-basique. Largement en tête cabriole le curcuma avec un score acido-basique de - 46,67 ! Il est suivi du paprika, du cumin, des clous de girofle, des piments frais, du safran, des piments en poudre… Pas vraiment une épice, mais assurément un condiment fort en bouche, le raifort offre aussi son - 9,73 pour des apéritifs acido-basiques de caractère. Tout bien calculé, rapporté à la quantité consommée à l'aune d'un repas, soit quelques grammes à peine, le score PRAL se fait plus modeste. Mais c'est le moment ou jamais de délaisser la salière de sel raffiné, blanc, sans intérêt gustatif ni santé, pour la remplacer par ces trésors de bienfaits sensoriels et physiologiques que sont les épices. Remarque : le PRAL est différent selon chaque épice, mais aussi en fonction de son ancienneté, son état de conservation, etc.

- **Les bonnes combinaisons acido-basiques avec les épices :** thé tchaï, achards, chutney, colombo, curry, poulet tikka, tandoori, crevettes, raïta.

Épinard ★★ : sacré Popeye !

Après la bette à carde, l'épinard cru est le légume frais le plus alcalinisant. Cuit, il perd quelques points mais comme on en consomme alors beaucoup plus, il reste un morceau PRAL de choix. Une toute petite nuance cependant : il renferme des oxalates (acide oxalique) en relativement grande quantité, et ce composant n'est pas pris en compte dans la table PRAL. Aussi, l'indice PRAL de ce légume ne reflète probablement pas exactement la réalité. Mais cela ne l'empêche pas d'être « dans la course », sûrement parmi les meilleurs.

Comme quoi, Popeye le mangeait pour son fer (une légende, notre homme se trompait), mais au final, l'épinard protégeait bien ses muscles et ses os. C'est le résultat qui compte !

🍽 **Les bonnes combinaisons acido-basiques avec les épinards:** œufs, saumon, rouget, sardine, cabillaud, fromage de chèvre, lasagne, parmesan (en salade), tagliatelles.

FENOUIL ★ : L'EXPERT EN PAIX DU VENTRE

Avis à toutes les victimes de troubles digestifs, des crampes aux douleurs spasmodiques, des fermentations au manque d'appétit ou à la constipation, le fenouil ne demande qu'à vous aider. Cru ou cuit, à grignoter ou en légume de garniture, il possède, en plus, un très bon PRAL.

🍽 **Les bonnes combinaisons acido-basiques avec le fenouil:** poissons, coquilles Saint-Jacques, filet mignon, moules, côtes d'agneau.

FRUITS SÉCHÉS (ABRICOTS, FIGUES, PRUNEAUX...) ★ : TRANSIT INTESTINAL FACILE

Les fruits séchés ont ceci de fabuleux: ce sont de véritables petites bombes de minéraux alcalinisants, de fibres et d'antioxydants. Que du bon! L'abricot trône en majesté parmi eux, mais le pruneau, le raisin et la figue tiennent aussi leur rang. Ne cherchez pas « le meilleur »: grignotez varié! Et pourquoi ne pas les acoquiner avec des viandes, selon le principe du tajine? Enfin, n'oublions pas qu'ils sont traditionnellement consommés, avec raison, pour lutter contre la constipation. Non seulement pour leur forte teneur en fibres, mais aussi parce que certains d'entre eux renferment des sucres particuliers légèrement laxatifs; le pruneau, par exemple.

🍽 **Les bonnes combinaisons acido-basiques avec les fruits séchés:** volailles, filet mignon de porc, tagines, muesli, canard, agneau, riz basmati.

Gingembre ★★★ : digestif, tonifiant, antimicrobes, anticholestérol... !

Dans l'opéra des épices, surdouées en cuisine, en parfums, en antioxydants, etc., le gingembre est l'un des ténors. Nous l'avons séparé de ses congénères (p. 90), car il peut être aussi bien utilisé frais que séché, en racine qu'en poudre, mariné qu'en infusion. En outre, il possède des propriétés digestives réellement hors du commun. Antinauséeux d'exception, il redonne le sourire aux femmes enceintes, à tous ceux qui redoutent le mal des transports, aux migraineux digestifs, aux victimes de brûlures d'estomac, de paresse digestive. Il est aussi fortement antirhumatismal, protecteur cardiaque (car fluidifiant sanguin) et super-tonifiant. Il est, enfin, qualifié de « très bon » par plusieurs cancérologues qui ont évalué ses vertus préventrices anticancer.

Les bonnes combinaisons acido-basiques avec le gingembre : banane au four, poulet, tartare de poisson, poires pochées, crevettes.

Haricots secs ★ : maxi-protéines, mini-PRAL

Ils méritaient d'être mentionnés, car même si leur PRAL n'est pas mirifique, il convient de souligner qu'il s'agit des seuls féculents, avec les châtaignes, à obtenir un score alcalinisant. Bravo ! Pourtant, les haricots sont riches en protéines, mais... encore plus en minéraux basiques ! Plutôt que de manger systématiquement des pâtes ou du riz en cas de grosse faim d'aliment « consistant », pensez plus souvent aux haricots.

Les bonnes combinaisons acido-basiques avec les haricots secs : agneau, cabillaud, jambon fumé, thon (en salade), minestrone, salade niçoise.

HERBES (BASILIC, CIBOULETTE, PERSIL) ★★★ : LES SUPERAROMATES DU JARDIN

Comme les épices, les herbes aromatiques font partie des «superaliments» que nous devrions prendre l'habitude de consommer au quotidien. Extra-riches en composés bénéfiques, en vitamines B9 et C, en fibres douces, en antioxydants, en minéraux, elles sont puissamment protectrices pour notre santé. De vrais «compléments alimentaires» 100% naturels. Elles parfument, aromatisent, agrémentent tout en réduisant l'usage du sel, du gras ou d'artifices «douteux» pour rehausser les saveurs d'un plat un peu terne. Si vous hésitez encore, admirez leur PRAL, il devrait faire s'envoler vos derniers doutes. Bien sûr, on n'en utilise pas 100 g à chaque repas. Mais 1 c. à soupe par jour, ce n'est pas grand-chose, et pourtant, ça change tout: en un an vous en aurez consommé en moyenne 1,5 kg! C'est la menthe poivrée qui remporte la palme de l'herbe aromatique la plus alcalinisante. Elle est suivie du persil et du basilic.

Les bonnes combinaisons acido-basiques avec les herbes: légumes, taboulé, agneau, pâtes, papillotes de poisson, moules, crevettes, coquilles Saint-Jacques, fromage frais.

HUILE DE COLZA ★ : LA MEILLEURE SOURCE VÉGÉTALE D'OMÉGA-3

On connaît sa teneur modèle en oméga-3, raison pour laquelle elle figure désormais sur la liste «blanche» des amis de votre placard de cuisine. En revanche, on sait moins qu'elle renferme du coenzyme Q10, un élément naturel précieux pour protéger le cœur et faciliter le travail cellulaire d'une manière générale. C'est, de plus, un remarquable antioxydant qui agit au cœur de la cellule et, telle une vitamine, aide à la production d'énergie et au métabolisme. Or, vous savez maintenant combien le métabolisme et l'oxydation sont au cœur de l'équilibre acido-basique. Comme toutes les autres huiles, son PRAL est de 0: parfaitement neutre donc. Ce qui n'est pas le cas des autres sources de coenzyme Q10: le bœuf, la sardine, les noix… tous ces aliments sont acidifiants. Pour un profil nutritionnel idéal en acides gras (oméga-3/oméga-6/oméga-9), n'hésitez pas à la marier à de l'huile d'olive.

- **Les bonnes combinaisons acido-basiques avec l'huile de colza:** poulet, poissons, endives en salade, pommes de terre.

Kiwi ★ : le premier de la classe

Le kiwi est le fruit tonus du matin par excellence. Il a tendance à remplacer l'orange sur ce terrain, car certaines personnes peinent à digérer les agrumes. Le kiwi, lui, passe tout seul, et s'offre en plus le luxe d'un meilleur PRAL, d'une palme d'or de vitamine C, et d'enzymes intégrées qui facilitent encore sa digestion! Un amour de petit fruit, donc, qui a l'honneur de totaliser la plus haute densité nutritionnelle. Comprenez qu'à équivalent calorique, de tous les fruits, c'est lui qui apporte le plus de vitamines et de minéraux. D'où son joli score PRAL, sans doute. Amusant: certains le mangent sans l'éplucher, et le trouvent bien meilleur comme ça. Si le cœur vous en dit…

- **Les bonnes combinaisons acido-basiques avec le kiwi:** carré d'agneau, saumon fumé, tartelettes, panna cotta.

Mélasse ★ : mieux que le sucre

Ce drôle de sucre, considéré jadis comme un sucre de mauvaise qualité, est en réalité bien plus intéressant que le « vrai » sucre blanc. Jugez plutôt avec ce petit tableau:

NUTRIMENTS/100 G	MÉLASSE ☺	SUCRE BLANC ☹
Indice PRAL	- 38,55	0
Calories	280	375
Protéines	1,9	0
Sucres (glucides)	74,7	96
Graisses (lipides)	0,2	0
Calcium	596 mg	10 mg
Magnésium	197 mg	0
Fer	21,7 mg	0,3 mg
Potassium	2 421 mg	0,1 mg
Vitamine B6	0,3 mg	0

Pas de mélasse à votre épicerie? Rabattez-vous sur le sirop de liège (une sorte de mélasse de fruit belge, délicieuse) ou, en dernier recours, sur la cassonade, à l'honorable score PRAL de - 8,31. Le sucre, pour sa part, est à zéro. Apparemment neutre, certes, mais cruellement dénué de toute vitamine, de tout oligo-élément et minéral, ces derniers permettant à la mélasse d'être élue «meilleur aliment sucrant» sur un plan acido-basique.

Le coin de l'expert

La mélasse possède une teinte très noire. C'est presque du caramel ! Sa couleur résulte d'un brunissement voulu par l'homme. Il existe deux types de brunissement : l'enzymatique (les fruits que l'on coupe et dont la chair brunit rapidement à l'air) et le non enzymatique (provoqué par la chaleur, la cuisson). Le brunissement non enzymatique est classique en cuisine, c'est ainsi que l'on obtient la réaction de Maillard et la caramélisation.

Les bonnes combinaisons acido-basiques avec la mélasse : canard, porc, fromage blanc, yogourt.

Orange ★ : un soleil vitaminé

Joli soleil orange, sucrée et juteuse à souhait au meilleur de sa forme, l'orange illumine nos tablées de déjeuner hivernal parfois un peu mornes. À croquer, en salade, en jus, un petit peu d'orange en plus, c'est un petit peu d'acidité en moins ! Madame nous apporte en outre sur un plateau sa vitamine C, ses acides organiques (voir p. 73), ses flavonoïdes protecteurs pour les vaisseaux sanguins, son limonène anticancer du sein et du poumon… Que des bonnes choses, en somme.

« Je digère mal les agrumes ! »

Certaines personnes adorent les oranges et les clémentines mais, malheureusement, les digèrent mal. Il s'ensuit des troubles digestifs ou, même, une difficulté pour l'organisme à transformer les acides du fruit en composés alcalins. C'est un problème. Si vous êtes dans ce cas, la célèbre cure de citron n'est clairement pas pour vous, l'orange à croquer en fin du repas non plus, ni celle pressée au déjeuner. Essayez de consommer vos fruits en dehors des repas (au moins à une distance de ½ heure). Si même ainsi, vous les supportez mal, espacez votre consommation d'agrumes et remplacez-les par d'autres fruits plus digestes pour vous, comme la banane, le kiwi ou la poire (sans peau).

Les bonnes combinaisons acido-basiques avec l'orange : cardamome, canard, poulet, filet mignon, crevettes, gâteau de riz, chocolat.

Pomme de terre ★ : un amour de goût, un amour de PRAL

Parmentier, l'astucieux pharmacien qui fit connaître et apprécier la pomme de terre au grand public jusqu'alors réticent envers ce « drôle de légume », a indiscutablement apporté sa contribution à l'équilibre acido-basique. Grâce à lui, nous adorons les patates qui, bien que n'étant pas des « légumes verts », possèdent quand même de sérieux atouts nutritionnels. Déjà, leur PRAL remarquable, puisque comme la châtaigne et les haricots secs, la pomme de terre est le seul, et ô combien apprécié, féculent non acidifiant. Et la frite ? Chérie d'entre les précieuses, cette grande dame possède un score acido-basique plus que correct puisqu'elle ne dépasse pas les - 8,78. En revanche, question gras, sel et calories, elle ne peut guère être montrée en exemple.

- **Les bonnes combinaisons acido-basiques avec la pomme de terre :** fromage blanc, fromage fondu, morue, filet de hareng, bœuf.

Rhubarbe ★ : un concentré acidulé dans un gant PRAL de velours

Le drôle de nom de rhubarbe fut donné à cette plante par les Grecs, qui la croyaient toxique car tellement acide, et l'ont ainsi surnommée « le légume barbare ». Et pourtant, tout comme les agrumes eux aussi acidulés, la rhubarbe possède un PRAL irréprochable, et aide par conséquent à lutter contre l'acidification.

- **Les bonnes combinaisons acido-basiques avec la rhubarbe :** volailles, canard, poissons, fromage blanc, vanille, cannelle, gingembre, badiane, graines de fenouil.

Salade verte ★ : le plein d'enzymes

Mi-salades, mi-condiments, le pourpier et le cresson sont de loin les « salades vertes » les plus alcalinisantes. Elles sont suivies du pissenlit et de la mâche. Décidément, les « petites salades » ont leur mot à dire dans la recherche de l'équilibre acido-basique! Lorsqu'elles ont un goût légèrement amer, comme la chicorée ou la frisée, ces reines du potager sont, en plus, bonnes pour le foie. Or, ce dernier est un organe clé et pourtant méconnu de l'équilibre acido-basique. Rappel : nos enzymes digestives font un gros travail (voir p. 128). Aidons-les en consommant à chaque repas un petit peu de crudités. La salade, par exemple, c'est parfait!

- **Les bonnes combinaisons acido-basiques avec la salade :** noix, noisettes, fromage de chèvre, œuf.

TOMATE (ET SAUCE) ★★ : LYCOPÈNE ET PRAL RECORDS

Confite et à l'huile, la tomate s'offre le prestigieux record du légume le plus alcalinisant. Elle culmine à près de - 28 ! Moins calorique, moins salée et plus facile à consommer en grande quantité, la purée de tomate obtient le score toujours très honorable de - 7,76, et la sauce tomate, de - 7,18. On connaissait déjà les bienfaits de la tomate crue (sa vitamine C), ceux de la tomate cuite (son lycopène, un antioxydant pour les poumons, la peau, le cœur et la prostate), elle entre désormais par la grande porte au panthéon des meilleurs aliments acido-basiques. Faites-lui la place qu'elle mérite!

- **Les bonnes combinaisons acido-basiques avec la tomate :** fromage frais, chair à saucisse, riz complet, thon, anchois, pâtes.

VINAIGRE ★ : FILS DU VIN ET DES BACTÉRIES

L'acide acétique est le constituant acide du vinaigre, tant pour l'odeur que pour la saveur. C'est une forme oxydée d'alcool, autrement dit, pas de vinaigre possible sans alcool ! Et l'alcool est lui-même dérivé des sucres d'un aliment. Par exemple, du raisin qui fermente naturellement, oublié dans un coin, produit de l'alcool. Donc du vin (c'est simplifié… sans l'aide de l'homme, cela donnera une infâme piquette!). La bactérie *acetobacter* fait ensuite « tourner » le vin en vinaigre, c'est-à-dire en le transformant en acide acétique. Le vinaigre est donc le fruit d'une double fermentation : alcoolique puis acétique. Pourtant, jetez un œil à son PRAL : négatif ! Tout comme les agrumes et la rhubarbe, au goût acide, le vinaigre est acidulé en bouche mais alcalinisant sur un plan métabolique. Le rêve !

- **Les bonnes combinaisons acido-basiques avec le vinaigre :** poissons, huîtres, anchois, œufs.

5 G D'ACIDE ACÉTIQUE POUR LE VINAIGRE DE CIDRE

La teneur acétique d'un vinaigre est exprimée en degrés acétimétriques. Le vinaigre de cidre est doux, il titre à 5 g d'acide acétique/100 ml contre minimum 6 g pour le vinaigre de vin. Ça ne change rien ou presque à son PRAL, en revanche, moins acide donc moins agressif, il est mieux supporté des estomacs délicats.

50 idées de combinaisons acido-basiques parfaites

Fouillez dans notre boîte à idées pour établir vos menus express acido-basiques, en fonction de vos envies du moment ou de ce que vous propose votre frigo. Vous avez un paquet de harengs fumés? Super, avec des pommes de terre et des oignons! Envie d'un bon steak? D'accord, mais avec une purée plutôt qu'avec des pâtes ou du riz.

A

1. Anchois à l'huile → tomate crue + poivron vert

B

2. Bœuf haché cru → courgettes + roquette
3. Boudin → pomme + pomme de terre

C

4. Cabillaud → fenouil + aneth
5. Calmar → tomates au four + herbes
6. Canard (aiguillette) → ananas
7. Canard (magret) → navets
8. Colin → oseille
9. Coquilles Saint-Jacques → céleri-rave
10. Côte de veau → topinambours
11. Crevettes → avocat + pamplemousse

D

12. Dinde → châtaignes

E

13. Escalope de veau → bettes à carde + persil

F

14. Feta → tomate + poivron + oignon
15. Foie de morue → citron
16. Foie de veau → choux de Bruxelles
17. Fromage de chèvre → figues

G

18. Gambas → poireau + paprika
19. Gigot d'agneau → cerises

H

20. Hareng fumé → pommes de terre + oignons
21. Huîtres → échalotes

J

22. Jambon → endives

L

23. Langue de bœuf → câpres
24. Lapin → olives + carottes
25. Lasagne → aubergine + menthe

M

26. Maquereau → choucroute
27. Moules → céleri

O

28. Œuf à la coque → gingembre
29. Œuf dur → épinards
30. Œuf poché → frisée + ail
31. Œufs au plat → purée pomme de terre
32. Œufs brouillés → courgettes + ail
33. Omelette → champignons

P

34. Petits-suisses → cassis
35. Pintade → chou vert
36. Polenta → tomates confites + basilic
37. Poulet rôti → patate douce

R

38. Riz complet → tomate
39. Rollmops → pomme verte
40. Rôti de porc → pruneaux

S

41. Saucisse de Morteau → chou vert frisé, carottes, poireau
42. Saumon → brocolis
43. Saumon fumé → avocat + aneth
44. Semoule couscous → raisins secs + aubergines
45. Spaghettis complets → courgettes
46. Steak → purée de pomme de terre (ou de céleri, de carotte, de courgette…)

T

47. Thon à l'huile → tomate
48. Thon frais → ratatouille

V

49. Veau → rhubarbe

Y

50. Yogourt → mélasse

1 semaine de menus acido-basiques des 4 saisons

PRINTEMPS

Lundi

Déjeuner
1 bol de fraises, 2 tranches de pain aux céréales + 1 c. à soupe de purée d'amandes, 1 thé (non sucré).

Collation
1 smoothie aux légumes.

Dîner
Salade composée: 1 petite conserve de haricots blancs + tomate + concombre + poivron rouge + 1 petite conserve de thon nature + salade verte + 1 oignon nouveau + persil + huile d'olive, 1 yogourt au soja + 1 c. à thé de cacao.

Collation
1 pomme, 3 carrés de chocolat noir, 1 thé (non sucré).

Souper
Betterave + huile d'olive + persil, 1 pavé de saumon grillé + jus de citron + haricots verts avec ail et persil, 1 bol de framboises.

Mardi

Déjeuner
1 yogourt nature au soja + cannelle + 2 c. à soupe de flocons d'avoine + 1 c. à thé de graines de lin trempées, 1 pomme, 1 thé (non sucré).

Collation
1 smoothie aux légumes.

Dîner
Salade composée: ½ pamplemousse + 150 g de crevettes roses décortiquées + ½ avocat + 1 poignée de germes de soja + feuilles de laitue + huile de colza + jus de citron, 1 kiwi.

Collation
1 petite poignée de fruits secs, 1 banane, 1 thé (non sucré).

Souper
Concombre + jus de citron + menthe, pâtes complètes + sauce tomate + ail + persil, 1 poire cuite au cacao.

Mercredi

Déjeuner
½ pamplemousse, 2 tranches de pain complet + 1 c. à soupe de purée d'amandes, 1 thé (non sucré).

Collation
1 smoothie aux légumes.

Dîner
Salade composée : 1 petite conserve de lentilles + 1 tomate + ½ poivron rouge + 1 poitrine de poulet (sans la peau), 1 yogourt au soja + 1 c. à thé de cacao.

Collation
1 poignée de cerises, 3 carrés de chocolat noir, 1 thé (non sucré).

Souper
Radis à la croque, escalope de veau grillée + courgettes sautées + huile d'olive + persil + ail, 1 bol de fraises + citron + menthe.

Jeudi

Déjeuner
1 yogourt nature au soja, 1 kiwi, 2 ou 3 tranches de pain complet + beurre + 1 c. à soupe de miel.

Collation
1 smoothie aux légumes.

Dîner
Sandwich maison : 2 tranches de pain aux céréales tartinées d'avocat + 1 poitrine de poulet froid sans la peau + salade verte + concombre + tomate, 1 bol de cerises.

Collation
3 abricots, 3 carrés de chocolat noir, 1 thé (non sucré).

Souper
Poireaux vinaigrette, pâtes au pesto + roquette, 1 pomme râpée + poudre de noix de coco.

Vendredi

Déjeuner
1 bol de framboises, 2 ou 3 tranches de pain complet + 1 c. à soupe de purée d'amande, 1 thé (non sucré).

Collation
1 smoothie aux légumes.

Printemps

Dîner
Salade composée: 1 petite conserve de pois chiches + oignon rouge + 1 tomate + ¼ de concombre + 1 petite conserve de thon nature + huile d'olive + jus de citron + ciboulette, 1 bol de cerises.

Collation
1 bol de fraises, 1 thé (non sucré).

Souper
Gaspacho, rollmops + salade de pomme de terre, 1 orange en tranches + cannelle + noix concassées.

SAMEDI

Déjeuner
½ pamplemousse, 1 yogourt nature au soja + 3 c. à soupe de flocons d'avoine + cannelle + baies de goji, 1 thé (non sucré).

Collation
1 smoothie aux légumes.

Dîner
Asperges vinaigrette, 1 escalope de dinde grillée + haricots verts + persil et ail, 1 bol de fraises.

Collation
3 carrés de chocolat noir, 1 pomme, 1 thé (non sucré).

Souper
Pâtes complètes aux courgettes + ail + huile d'olive + citron + ciboulette, 1 poire pochée dans une infusion de verveine.

DIMANCHE

Déjeuner
1 bol de fraises, 1 yogourt nature au soja + 3 c. à soupe de flocons d'avoine + 1 c. à thé de cannelle, 1 thé (non sucré).

Collation
1 smoothie aux légumes.

Dîner
Salade avocat + crevettes + pamplemousse + pousses de soja, + tomate, 2 kiwis.

Collation
1 banane, 1 thé (non sucré).

Souper
Omelette aux pommes de terre + persil + salade verte, 1 pomme cuite à la cannelle.

ÉTÉ

Lundi

Déjeuner
½ melon, 3 tranches de pain aux céréales + 1 c. à soupe de purée d'amandes, 1 thé (non sucré).

Collation
1 smoothie aux légumes.

Dîner
½ concombre + huile de colza + jus de citron + menthe, aiguillettes de canard grillées + pêche + haricots blancs, 1 bol de fraises.

Collation
1 petite poignée de fruits secs, 1 pêche, 1 thé (non sucré).

Souper
1 poitrine de poulet grillé sans la peau + ratatouille, 1 bol de cerises.

Mardi

Déjeuner
3 tranches de pain complet + beurre + 1 c. à soupe de miel, 1 pêche, 1 thé (non sucré).

Collation
1 smoothie aux légumes.

Dîner
Houmous, sardines grillées + citron + pomme de terre à la vapeur, 1 nectarine.

Collation
2 carrés de chocolat noir, 3 abricots, 1 thé (non sucré).

Souper
Gaspacho, taboulé, 1 tranche de pastèque.

Mercredi

Déjeuner
3 c. à soupe de céréales complètes + lait de soja + graines de lin, 1 bol de fruits rouges, 1 thé (non sucré).

Collation
1 smoothie aux légumes.

Dîner
Salade de fenouil + cubes d'orange + aneth, papillote de saumon + fondue de poireaux, 3 abricots.

Collation
1 petite poignée de fruits secs, 1 thé (non sucré).

Souper
Escalope de veau grillée + brocolis + persil, granité fraises/mangue.

JEUDI

Déjeuner
3 tranches de pain aux céréales + 1 c. à soupe de purée d'amandes, 1 pêche, 1 thé (non sucré).

Collation
1 smoothie aux légumes.

Dîner
Salade de pâtes + tomates cerises + olives noires + roquette + huile d'olive + basilic, 1 bol de fraises.

Collation
1 nectarine, 2 carrés de chocolat noir, 1 thé (non sucré).

Souper
½ melon, 1 pavé de saumon grillé + haricots verts + ail + persil. 1 compote de pomme.

VENDREDI

Déjeuner
1 yogourt nature au soja + 3 c. à soupe de flocons d'avoine + noisettes et amandes, 3 abricots, 1 thé (non sucré).

Collation
1 smoothie aux légumes.

Dîner
Salade verte, filets de hareng + pomme de terre à l'huile + ciboulette, 1 compote d'abricot à la poudre d'amande.

Collation
1 petite poignée de fruits secs, 1 thé (non sucré).

Souper
Concombre + menthe + jus de citron, tomates à la provençale + 2 œufs brouillés, 1 bol de framboises.

SAMEDI

Déjeuner
1 bol de fruits rouges, 3 tranches de pain aux céréales + 1 c. à soupe de purée d'amandes, 1 thé (non sucré).

Collation
1 smoothie aux légumes.

Dîner
½ melon, papillote de saumon + quinoa + courgettes, yogourt nature au soja + 10 framboises.

Collation
1 smoothie fraises + ½ banane.

Souper
1 soupe froide de petits pois + menthe, omelette + salade verte + huile de colza + ciboulette, 3 abricots.

Dimanche

Déjeuner
1 pamplemousse pressé, 3 c. à soupe de céréales complètes + lait de soja + baies de goji, 1 thé (non sucré).

Collation
1 smoothie aux légumes.

Dîner
Salade niçoise: riz complet + haricots verts + tomate + olives noires + 1 petite conserve de thon nature + huile d'olive + basilic, ¼ de melon d'eau.

Collation
1 petite poignée de fruits secs, 2 carrés de chocolat noir, 1 thé (non sucré).

Souper
Soupe froide de concombre, pâtes complètes + fèves + roquette + huile d'olive, 1 pêche.

AUTOMNE

Lundi

Déjeuner
1 yogourt nature au soja + 1 pomme râpée + 3 c. à soupe de flocons d'avoine + 1 c. à thé de cannelle, un thé (non sucré).

Collation
1 smoothie aux légumes.

Dîner
Salade betterave + 1 endive + persil + huile d'olive, 1 escalope de veau + bettes à carde + persil + ail, 1 compote pomme/coing.

Collation
1 banane, 2 carrés de chocolat noir, 1 thé (non sucré).

Souper
1 artichaut vinaigrette, 1 omelette aux épinards, 1 grappe de raisin.

Mardi

Déjeuner
½ pamplemousse, 3 tranches de pain complet + 1 c. à soupe de purée d'amandes, 1 thé (non sucré).

Collation
1 smoothie aux légumes.

Dîner
Salade de mâche, aiguillettes de canard aux abricots + chou vert braisé, 2 tranches d'ananas.

Collation
1 pomme, 2 carrés de chocolat noir, 1 thé (non sucré).

Souper
Soupe de potiron, 1 poitrine de poulet grillé + courgettes + quinoa, 1 poire.

Mercredi

Déjeuner
3 c. à soupe de céréales complètes + lait de soja + baies de goji, ½ pamplemousse, 1 thé (sans sucre).

Collation
1 smoothie aux légumes.

Dîner
Céleri râpé + pomme verte, 1 pavé de saumon + riz basmati + pois gourmands, 2 tranches d'ananas.

Collation
1 petite poignée de fruits secs, 1 thé (non sucré).

Souper
Soupe de tomate, 2 œufs au plat + endives braisées, 1 grappe de raisin.

Jeudi

Déjeuner
2 tranches d'ananas, 3 c. à soupe de céréales complètes + lait de soja, + baies de goji, 1 thé (non sucré).

Collation
1 smoothie aux légumes.

Dîner
Salade de champignons + échalote + jus de citron + persil, brochette de dinde + tomate provençale, 1 papaye.

Collation
4 abricots secs, 1 thé (non sucré).

Souper
Velouté de courgettes + coriandre, pâtes complètes + sauce tomate + ail + persil + huile d'olive, 1 pomme au four + cannelle.

Vendredi

Déjeuner
2 clémentines, 3 tranches de pain complet + beurre, 1 thé (non sucré).

Collation
1 smoothie aux légumes.

Dîner
Salade de cresson, 2 tranches de jambon + haricots blancs, salade d'orange + fleur d'oranger + cardamome.

Collation
1 banane, 1 thé (non sucré).

Souper
Salade d'endives, poulet au citron + brocolis, 1 banane au four.

Samedi

Déjeuner
2 kiwis, 3 c. à soupe de céréales complètes + lait de soja + baies de goji, 1 thé (sans sucre).

Collation
1 smoothie aux légumes.

Dîner
Salade d'endives + pomme verte + noix, pavé de cabillaud + purée de chou-fleur et de pomme de terre, 2 kiwis.

Collation
½ pamplemousse, 2 carrés de chocolat noir, 1 thé (non sucré).

Souper
Soupe de céleri, quinoa aux légumes, 1 grappe de raisin.

Dimanche

Déjeuner
2 clémentines + 3 c. à soupe de céréales complètes + lait de soja + graines de lin, 1 thé (sans sucre).

Collation
1 smoothie aux légumes.

Dîner
Poireaux vinaigrette, sardines à l'huile + brocolis sautés, 1 carpaccio de poire à la poudre de noisettes.

Collation
2 abricots secs, 2 carrés de chocolat noir, 1 thé (non sucré).

Souper
Soupe de châtaignes, omelette aux champignons + salade, 1 orange poêlée à la cannelle.

HIVER

Lundi

Déjeuner
½ pamplemousse, 1 yogourt nature au soja + 2 c. à soupe de flocons d'avoine + cannelle, un thé (non sucré).

Collation
1 smoothie aux légumes.

Dîner
Salade de chou-fleur + ail + persil, côte de porc + lentilles + oignon, 2 kiwis.

Collation
1 banane, 2 carrés de chocolat noir, 1 thé (sans sucre).

Souper
Pâtes complètes aux courgettes + huile d'olive + coriandre
1 poire cuite + poudre d'amande.

Mardi

Déjeuner
2 clémentines, 3 c. à soupe de céréales complètes + lait de soja + baies de goji, 1 thé (sans sucre).

Dîner
Salade mâche + betterave + échalote + persil, poitrine de poulet grillé (sans la peau) + endives braisées + jus de citron, 1 pomme cuite + cannelle.

Collation
1 petite poignée de fruits secs, 1 thé (non sucré).

Souper
Soupe à l'oignon, salade de lentilles tièdes + œuf à la coque, 1 crème au chocolat.

Mercredi

Déjeuner
1 orange pressée, 1 yogourt nature au soja + 2 c. à soupe de flocons d'avoine + cannelle, 1 thé (non sucré).

Dîner
Carottes râpées + citron + persil, pavé de cabillaud + riz complet + coulis de tomate, ½ mangue poêlée.

Hiver

Collation
1 petite poignée de fruits secs, 1 thé (sans sucre).

Souper
Soupe au chou, 1 tranche de jambon + salade verte + ciboulette. 1 compote de poire.

JEUDI

Déjeuner
2 tranches d'ananas, 3 c. à soupe de céréales complètes + lait de soja + graines de lin, 1 thé (sans sucre).

Dîner
Salade de concombre, escalope de veau au citron + riz basmati + bettes à carde, 2 clémentines.

Collation
6 abricots secs, 1 thé (sans sucre).

Souper
Velouté de chou-fleur, salade de pâtes + tomates cerises + pesto, 1 banane au four + cacao.

VENDREDI

Déjeuner
1 pamplemousse pressé, 1 yogourt nature au soja + 2 c. à soupe de flocons d'avoine + cannelle, 1 thé (non sucré).

Dîner
Poireaux vinaigrette, steak grillé + quinoa + brocoli, 1 poire au thym en papillote.

Collation
1 pomme, 2 carrés de chocolat noir, 1 thé (sans sucre).

Souper
Soupe de carottes + cumin + coriandre, choucroute de la mer, ½ mangue.

SAMEDI

Déjeuner
1 verre de jus de canneberges (sans sucre ajouté), 3 c. à soupe de céréales complètes + lait de soja + 1 thé (sans sucre).

Dîner
Salade d'endives + huile de noix, canard à l'orange + purée de céleri, 2 kiwis.

Collation
1 banane, 2 carrés ce chocolat, 1 thé (sans sucre).

Souper
Soupe de potiron, gratin de patate douce + salade de cresson, 2 tranches d'ananas.

DIMANCHE

Déjeuner
2 clémentines, 1 yogourt nature au soja + 2 c. à soupe de flocons d'avoine + baies de goji, 1 thé (non sucré).

Dîner
6 huîtres + citron, carpaccio de saumon + roquette, 1 salade d'orange + cannelle.

Collation
1 verre de lait d'amande + cacao, 1 banane (éventuellement, mixez le tout).

Souper
Salade d'endives, omelette aux pommes de terre, 1 yogourt au soja + coulis de fruits rouges.

HYGIÈNE DE VIE ACIDO-BASIQUE

Manger « acido-basique » est important, mais insuffisant. L'équilibre du corps ne tient pas seulement à l'assiette (et heureusement !). Il est tout aussi essentiel de faire travailler notre système d'élimination/de régulation des acides, c'est-à-dire nos poumons et nos reins, principalement. Manger des bananes et des épinards ne remplacera jamais l'élimination des acides par la respiration ! Par ailleurs, on l'a vu rapidement en début de livre, le tabac, le stress et tout ce qui entrave l'élimination aggrave l'acidification, donc le déséquilibre acido-basique. Voici donc un petit pense-bête pour vous aider à respecter au quotidien les besoins les plus élémentaires de votre corps.

Stimuler les systèmes d'élimination du corps

L'organisme utilise des portes de sortie pour éliminer ses déchets et ses acides. Ce sont principalement les poumons, les reins et la peau. Bien sûr, un bon transit intestinal est également une voie royale de « déstockage ». Mais on ne pense pas assez au foie, pourtant l'organe-clé de détoxication du corps. Une vraie usine de nettoyage !

Les poumons : respirer mieux

Les poumons éliminent 90 % des acides du corps. C'est colossal. Il convient de les aider dans leur tâche, au minimum en les faisant travailler : respirer plus vite, plus fort, plus profondément, c'est éliminer plus d'acides. De plus, cette voie d'élimination est extrêmement adaptable : plus vous consommez d'acides, plus les poumons en éliminent, et ce, rapidement. Cependant, un petit bémol : les poumons ne peuvent, par définition, éliminer que les acides volatils, c'est-à-dire ceux qui se mélangent à l'air. Autrement dit, du gaz carbonique. Seuls les végétaux fournissent des acides (dits « faibles ») qui se transforment dans le corps en gaz carbonique. C'est, par exemple, le cas du citron et de son acide citrique. Ou de l'oseille et de son acide oxalique. Voilà pourquoi ces acides issus du monde végétal sont qualifiés de « faibles » : ils sont rapidement évacués par notre corps, et sans effort particulier. Il en va tout autrement des acides forts.

Tout le monde pense savoir respirer (« c'est naturel ! »), pourtant, presque tous, nous le faisons mal. Typiquement occidentale, la respiration saccadée, c'est-à-dire trop « petite », limitée au haut du corps, ne permet pas un bon renouvellement de l'air vicié. Il faut respirer amplement, en impliquant le ventre, donc en faisant descendre l'air bien plus bas que dans les poumons. Une technique bien connue des sportifs (surtout des apnéistes) et des artistes (chanteurs, comédiens), mais souvent ignorée du commun des mortels. C'est dommage, car tous les experts le disent : on ne peut pas se sentir bien dans son corps si on respire mal.

La souris et la tortue

Plus on respire lentement et profondément, mieux c'est. D'une manière générale, dans le règne animal, plus on respire « vite », moins on vit longtemps (souris, mouche). Au contraire, un rythme respiratoire lent est associé à une belle longévité (tortue, éléphant).

Bernard Andrieu, philosophe du corps, pousse la logique encore plus loin : pour lui, nous avons trop tendance à morceler, par exemple en décrétant que les poumons respirent, et le ventre digère. Lorsque l'on souffre de troubles digestifs, on cherche à s'en débarrasser en traitant uniquement le ventre, en prenant des médicaments antiacides ou des plantes antiballonnements. Or, notre ventre est relié à notre corps, il en fait partie, et l'on peut apaiser un organe en « passant » par un autre !

Le philosophe préconise ainsi en tout premier lieu de réapprendre à respirer, pour mieux digérer et mieux communiquer avec les autres. Selon lui, les troubles digestifs nous condamnent au mal-être, voire nous contraignent à rester chez soi et perturbent nos rapports au quotidien, aux autres. Tout cela parce que nous refusons de considérer notre corps comme un tout !

Mieux respirer pour mieux vivre

Quoi, plus que la respiration, concerne l'ensemble du corps ? Véritable art, la respiration est érigée en Asie au rang de geste de prévention santé élémentaire. Mal respirer, c'est mal utiliser son corps et, en plus, l'empêcher d'éliminer une bonne partie de son acidité. Une erreur d'une affligeante banalité en Occident. Résultat : les sécrétions respiratoires (mucus), circulent moins bien et cette stagnation est propice au développement microbien. En outre, on oxygène mal son corps, alors moins performant. Aucune amélioration en vue en période d'épidémies ORL, puisque le calibre des voies aériennes se rétrécit…

Respirer normalement, c'est respirer complètement. À cet instant, par exemple, analysez votre respiration. Elle est certainement de faible amplitude : vous inspirez un peu d'air, qui remplit à peine le haut des poumons et ressort rapidement. Inspirez une grande goulée d'air, faites la descendre jusque dans le ventre, et laissez-la repartir lentement. En une seule fois, vous vous sentez certainement déjà mieux !

Il est encore plus important de bien respirer que de bien manger! N'oublions pas que dans la tradition hindoue, l'air contient le «prâna», c'est-à-dire l'énergie, la force vitale.

NOS CONSEILS EN +

Deux fois par jour minimum, matin et soir (surtout avant de dormir), **offrez-vous quelques respirations très profondes**, lentes, amples. Avis de grand calme garanti. Magique, simple et gratuit!

Dans la journée, autant de fois que possible, **prenez le temps de simplement respirer**, sans rien faire d'autre, en suivant mentalement le trajet de l'air depuis vos narines jusqu'aux poumons, bronches, bronchioles, et retour à l'extérieur. Essayez, vous verrez: c'est très apaisant. Juste assis ou allongé, à respirer consciemment. Laissez le calme s'installer. Tout va bien.

Détendez-vous. Une étude récente conclut que plus on est stressé et râleur, plus la capacité respiratoire décline. Or, cette dernière est considérée comme un «marqueur» majeur par les spécialistes du vieillissement: en résumé, mieux on respire, plus il nous reste d'années à vivre.

Considérez chaque inspiration comme si c'était la première (ou la dernière), comme si rien n'était plus important. Et est-ce vraiment faux?

Mangez et buvez du thym et de l'origan, dans vos recettes, dans vos smoothies aux légumes, en infusion… Ces plantes (et leurs huiles essentielles) purifient les voies respiratoires.

Stimulez les points réflexo «poumons» (voir p. 139).

Les reins : éliminer plus

Les reins ont la lourde tâche d'éliminer les acides dits « forts », c'est-à-dire principalement ceux générés lors de la digestion des protéines animales. Ces acides sont non volatils : l'organisme ne sait pas les transformer en gaz, et ne peut donc les éliminer par la voie pulmonaire. Contrairement aux poumons, les reins ont une capacité d'élimination d'acides très limitée au quotidien. Ils s'adaptent mal aux repas extrêmes (côte de bœuf, plateau de fruits de mer ou autres protéines animales en quantité) ; les acides seront, dans ce cas, éliminés en plusieurs jours. Ce qui explique qu'on puisse se sentir moyennement bien et avoir mal aux muscles 1 à 2 jours après de gros repas type « soirée raclette » ou « fondue bourguignonne ».

Nos conseils en +

Pour aider le rein, organe extrêmement précieux car éboueur du corps, **il est indispensable de boire beaucoup d'eau, chaque jour**.

Certaines eaux minérales sont plus drainantes que d'autres, principalement celles peu minéralisées. Par principe d'osmose, elles facilitent l'élimination de notre propre eau en excès. C'est le cas des marques Mont Roucous, Wattwiller, Châteldon, Plancoët, Arcens, Évian, Thonon, Puits-Saint-Georges, Salvetat, Vernière, Contrex ou Vittel. Si vous avez tendance à faire de la rétention d'eau, donc à mal éliminer, misez sur elles.

Si vous avez du mal à éliminer en général, **stimulez le travail rénal en suivant une petite cure d'eau**. C'est tout simple, dès le réveil, buvez un grand verre d'eau, suivi d'un autre, et ainsi de suite jusqu'à ce que vous alliez aux toilettes. Et recommencez dès que vous avez éliminé. Dans la journée, vous consommerez environ 2 litres d'eau. Recommencez le lendemain, et ainsi de suite pendant 1 à 3 semaines (une cure thermale dure 21 jours et fonctionne sur ce principe, avec des soins externes en plus).

→

En saison, **consommez des salades, du jus et/ou de la soupe à l'ortie**. Forcez aussi sur le fenouil, cru ou cuit, les asperges et les poireaux, très diurétiques.

Stimulez les points réflexo « reins » (voir p. 139).

La peau : transpirer davantage

La peau est un émonctoire – organe d'élimination – intéressant, ne serait-ce que par sa très grande surface. Mais elle élimine relativement mal les acides. Heureusement, car une transpiration très acide poserait quelques soucis (inconfort, troubles cutanés, mauvaises odeurs...). Cela dit, c'est une « porte de sortie » à ne pas négliger, et même à solliciter. Pour transpirer, il faut faire monter la température interne du corps. Pour ceci, cinq possibilités : la fièvre (mais c'est parce qu'on est malade !), le sport (le travail musculaire augmente la chaleur interne), le hammam, le sauna, le bain. Peu importe votre choix, l'un n'empêchant pas l'autre, ce qui compte, c'est de transpirer.

Nos conseils en +

Courez, nagez, faites du sport, transpirez ! C'est la meilleure façon, et la plus saine, d'augmenter l'élimination par la peau.

Transpirer n'est pas maigrir. Transpirer n'a jamais fait maigrir personne, car la sueur est constituée d'eau, de sels minéraux et de déchets... mais pas de gras ! N'espérez donc pas perdre 1 gramme en vous enveloppant de survêtements coupe-vent (comme le K-way) parfaitement inutiles. Par ailleurs, transpirer, c'est perdre de l'eau, qu'il est nécessaire de remplacer très rapidement. N'allez pas vous déshydrater sous prétexte que vous suivez votre programme acido-basique, cela n'aurait aucun sens. Gardez une bouteille d'eau pas trop fraîche à portée de main et buvez-en quelques gorgées toutes

→

les 10 minutes pendant toute la durée du sport/bain/hammam. Même si vous n'avez pas soif !

Frictionnez-vous. Avec un gant de crin, tout doux – il ne s'agit pas de souffrir – frottez le maximum de surface de votre corps. L'idéal, c'est le matin, sur peau sèche, avant la douche. Allez-y de bon cœur : l'afflux de sang augmente la chaleur locale, donc l'élimination. En plus, vous en ressortirez avec une peau toute douce, toute belle. Adieu cellules mortes ! Et sur le long terme, ce petit coup de fouet circulatoire aidera à faire reculer la cellulite...

Prenez des bains chauds (bains hyperthermiques). Le Dr Salmanoff, spécialiste en médecine thermale, préconisait dans les années vingt des bains très chauds pour relancer la circulation, déclencher une petite fièvre artificielle temporaire, et ainsi stimuler l'élimination. Il considérait ces bains comme thérapeutiques et préventifs tout à la fois. De fait, ils entrent parfaitement dans le cadre d'une stratégie acido-basique. En effet, Salmanoff partait du principe que les capillaires sanguins, ces vaisseaux sanguins extrafins qui alimentent chacune de nos cellules, de nos yeux à notre cerveau en passant par notre peau, nos reins, nos muscles, étaient très importants pour la santé. En effet, ils ravitaillent les organes, et emportent les déchets (généralement acides) liés au fonctionnement du corps. Si le froid, le stress, le tabac ou tout autre facteur responsable des spasmes capillaires les ferme, ils ne peuvent plus jouer leur rôle. Résultat, une fatigue persistante, une tendance à attraper les microbes, à mal digérer, des douleurs articulaires et musculaires (contractures, crampes), un transit ralenti, des problèmes de peau... Bref, des capillaires sanguins en mauvais état aggravent l'acidification. Pour les dilater et favoriser leur travail, rien de tel qu'un bon bain chaud. Il n'est pas question de reproduire à la maison le même protocole imaginé par le médecin, car les bains Salmanoff étaient réalisés sous surveillance. En revanche, chacun sait qu'un bon bain bien

→

chaud fait transpirer, exactement comme un sauna ou un hammam, ou encore une séance de sport. On se sent tellement mieux après, comme « lavé », et bien souvent, en cas de début de rhume ou de grippe, les microbes sont éradiqués sans autre forme de procès.

Attention : quelle que soit votre technique pour transpirer (bain, sport, hammam...), il est impératif de se doucher après pour éliminer les déchets rejetés par la peau.

Bain acido-basique, mode d'emploi

Vous avez 1 heure tranquille devant vous ?

- *Faites couler un bain à température du corps (37 °C).* Pendant ce temps (facultatif), buvez une infusion de tilleul, antistress et qui fait transpirer.
- *Une fois la baignoire à moitié remplie, allongez-vous dedans.* Faites alors couler de l'eau plus chaude (entre 38 °C et 40 °C) de manière à être totalement recouvert – le plus chaud possible, mais le bain doit impérativement rester agréable et supportable. Le but n'est pas de faire un malaise ni d'en sortir comme mu par un ressort, écarlate comme une écrevisse, haletant au bout de 46 secondes. L'objectif est, au contraire, d'y rester 20 à 30 minutes, à transpirer (sans excès).
- *Au bout d'une demi-heure, sortez lentement de la baignoire.* Enfilez un peignoir chaud et reposez-vous une demi-heure, dans le calme absolu. Vous continuez à transpirer, c'est normal : votre bain continue à faire effet.

Attention : ce type de bain ne convient pas aux personnes ayant des problèmes cardiaques, des troubles de la circulation sanguine (varices notamment) et, évidemment, ne supportant pas la chaleur. Le bain hyperthermique est également contre-indiqué chez la femme enceinte.

→

Misez sur les plantes qui aident à transpirer : bardane, bourrache, buis, chicorée, chiendent, fumeterre, mélisse, noyer, pensée sauvage, plantain, salsepareille, saponaire, sureau, violette… elles sont à prendre en infusion de préférence, sinon en EG (extraits glycérinés) liquide, à diluer dans de l'eau, en teintures mères (gouttes à diluer aussi dans l'eau) ou, en dernier recours, en gélules. Pensez à elle(s) juste avant un bain hyperthermique ou une séance de sport, pour renforcer la transpiration. Et n'oubliez pas de boire, boire, boire !

Le système digestif : 1) soutenir le foie

Si les organes éliminateurs doivent être en bon état de marche, le foie est le chef d'orchestre de toute cette impressionnante machinerie sans laquelle nous ne pourrions survivre bien longtemps. Parmi ses innombrables casquettes, c'est donc notre gestionnaire de « poubelle intérieure » sans laquelle l'équilibre acido-basique serait tout bonnement impossible à atteindre. Quand il va mal, non seulement tout va mal, mais en plus on élimine moins bien nos déchets, d'où cet état nauséeux avec la désagréable impression de se sentir empoisonné. Mettre le foie au repos est rapidement payant : mieux-être flagrant, teint éclatant, maux de tête qui s'estompent… la vie redevient tout à coup belle et légère !

Pour le soutenir, évitez de boire de l'alcool, évitez le tabac et les polluants en général. Limitez au maximum les graisses – surtout cuites – et les sucreries. Buvez du citron pressé, frais ou chaud, avec un peu d'eau et éventuellement légèrement sucré au miel. Si vous n'êtes pas amateur, ajoutez simplement du jus de citron un peu partout sur tous vos plats, sucrés et salés, cuits ou crus.

Nos conseils en +

Certaines plantes possèdent des vertus hépatiques. Si votre foie est un peu mal en point ou en prévention de période de fêtes, prenez l'habitude de mettre du romarin dans votre assiette ou dans votre tasse d'infusion. Au printemps, les salades de pissenlit ou autres plantes sauvages un peu amères sont aussi particulièrement bienvenues. En infusion, pensez aussi au chardon-marie et à la chélidoine.

Le foie apprécie la chaleur. Le froid l'empêche de travailler correctement. Si le vôtre est paresseux, si vous êtes nauséeux, le cœur au bord des lèvres, offrez-lui du « chaud ». Plutôt que de lui infliger une randonnée dans la neige, enroulez-vous dans une couverture bien chaude ou, mieux, appliquez sur la zone concernée une source de chaleur (pochettes à chaleur, bouillotte...). Cette simple aide mécanique fait du bien et peut relancer son activité. Et si en plus vous buvez par petites gorgées une boisson chaude hépatique, par exemple, une infusion de romarin, il vous en sera reconnaissant.

À la cuisine, pensez aux artichauts (cœur et surtout feuilles), au radis noir (à la croque au poivre, quel délice ! en jus, c'est plus ingrat, mais très efficace). L'huile d'olive est une très bonne alliée, certaines personnes à la vésicule biliaire fragile en prennent même une cuillère chaque matin à jeun, en cures de 10 jours, paraît-il pour leur plus grand bien. Quoi qu'il en soit, sur la salade et en cuisine, ce sera déjà très bien.

Le curcuma est une fabuleuse épice au potentiel santé impressionnant. Ses fortes propriétés anti-inflammatoires le rendent précieux pour protéger le cœur, les articulations, l'organisme en général, et participer à la prévention de certains cancers. Puissant protecteur de la cellule hépatique, il est traditionnellement utilisé comme soutien

→

du foie. Prenez l'habitude d'en verser une petite cuillère dans vos plats chauds en cours de cuisson, avec un peu d'huile d'olive et un soupçon de poivre (ces deux derniers éléments favorisent l'assimilation de la curcumine, composant bénéfique majeur du curcuma). Le curcuma colore magnifiquement l'assiette. Sa saveur discrète convient à tous les palais, même à ceux réfractaires aux épices. Extrêmement douce, non seulement elle n'agresse pas le système digestif, mais bien au contraire, elle soulage de nombreux maux de cette sphère. Anticolitique parfaite, amie de l'estomac, elle est l'alliée de tous les systèmes digestifs sensibles.

Certaines eaux minérales aident spécialement la cellule hépatique. C'est le cas de l'Arvie, de la Quézac, de la Châteldon, de l'Hépar, de la Saint-Alban, de la Rozana…

Stimulez les points réflexo « foie » (voir p. 139).

Le système digestif : 2) favoriser le transit

Cela tombe sous le sens : un transit intestinal paresseux, c'est-à-dire une constipation, entrave l'élimination des déchets. Près de la totalité des constipations tenaces sont liées à une mauvaise hygiène de vie. Nous ne parlons pas ici des transits digestifs temporairement ralentis à la suite d'un voyage, d'un stress ou d'une opération chirurgicale, trois grands classiques. Mais de la constipation qui dure, parce que la mauvaise hygiène de vie dure aussi ! Prenez vos repas à horaires fixes, pratiquez une activité physique à des moments réguliers : le transit est facilement perturbé par tout et n'importe quoi. Il a par-dessus tout besoin de calme, de repères, de fibres, d'eau, de massages (marche) et… de fous rires !

Nos conseils en +

Pensez à l'eau minérale d'Hépar dont le magnésium favorise le transit. Pensez aussi au gingembre, au son de blé ou d'avoine ainsi qu'à ces deux produits traditionnels typiquement japonais et vraiment géniaux : l'agar-agar et le konjac, aux vertus coupe-faim, minceur et transit intestinal éprouvées.

Évitez les laxatifs en général, quels qu'ils soient, y compris à base de plantes. Seule l'utilisation de certains végétaux non agressifs pour l'intestin car riches en mucilages telles que les graines de psyllium, d'ispaghul ou de plantain, sont à la fois efficaces et sans danger, à condition de les employer ponctuellement. On peut utiliser d'ailleurs les graines de lin de la même manière et pour un même résultat : faites-les gonfler dans de l'eau chaude pendant 1 heure (graines de *plantaginaceae*) à 6 heures (graines de lin), puis consommez le tout. Les algues sont également très remarquables pour aider au transit (voir p. 81).

Stimulez les points réflexo « côlon » (voir p. 139).

Le système digestif : 3) aider les enzymes digestives

Les enzymes sont des « petites mains » indispensables à la vie, sans lesquelles nous ne pourrions pas digérer la moindre miette de pain, la plus petite framboise. Elles se comportent comme de petits ciseaux qui découpent les grosses molécules en petites molécules assimilables par l'organisme. Seuls l'eau, les sels minéraux, les vitamines et les sucres simples sont digérés sans leur concours. Elles sont donc fortement impliquées dans le processus digestif, à chaque étape. Par leur activité de dégradation, elles figurent au premier plan de la gestion digestive acido-basique. Voici les principales, ainsi que quelques conseils pour les soutenir.

Dans la salive

- *L'alpha-amylase.* Elle commence à découper l'amidon (sucre complexe) en sucre simple. Mâchez bien le pain, les pâtes, les gâteaux, les pommes de terre, les lentilles !
- *La lipase.* Elle est surtout active chez le bébé pour le préparer à digérer les graisses du lait maternel.

Dans l'estomac

- *La pepsine.* Elle prépare la digestion des protéines. Cette enzyme cruciale ne fonctionne que si l'estomac est extrêmement acide, puisque son pH d'activité se situe entre 1,8 et, au maximum, 4,4. Lorsqu'on prend du bicarbonate (ou tout type de médicament pour calmer l'acidité de l'estomac), cela soulage, mais en même temps, réduire l'acidité ne facilite pas la digestion. Ne prenez surtout pas l'habitude de votre petite cuillère de bicarbonate après chaque repas (ni de vos pastilles anti-brûlures d'estomac), car vous risquez de perturber durablement votre pepsine. Attention aussi au froid, qui la bloque : évitez les sorbets, les glaces, les jus de fruits trop froids !

Dans l'intestin

- *L'amylase, la protéase et la lipase.* Ces trois enzymes fabriquées par le pancréas et la paroi intestinale, et déversées dans le petit intestin, digèrent respectivement les amidons (revoici nos pommes de terre et nos pâtes, surtout avalées presque tout rond !), les protéines (viande, poisson…) et les graisses (huile, beurre, crème, margarine…).

Certains aliments, comme les crudités, renferment également des enzymes. Malheureusement, nos habitudes alimentaires modernes nous poussent à les délaisser un peu, au profit de préparations pauvres en enzymes. De plus, au fil des années, nous produisons moins d'enzymes : à partir d'un certain âge, une lenteur digestive est courante, simplement par un manque d'enzymes ! Enfin, ces petites enzymes sont fragiles : trop de froid, de chaud, de cuisson, de stress, le tabac ou l'alcool les perturbent, voire les inhibent complètement. Tout ceci contribue à une digestion de moins bonne qualité, à des troubles digestifs (lenteur digestive, somnolence après les repas, impression de lourdeurs...) et, au final à un déséquilibre acido-basique.

QUELQUES ENZYMES DIGESTIVES

NOM DE L'ENZYME	QU'EST-CE QU'ELLE PRÉDIGÈRE ?	OÙ EST-ELLE ET QUEL EST SON PH DE TRAVAIL ?
B-fructosidase	Les FOS, fibres spéciales aux propriétés prébiotiques	Côlon ascendant pH 6,5
Lactase	Le sucre du lait, le lactose, qu'elle sépare en glucose + galactose	Intestin grêle pH 6
Pepsine	Les protéines	Estomac PH 3 (maximum 4,4, minimum 1,8)
Protéase	Les protéines	Côlon descendant pH 8
Trypsine	Les protéines	Duodénum pH 8

Nos conseils en +

Les enzymes des aliments sont détruites à la cuisson. Consommez un peu de crudités en début de repas, et de fruits crus en dessert, ou entre les repas pour un meilleur confort digestif.

Les enzymes travaillent à un pH donné. Si vous souffrez de brûlures d'estomac et que vous prenez très régulièrement du bicarbonate de sodium ou des médicaments antiacides, vous désactiverez en partie le processus enzymatique digestif. Vous souffrirez certes moins d'acidité gastrique, mais vous mettrez des heures à digérer ! Soyez raisonnable : il n'y a aucune raison de « tamponner » une acidité gastrique au quotidien. L'estomac est acide, c'est son travail, et il doit rester acide. Si vous souffrez de brûlures gastriques, traitez le problème de fond et non les symptômes.

Nos enzymes fonctionnent souvent moins bien lorsque nous prenons de l'âge. Si vous avez tendance à une digestion paresseuse alors que vous n'abusez pas des plaisirs de la table, aidez-vous d'enzymes à sucer (en pharmacie). Super-efficaces, très bon marché et tout à fait naturelles. Elles peuvent devenir une aide au quotidien, contrairement aux « antiacides » mentionnés plus haut.

Stimulez les points réflexo « côlon » (voir p. 139).

Pratiquer une activité physique

Notre corps est conçu pour bouger. Le contraindre à rester assis ou allongé près de 100% du temps est antiphysiologique, et générateur de nombreux troubles métaboliques (excès de cholestérol, de triglycérides, mauvaise gestion du sucre sanguin, risque de diabète...), donc d'un déséquilibre acido-basique.

L'activité physique, c'est tout ce que nous faisons de physique avec notre corps, au quotidien. Marcher, faire les boutiques, jardiner, monter les escaliers, pédaler sur un petit trajet, passer l'aspirateur, battre des œufs en neige à la main (sans batteur)... tous ces petits gestes que l'on délègue trop souvent aux machines, aux escaliers mécaniques, à la voiture, sont vitaux pour notre corps. Rien ne remplace une activité physique quotidienne, seule capable de garantir une élimination suffisante des acides. Bouger trop peu, c'est s'exposer en outre au surpoids, à divers maux et douleurs, et à des perturbations métaboliques. De plus, si le déséquilibre acido-basique fragilise le squelette, l'activité physique est au contraire le seul moyen de produire du muscle et de l'os neufs. Bouger est donc vital.

L'étape au-dessus, pour ceux qui le souhaitent, c'est l'activité sportive. Le sport est le plus sûr moyen de stimuler tous les émonctoires du corps : la peau (on transpire), la respiration (on respire plus vite), la diurèse (il faut boire beaucoup pour remplacer l'eau évaporée), le transit (la plupart des constipations cèdent avec le sport).

Le choix de l'activité n'a aucune importance. Ce qui compte, c'est de se dépenser suffisamment pour transpirer régulièrement, modérément, en pensant bien à boire de grandes quantités d'eau. Même en nageant, on transpire ! Donc si vous aimez la piscine mais détestez courir, inutile de vous forcer à un jogging matinal, allez faire du brass ou du crawl ! Vous préférez le grand air ? Pédalez, faites de la trottinette (on transpire quand on s'active vraiment sur ces petites planches à roulettes !), de l'équitation. Bref : prenez du plaisir, c'est primordial. En revanche, méfiez-vous des méthodes « passives », où l'on vous enferme dans un caisson pour vous y laisser transpirer sans pour autant bouger un orteil. Aucun intérêt. Vous ne perdez alors que de l'eau et des minéraux, mais votre cœur, vos muscles, vos poumons n'ont pas travaillé. Ça ne sert strictement à rien.

Quelle que soit votre activité physique, pensez à impérativement :

✓ *Vous échauffer avant.* Indispensable pour le réveil musculaire, un bon confort et une performance optimale sans agresser l'organisme. En oxygénant vos muscles, vous préviendrez douleurs et crampes.

✓ *Vous étirer après.* Indispensable aussi, cette fois pour aider les muscles à éliminer les dépôts acides engendrés par le travail musculaire, et ainsi éviter raideurs et douleurs.

✓ *Boire avant, pendant et, abondamment, après.* Une eau riche en bicarbonates est recommandée pour évacuer plus rapidement les déchets acides de l'organisme.

L'équilibre acido-basique repose sur un ensemble d'éléments, pas seulement sur les aliments ! De l'eau (hydratation, activation des enzymes), de l'air (activité physique suffisante, oxygénation), des flavonoïdes (fruits et légumes, surtout foncés), un système de protection acido-basique efficace (systèmes tampon et neutralisation), des enzymes (aliments crus, jus de fruits, de légumes), des « nettoyeurs » efficaces (reins, peau, poumons...), pas de tabac, pas ou peu d'alcool, peu de stress, un bon sommeil... C'est d'une hygiène de vie globale qu'il s'agit.

PROGRAMMES, MODE D'EMPLOI

Si vous avez tout bien lu jusqu'ici, vous devez avoir quelques petites idées pour tendre vers un équilibre acido-basique serein... En code couleurs, concernant l'alimentation, le vert (légumes, herbes aromatiques) c'est mieux que le rouge (viande) et que le blanc (laitages) ? C'est un bon début, mais qui reste simpliste, voire réducteur. Le cassis (rouge), par exemple, affiche un pouvoir alcanisant de - 5,23 ! Et comment deviner que notre cacao tant chéri a un score de - 11,86, capable de neutraliser le taux acidifiant d'un steak haché !

Pour vous soutenir dans votre objectif, nous avons dressé 8 programmes complets d'une semaine, réunissant :

- ✓ des menus,
- ✓ des exercices respiratoires, pour renouer avec cette fonction souvent bâclée et donner de l'air à vos cellules,
- ✓ des tisanes, à consommer sans modération pour favoriser le travail d'élimination,
- ✓ des exercices physiques, pour muscler votre moral autant que votre corps,
- ✓ des bains, aux pouvoirs acido-basiques insoupçonnés,
- ✓ les bons points de réflexologie à stimuler simplement en automassage.

Chaque programme répond à un problème (hypertension, cholestérol, diabète), ou un état d'affaiblissement (déprime, manque de tonus) et donne le déroulé d'une semaine sur mesure. Les chanceux qui ne souffrent d'aucun de ces désagréments auront tout loisir de picorer dans les différents programmes, tous concourant à retrouver un pH équilibré.

Déjeuner

Le thé ouvre souvent le bal : il facilite la perte de poids et apporte, quelle que soit sa variété, l'énergie tout en drainant notre corps au lever. Zéro calorie, à condition de le prendre sans lait ni sucre, évidemment. Et si votre petit café du matin vous manque vraiment, ne vous en privez pas, mais c'est sans sucre et sans lait !

Renouvellement de l'air ambiant

Chaque matin et chaque soir, aérez ¼ d'heure : c'est le minimum et c'est incontournable, aujourd'hui que nous savons nos foyers plus pollués que le carrefour du coin ! Faites la même chose sur votre lieu de travail. Seul un air « propre » est apte à évacuer nos déchets respiratoires acides.

Collations

Le smoothie aux légumes : Le nom « élixir végétal » lui irait à merveille. Ce breuvage de fruits et/ou légumes mixés est LE baume idéal pour tempérer les attaques acidifiantes.

Nous vous en proposons un adapté à chaque programme mais n'hésitez pas à aller en chercher un autre dans les différents programmes, si vous vous lassez des ingrédients. Impossible d'emporter votre mélanger au travail ? Glissez un thermos dans votre sac.

Le goûter: il s'agit ici de combler l'appétit des plus affamés, mais vous pouvez faire l'impasse.

Exercices

Respiratoires: nous ne savons pas respirer. Notre capacité respiratoire est de 5 litres, mais nous n'utilisons que 0,5 litre d'air… un pauvre petit dixième seulement. Sachant que le cerveau en prélève 30% d'office, il en reste vraiment peu pour oxygéner les milliards de cellules réparties dans le reste de notre corps! Or, l'air est la toute première de nos nourritures, celle dont on ne peut se passer plus d'une poignée de secondes. En pénétrant notre corps, il apporte de l'oxygène nécessaire à chacune de nos cellules, à chacun de nos neurones. En se retirant, il emporte avec lui le gaz carbonique résultant de leur travail ainsi que quantité de déchets acides produits par notre organisme. Rien n'est possible sans la respiration. Et une «sous» respiration, typique chez l'Occidental moyen, ne facilite pas cet échange pourtant essentiel pour la santé. En Occident, nous respirons jusqu'à 70 fois par minute. Comment voulez-vous le faire bien? 8 fois par minute, sans bloquer l'air ni se forcer à quoi que ce soit, juste en respirant normalement, amplement, c'est le bon rythme. On peut monter jusqu'à 13, mais à partir de 20, on ne respire plus convenablement. Respirer calmement, profondément, c'est un réflexe tout simple à prendre, gratuit, naturel, physiologique, indispensable pour que l'organisme fonctionne au mieux de ses capacités. Une cadence d'ailleurs imposée par le corps pendant notre sommeil!

Les exercices respiratoires que nous vous proposons sont tout simples et ne demandent que quelques minutes. Ne les sous-estimez pas, ils participent au bon équilibre du pH sanguin. Là encore, ils sont interchangeables, abusez de celui que vous préférez.

Physiques : À la maison ou au travail si votre environnement le permet (organisez une pause abdos dans votre département, il y aura sûrement des candidats !), une chaise suffit pour réaliser les quelques mouvements toniques suggérés. La séance de natation préconisée semblera plus difficile à caser pour certains, mais pensez à tous les déchets qu'elle permet d'évacuer sans trop d'efforts parce que porté par l'eau et sans stress pour les articulations ! Un tour de pâté de maisons, l'ascension de quelques étages, descendre deux stations de métro avant la vôtre… c'est facile, vite fait et, finalement, agréable. Adaptez-vous en choisissant l'une ou l'autre de nos propositions.

Bains hyperthermiques

Nous avons généralement groupé les bains pendant la fin de semaine, partant du principe que votre emploi du temps est plus détendu. Mais rien ne vous empêche de les déplacer dans la semaine ni de les multiplier : une occasion de plus de transpirer (oui, on transpire dans l'eau) et ainsi d'éliminer les acides du corps. Pour la marche à suivre, voir p. 124.

Tisanes

Chaudes ou fraîches, tout au long de la journée ou avant de vous glisser sous la couette, c'est vous qui voyez. Nous vous indiquons quand même le moment le plus propice. Préparez-les avec de l'eau minérale riche en magnésium, utile dans votre quête d'équilibre acido-basique.

Vous trouverez les plantes de vos tisanes en boutiques diététiques, en pharmacie en herboristerie et dans certaines grandes surfaces. Choisissez-les bio de préférence.

Points réflexo

Les acides sont éliminés par les organes dits «émonctoires»: 1: poumons, 2: reins, 3: foie, 4: côlon. À chaque émonctoire correspond un point situé sur les pieds ou sur les mains. Il en est de même pour les troubles que nous visons à apaiser à travers les programmes ciblés: dans le cadre d'un programme «minceur», c'est le point «système lymphatique» qui sera votre cible; le point réflexo «surrénales» s'inscrit dans un programme antidiabète; les points «cou», «épaule», «genou», «hanche» seront mis à contribution au menu «confort articulaire», etc. Chaque jour, nous vous indiquons le ou les points réflexo à stimuler, soit pour doper votre équilibre acido-basique, soit pour encourager la guérison d'une pathologie.

Petit rappel: la réflexologie est une technique manuelle qui vise à stimuler ces points par un automassage. Observez bien notre schéma pour mémoriser les points puis lancez-vous. Votre récompense sera triple: vous favoriserez le travail d'élimination de votre corps, dynamiserez votre autodéfense et activerez un retour vers un équilibre mental et émotionnel.

Pratiques, faciles, rapides, ces manipulations ne demandent aucune condition particulière, vous pouvez donc vous y adonner (presque) partout.

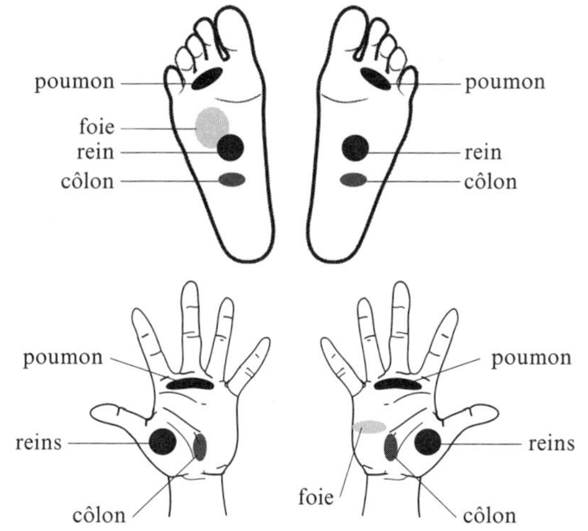

Mode d'emploi: avec la pulpe du pouce, massez le point réflexo sans déborder. Les premiers massages ne doivent durer qu'une minute et se faire en douceur. Au fil des jours, vous augmenterez la pression et le massage pourra durer jusqu'à 5 minutes par point.

Reins, poumons, côlon: avec la pulpe du pouce, massez en douceur le point concerné du pied gauche ou droit, à votre convenance. Si vous avez le temps, les deux!

Foie: même technique que pour les autres points réflexo, mais attention, celui du foie ne se trouve que sous le pied droit.

Percussion reins

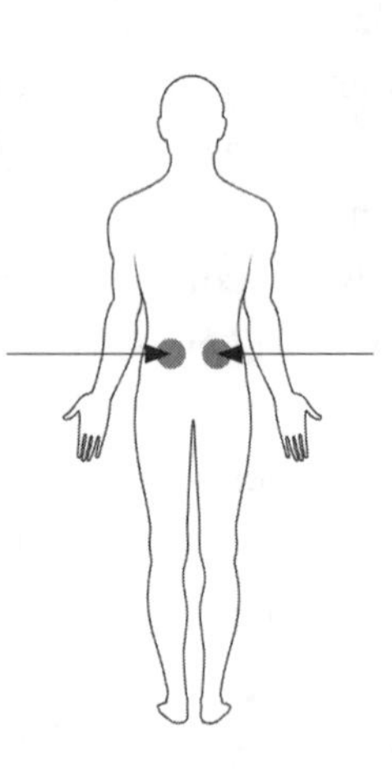

Cette technique est inspirée de la médecine traditionnelle chinoise. Tenez-vous debout, les pieds bien écartés (un peu plus que la largeur des épaules, idéalement), les genoux fléchis, sans tension. Inspirez et expirez calmement. Prenez une grande inspiration, penchez-vous légèrement en avant en soutenant la tête (elle ne doit pas «tomber», mais rester dans l'axe du cou étiré) et bloquez votre respiration. Fermez les poings sans les serrer (comme la roche, quand on joue à Roche-Papier-Ciseaux) et martelez fermement mais sans brutalité les surrénales, au-dessus des reins sous les côtes flottantes, alternativement quelques secondes. Cessez les percussions et expirez en décontractant les bras et la tête. Refaites ce mouvement une demi-douzaine de fois, puis terminez en frottant énergiquement ces zones avec le plat de la main.

PROGRAMME
DIGESTION, FOIE, TRANSIT
1 SEMAINE POUR RETROUVER LA PAIX DU VENTRE

Foie « sur les genoux », intestins paresseux ou trop pressés, estomac soumis aux feux de l'enfer… les troubles digestifs sont les désagréments les mieux partagés : qui peut se vanter de n'en avoir jamais souffert ? Évidemment, certains abusent : adepte du grignotage intempestif, carnassier invétéré, accro au petit café non-stop et réfractaire à l'activité physique au bord de la crise de nerfs réunissent toutes les conditions pour favoriser les problèmes de ce type et leur lot de conséquences, comme une mauvaise haleine, les reflux, la constipation et autres diarrhées. Pour en finir avec tout ça, le programme de cette semaine modèle va à la fois prendre le mal à la source, en proposant une alimentation équilibrée, et ponctuer votre emploi du temps de gestes-clés concourant à un apaisement du travail de digestion. En ligne de mire : un foie débarbouillé, un estomac qui ne fait pas d'heures supplémentaires, des intestins domestiqués, bref, un appareil digestif garanti à vie !

Vos menus de la semaine d'un coup d'œil

LUNDI

- Thé, banane, céréales complètes.
- Artichaut vinaigrette, lapin rôti, carottes Vichy et lentilles, pomme.
- Soupe de légumes, omelette aux herbes, cresson, yogourt aux fruits rouges.

MARDI

- Thé, pruneaux, tartines beurrées.
- Salade de thon fraîcheur, crème au chocolat.
- Chou râpé en salade, côtes d'agneau ratatouille et boulgour, prunes.

MERCREDI

- Thé, pêche (ou clémentines), céréales complètes.
- Carottes râpées, poulet à l'ananas, riz complet petits pois, pruneaux au vin rouge.
- Salade de chou rouge au cumin, cabillaud, brocolis et boulgour, banane bien dans sa peau.

JEUDI

- Thé, prunes, tartines beurrées.
- Céleri râpé à la pomme, champignons provençale et tofu, salade de mâche, poire de Noël.
- Soupe de potiron, salade de pâtes du soleil, compote de poire.

VENDREDI

- Thé, figue, céréales complètes.
- Betteraves, steak, épinards et blé, ananas.
- Radis et têtes de chou-fleur à la croque, œuf à la coque aux lentilles tièdes, pomme râpée à la cannelle.

SAMEDI

- Thé, poire, tartines beurrées.
- Concombre à la menthe, choucroute de la mer, pamplemousse poêlé.
- Crème de châtaigne, merlan et petits légumes en papillote, raisin.

DIMANCHE

- Thé, fraises, céréales complètes.
- Avocat pamplemousse, dinde au citron, riz aux courgettes, cerises.
- Poireau vinaigrette, spaghetti sauce napolitaine, banane au cacao.

Votre liste de courses à photocopier pour ne rien oublier !

Tous nos menus sont conçus pour 1 personne. Les plats suivis d'un astérisque renvoient à une recette de ce livre.

Épicerie
- ❑ Abricots secs
- ❑ Amandes non salées et non grillées
- ❑ Blé à cuire
- ❑ Bouillon de volaille
- ❑ Boulgour
- ❑ Cacao
- ❑ Cannelle
- ❑ Céréales complètes
- ❑ Chocolat noir
- ❑ Choucroute cuite
- ❑ Clous de girofle
- ❑ Courmayeur
- ❑ Curcuma
- ❑ Curry en poudre
- ❑ Graines de cumin
- ❑ Huile d'olive
- ❑ Huile de colza
- ❑ Lait 2 %
- ❑ Lentilles
- ❑ Maïs
- ❑ Maïzena
- ❑ Miel
- ❑ Moutarde
- ❑ Noix de cajou non salées
- ❑ Noix de muscade
- ❑ Œufs
- ❑ Olives noires
- ❑ Pignons de pin
- ❑ Poivre
- ❑ Pruneaux
- ❑ Raisins secs
- ❑ Riz complet
- ❑ Sauce napolitaine
- ❑ Sirop d'érable
- ❑ Spaghettis semi-complets
- ❑ Thé
- ❑ Thon nature
- ❑ Tomates confites
- ❑ Vichy Saint-Yorre
- ❑ Vin rouge
- ❑ Vinaigre de cidre

Rayon bio (si possible)
- ❑ Camomille en vrac
- ❑ Fleurs de bruyère ou feuilles de framboisier
- ❑ Lait de soja (ou avoine, riz, châtaigne, amande…)
- ❑ Tilleul en vrac
- ❑ Tofu ferme

Frais
- ❑ Beurre
- ❑ Compote de poire
- ❑ Yogourt à la grecque
- ❑ Yogourt nature

Poissonnerie (surgelé ou frais)
- ❑ Filets de cabillaud
- ❑ Merlan

Viande
- ❑ Côtes d'agneau
- ❑ Cuisse de lapin
- ❑ Poitrine de dinde
- ❑ Poitrine de poulet
- ❑ Steak

Légumes
- ❑ Ail
- ❑ Artichaut
- ❑ Avocats
- ❑ Basilic
- ❑ Betterave cuite
- ❑ Brocolis
- ❑ Carottes
- ❑ Céleri branche
- ❑ Céleri-rave
- ❑ Champignons
- ❑ Châtaignes sous vide
- ❑ Chou blanc
- ❑ Chou rouge
- ❑ Chou-fleur
- ❑ Ciboulette
- ❑ Concombres
- ❑ Coriandre
- ❑ Courge
- ❑ Courgettes
- ❑ Cresson
- ❑ Échalotes
- ❑ Épinards
- ❑ Laurier
- ❑ Menthe
- ❑ Navets
- ❑ Oignons
- ❑ Persil
- ❑ Petits pois
- ❑ Poireaux
- ❑ Poivron rouge
- ❑ Pommes de terre
- ❑ Radis
- ❑ Thym
- ❑ Tomates

Fruits
- ❑ Ananas
- ❑ Bananes
- ❑ Citrons
- ❑ Figues
- ❑ Fraises
- ❑ Orange
- ❑ Pamplemousse
- ❑ Pêche
- ❑ Poires
- ❑ Pommes
- ❑ Prunes

Surgelés
- ❑ Coulis de fruits rouges

Pensez au pain !
- ❑ Pain complet

Manger ce qui n'a qu'un pied (champignons et végétaux), vaut mieux que manger ce qui a deux pattes (volaille), ce qui est encore préférable à manger ce qui en a quatre (bœuf, cochon et autres mammifères).

Proverbe chinois

LUNDI

Prêt pour mettre votre système digestif au vert? Prêt à ne plus vous sentir ballonné, tiraillé, barbouillé? Au menu, aujourd'hui, des aliments coupe-feu, drainant, rassasiant sans vous «plomber» et des gestes qui sauvent pour vous relaxer, vous oxygéner, vous purifier.

Lever

Buvez un grand verre d'eau minérale, comme la Vichy Saint-Yorre.

Ouvrez les fenêtres en grand pendant au moins ¼ d'heure et tant pis pour les courants d'air!

Déjeuner

Thé (sans lait)
1 bol de céréales complètes + lait de soja
1 banane

Douche

Juste avant de prendre votre douche, enfilez le gant de crin et faites des petits mouvements circulaires sur peau sèche en partant des chevilles et en remontant vers le cœur. Vous n'êtes pas à l'atelier ponçage, ne vous escrimez pas, le principe est d'activer la circulation pour faciliter l'élimination des toxines.

Collation

Smoothie aux légumes velours*

SMOOTHIE AUX LÉGUMES VELOURS

Prélevez la chair de ½ avocat. Épluchez ½ concombre, coupez-le dans le sens de la longueur, ôtez les graines. Pressez ½ citron. Mettez tous les ingrédients dans le mélangeur avec 1 yogourt à la grecque et 3 glaçons puis mixez jusqu'à obtention d'une consistance lisse.

Si vous n'êtes pas fan des avocats, allez voir nos recettes de smoothies aux légumes dans nos autres programmes.

DÎNER

Artichaut cuit vapeur + huile de colza + filet de citron + ciboulette

Lapin rôti + carottes Vichy* (voir p. 338) + lentilles

1 pomme à la croque (avec la peau)

EXERCICE

Relevé de buste. Allongé sur le dos, les genoux sur le ventre, les mains derrière la nuque. Montez les genoux sur la poitrine en décollant légèrement les fesses du sol. Faites 2 séries de 30 répétitions.

Ça coince un peu? Ne forcez pas, ce mouvement passera comme une lettre à la poste en fin de semaine.

COLLATION

Quelques amandes + 2 abricots secs

1 thé ou 1 tisane digestion facile* (sans sucre)

TISANE DIGESTION FACILE

Jetez 1 c. à soupe de fleurs de bruyère (ou feuilles de framboisier pour les plus courageux, très efficace, mais particulier au goût: ajoutez alors 1 c. à thé de miel) dans 250 ml d'eau bouillante. Laissez infuser 10 minutes puis filtrez.

Triplez les doses en préparant la tisane : si une petite soif (ou faim) se fait sentir au cours de la journée, elle clouera le bec aux envies de grignotage.

EXERCICE RESPIRATOIRE

Exercice 1. Placez-vous dans l'encadrement d'une porte, et saisissez les bords latéraux en dessous du niveau des épaules. Penchez le buste lentement vers l'avant, le dos bien droit jusqu'à ce que vos bras soient tendus. Tenez la position une minute. Inspirez lentement, et expirez en ouvrant largement vos épaules.

SOUPER

Soupe de légumes (2 poireaux, 1 carotte, 1 navet, céleri, coriandre)
Omelette aux herbes + ½ sachet de cresson
Yogourt + coulis de fruits rouges

Aérez la maison au moins ¼ d'heure.

COUCHER

1 tisane bon sommeil*

TISANE BON SOMMEIL

Jetez ½ c. à thé de tilleul et 1 tête de camomille dans 250 ml d'eau bouillante. Laissez infuser 10 minutes puis filtrez. Buvez tranquillement avant de vous coucher.

RÉFLEXO

Stimulez les points « reins » et « estomac » à n'importe quel moment de la journée.

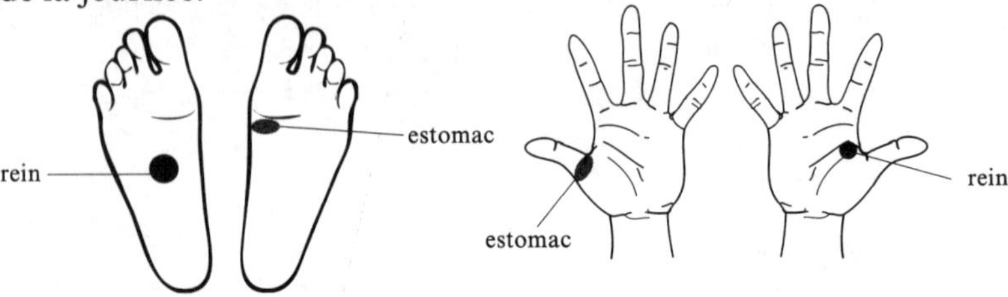

Mange et sois en paix! Il n'y a rien de plus important
que d'être en paix avec son ventre.
Driss Chraïbi

MARDI

Vous persévérez, bravo! Rappelez-vous que le stress n'est pas bon pour la paix du ventre, vous devez amadouer les contraintes de façon à vivre ce programme dans les meilleures conditions: ajustez votre organisation, le déroulé de la journée ne doit pas être une épreuve de force.

Lever

1 grand verre verre d'eau minérale, comme la Vichy Saint-Yorre

Opération aération: ouvrez les fenêtres au moins ¼ d'heure.

Déjeuner

Thé (sans lait)
6 pruneaux
2 tranches de pain complet + beurre frais

Vous n'aimez pas le lait de soja? Essayez le lait d'avoine, de châtaigne, d'amande ou de riz… Si vous redoutez l'effet radical des pruneaux sur votre transit, remplacez-les par des prunes (reines-claudes, mirabelles, quetsches), moins spectaculaire, mais plus douces.

Collation

Smoothie aux légumes velours* (voir p. 145)

Si le cœur vous en dit, ajoutez des herbes aromatiques à votre smoothie, elles caracolent dans le peloton de tête des aliments alcalinisants: 4 feuilles de menthe ou quelques brins de romarin…

Dîner

Salade de thon fraîcheur*
Crème au chocolat*

SALADE DE THON FRAÎCHEUR

Mélangez 1 petite conserve de maïs, 6 radis coupés en deux dans le sens de la longueur, 1 petit concombre en lamelles et ½ sachet de cresson (ou mâche). Émiettez une conserve de thon nature par-dessus. Faites un assaisonnement avec 3 c. à soupe de yogourt nature, 1 c. à thé de jus de citron, ½ gousse d'ail hachée, 1 c. à thé de moutarde, émulsionnez. Versez sur la salade, mélangez et parsemez de pignons de pin.

CRÈME AU CHOCOLAT

Cassez 50 g de chocolat noir pâtissier et faites-le fondre au bain-marie. Mélangez 15 g de fécule de maïs et 150 ml de lait de soja. Incorporez ce mélange au chocolat fondu à feu doux, en remuant sans cesse jusqu'à ébullition. Dégustez bien frais.

MARCHE

Aujourd'hui, bougez un peu : si vous avez l'habitude de vous balader, pourquoi ne pas vous dépasser en alternant marche tranquille et marche soutenue ? Si votre activité physique se résume à une sieste, faites-vous violence, montez au moins 4 étages à pied en boudant l'ascenseur des grands magasins, du bureau, de votre immeuble…

COLLATION

4 abricots séchés
1 citronnade (p. 157) ou 1 tisane digestion facile* (sans sucre) (voir p. 145)

Utilisez une eau minérale riche en magnésium pour préparer votre tisane.

SOUPER

Chou râpé en salade + vinaigre de cidre + huile d'olive + basilic
Côtes d'agneau, ratatouille* et boulgour
4 prunes

RATATOUILLE

Faites revenir dans l'huile d'olive 1 oignon émincé, ajoutez 1 petite aubergine, 1 courgette et une tomate détaillées en cubes, puis 1 gousse d'ail hachée, 1 branche de thym, 1 feuille de laurier. Salez, poivrez et laissez cuire 20 minutes.

Basilic, menthe poivrée, coriandre, persil... achetez-les en pots ! Les herbes sont jolies, sentent bon, mettent du soleil dans les plats et, surtout, amplifient le goût et remplacent le sel.

EXERCICE RESPIRATOIRE

Exercice respiratoire 1 (voir p. 146) chaque fois que vous en avez l'occasion.

Aérez la maison au moins ¼ d'heure. Diffusez quelques gouttes d'eucalyptus radié pur, grâce à un diffuseur électrique, pour assainir l'air ambiant à plusieurs reprises dans la journée.

COUCHER

Avant de filer sous la couette, buvez une tisane bon sommeil* (voir p. 146).

RÉFLEXO

Stimulez les points « foie » et « estomac » à n'importe quel moment de la journée.

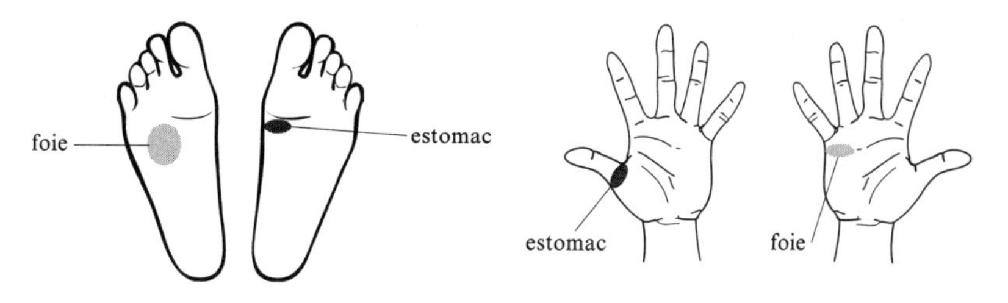

Le sérieux, ce symptôme évident d'une mauvaise digestion.
Friedrich Nietzsche

MERCREDI

Il semblerait que votre organisme commence à apprécier ces petites vacances alcalinisantes : vous ne terminez plus vos journées comme une montgolfière..., c'est motivant ! Courage, la sérénité approche à grands pas.

LEVER

1 grand verre d'eau minérale, comme la Vichy Saint-Yorre

Ouvrez toutes les fenêtres de la maison au moins ¼ d'heure et profitez-en pour faire un des exercices respiratoires dans la brise (p. 146).

DÉJEUNER

Thé (sans sucre ni lait)
1 pêche (ou 2 clémentines)
1 bol de céréales complètes + lait de soja

Si vous tenez vraiment à votre petit café matinal, ne vous en privez pas, mais c'est sans sucre et sans lait !

COLLATION

Smoothie aux légumes velours* (voir p. 145)

DÎNER

Carottes râpées + filet de citron + échalote + huile de colza
Poulet à l'ananas*, riz complet, petits pois
Pruneaux au vin rouge

POULET À L'ANANAS

Faites dorer 1 poitrine de poulet en petits cubes dans un filet d'huile d'olive, saupoudrez de ½ c. à thé de curry. Ajoutez 2 tranches d'ananas frais coupées en petits morceaux et poursuivez la cuisson 2 minutes en remuant.

MARCHE

Allez, courage! Hier, vous avez redécouvert des muscles endormis par le manque d'activité, et peut-être même le plaisir de vous sentir délassé après une marche... Il faut persévérer: en hiver, échappez-vous entre midi et 14 h et marchez ½ heure, c'est le moment où la lumière est à son maximum, avec un effet positif sur le mental. En été, les journées sont longues, lancez-vous des défis: une balade à la fraîche (le matin ou en fin de journée) de ½ heure aujourd'hui, demain, vous visez 15 minutes de plus!

COLLATION

1 pomme

1 citronnade (voir p. 157) ou 1 tisane digestion facile* (sans sucre) (voir p. 145)

SOUPER

Salade de chou rouge + graines de cumin

Cabillaud + brocolis + boulgour + vinaigre de cidre + huile d'olive + persil + échalote

Banane bien dans sa peau*

BANANE BIEN DANS SA PEAU

Coupez une banane dans la longueur sans l'éplucher. Mettez-la sur une assiette et saupoudrez-la de 2 c. à thé de cacao. Placez au micro-ondes pleine puissance pendant 1 à 2 minutes.

Exercice respiratoire

Exercice 2. Debout, les pieds joints, bras le long du corps, inspirez profondément en gonflant le ventre; rentrez-le sur l'expiration. Bloquez votre souffle trois secondes, puis recommencez le cycle inspiration – expiration – blocage dix fois de suite.

Prenez l'habitude de respirer calmement, profondément le plus souvent possible. Aérez la maison au moins ¼ d'heure.

Bain

Bain hyperthermique à l'eucalyptus. Mélangez 10 gouttes d'huile essentielle d'eucalyptus et 1 bouchon de base pour bain. Versez dans l'eau de la baignoire (38-39 °C) et plongez-y pendant 20 minutes. Ne vous rincez pas.

Coucher

1 tisane bon sommeil* (voir p. 146) et au lit!

Réflexo

Stimulez les point réflexos «côlon» et «estomac» à n'importe quel moment de la journée.

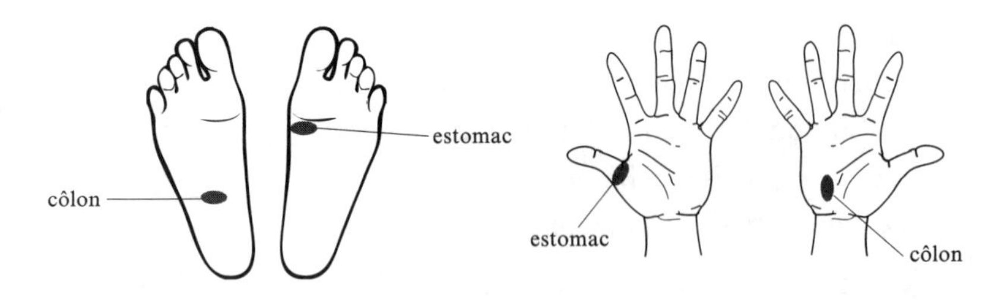

Le mariage, c'est comme le menu des restaurants : il faut attendre la digestion pour savoir si on a fait le bon choix.

Elizabeth Taylor

JEUDI

Journée végétarienne. Ça fait déjà trois jours que vous vous êtes lancé à la recherche de votre équilibre acido-basique tout en chouchoutant votre « tuyauterie ». Votre organisme est prêt à accepter une journée végétarienne.

Lever

1 grand verre d'eau minérale, comme la Vichy Saint-Yorre

Aérez la maison au moins ¼ d'heure.

Déjeuner

Thé (sans lait)
6 prunes
2 tranches de pain complet + beurre

Collation

Smoothie aux légumes velours* (voir p. 145)

Dîner

Céleri + pomme verte râpés (filet d'huile d'olive)
Champignons à la provençale (tomate + ail), tofu, salade de mâche, poire de Noël*

POIRE DE NOËL

Dans une casserole, chauffez à feu doux 200 ml de vin rouge avec le zeste et le jus d'une orange bio, 1 c. à thé de cannelle en poudre, 1 c. à soupe de sirop d'érable et 1 clou de girofle. Plongez-y 1 poire coupée en quartiers et laissez cuire 15 minutes.

EXERCICE

Abdos basiques. Allongé sur le sol, jambes fléchies, pieds à plat et mains derrière la nuque. Relevez le buste pour toucher votre genou gauche avec le coude droit. Expirez en montant et inspirez en descendant. Faites 1 série de 10 mouvements, puis recommencez 1 série en touchant le genou droit avec le coude gauche.

COLLATION

1 verre de lait de soja + cacao

Si vous n'aimez pas le lait de soja, pas question de vous priver pour autant de votre chocolat bonheur. Rabattez-vous sur du lait de vache demi-écrémé ou, mieux, du lait d'amande, de riz, de châtaigne… Et utilisez du cacao maigre.

SOUPER

Soupe de courge

Salade de pâtes du soleil (tomates confites + poivron + olives noires + huile d'olive + basilic)

1 compote de pomme

SOUPE DE COURGE

Faites revenir ¼ d'oignon dans un filet d'huile d'olive. Ajouter 200 g de courge pelé et égrainé, recouvrez de 250 ml d'eau. Salez, poivrez et laissez cuire 30 minutes. Mixez, saupoudrez de noix de muscade râpée.

EXERCICE RESPIRATOIRE

Exercice 3. Debout, les pieds joints, bras le long du corps, montez sur la pointe des pieds en inspirant profondément ; puis reposez les pieds à plat sur l'expiration. Bloquez votre souffle trois secondes, puis recommencez la série dix fois de suite.

Aérez la maison au moins ¼ d'heure.

Massage

Diluez 2 gouttes d'huile essentielle de mélisse dans 10 gouttes de macadamia et appliquez en massage le long de la colonne vertébrale.

Coucher

1 tisane bon sommeil* (voir p. 146)

Réflexo

Stimulez les points «foie» et «estomac» à n'importe quel moment de la journée.

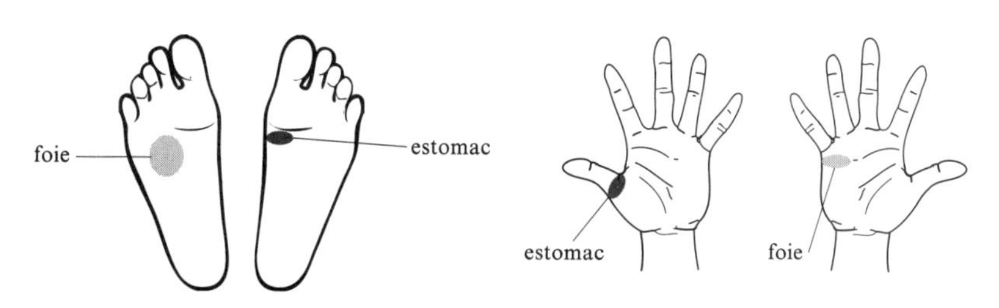

Le bonheur, c'est un bon compte en banque,
une bonne cuisinière et une bonne digestion.
Jean-Jacques Rousseau

VENDREDI

Vous jouez le jeu, c'est formidable ! Tenez bon, une fois les embouteillages digestifs régulés, adieu les bouchons et en route pour un teint frais et rose !

Lever

1 grand verre d'eau minérale, comme la Vichy Saint-Yorre

Aérez la maison au moins ¼ d'heure.

Déjeuner

Thé (sans lait)
3 figues
1 bol de céréales complètes + lait de soja

Pas de figues au marché ? Remplacez-les par un autre fruit de saison : ils sont au sommet de leur saveur et à parfaite maturité, donc bourrés d'éléments bénéfiques.

Collation

Smoothie aux légumes velours* (voir p. 145)

Dîner

Betteraves en salade, persil, échalote
Steak, épinards + blé
2 tranches d'ananas frais

Faute de temps, ou hors saison, mieux vaut utiliser des épinards surgelés que pas d'épinards du tout : vitamines C, B9, fibres, potassium… c'est un excellent garde du corps qui protège particulièrement nos yeux et notre cœur. Attention ! si vous les achetez frais, comptez 600 g pour une portion, ils fondent comme neige au soleil en cuisant.

COLLATION

1 petite poignée de raisins secs + 1 petite poignée de noix de cajou (non salées)

1 citronnade à l'eau minérale, comme la Vichy Saint-Yorre

> CITRONNADE
>
> Pressez le jus d'un citron dans de l'eau en respectant le chiffre d'or de la citronnade : un tiers de jus de citron pour deux tiers d'eau.

SOUPER

Radis et têtes de chou-fleur à la croque

Œuf à la coque aux lentilles tièdes*

1 pomme râpée + cannelle + filet de citron

> ŒUF À LA COQUE AUX LENTILLES TIÈDES
>
> Faites cuire 100 g de lentilles dans l'eau bouillante pendant 20 minutes. Mélangez 1 c. à thé de moutarde, 1 c. à soupe de vinaigre de cidre, 1 c. à soupe d'huile de colza, ½ échalote émincée, salez, poivrez et versez sur les lentilles tièdes. Déposez par-dessus un œuf cuit 5 minutes et écalé. Parsemez de persil et de ciboulette ciselés.

EXERCICE RESPIRATOIRE

Exercice 4. Debout, les pieds joints, bras le long du corps, inspirez profondément en gonflant le ventre tout en levant les bras tendus devant vous au-dessus de la tête. Expirez en rentrant le ventre et en descendant tout doucement les bras jusqu'à la position initiale. Bloquez votre souffle trois secondes, puis recommencez la série dix fois de suite.

Aérez la maison au moins ¼ d'heure.

COUCHER

1 tisane bon sommeil* (voir p. 146)

RÉFLEXO

Stimulez les points « poumon » et « estomac » à n'importe quel moment de la journée.

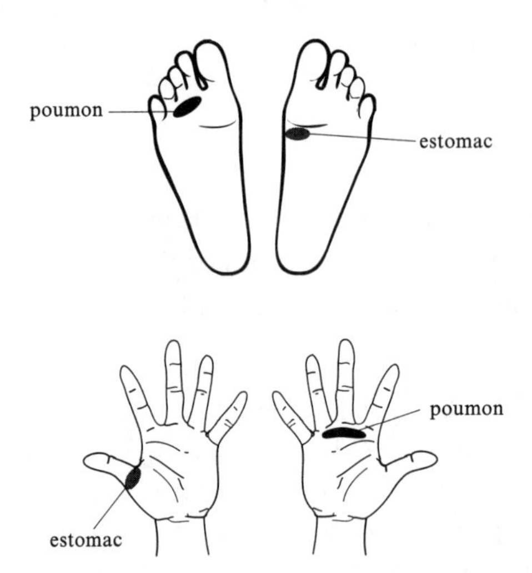

Donnez-moi une bonne digestion, Seigneur,
et aussi quelque chose à digérer.
Thomas Moore

SAMEDI

Aujourd'hui, c'est piscine, youpi ! Oui, réjouissez-vous d'enfiler votre maillot de bain sans entendre les mauvaises langues s'écrier « il faut sauver Willy »... Ces 5 jours passés au chevet de votre ventre doivent commencer à porter leurs fruits et les ballonnements ne sont plus qu'un mauvais souvenir. C'est (presque) gagné !

Lever

1 grand verre d'eau minérale, comme la Vichy Saint-Yorre

Aérez la maison en grand, toute la matinée si la météo le permet.

Déjeuner

Thé (sans lait)
1 poire
2 tranches de pain complet + beurre

Avec une poire bio, inutile de la peler (sauf les poires d'hiver dont la peau est dure et indigeste) et ça, c'est bon pour le mauvais cholestérol : c'est là, dans la peau, que se cache la lignine, une fibre très efficace pour capturer et chasser le mauvais gras.

Collation

Smoothie aux légumes velours* (voir p. 145)

Dîner

Salade de concombre à la menthe
Choucroute de la mer*
Pamplemousse poêlé (½, gardez l'autre moitié pour demain !)

CHOUCROUTE DE LA MER

Déposez dans le panier du cuit-vapeur 2 pommes de terre et 1 pavé de cabillaud arrosé de jus de citron et laissez cuire pendant 10 minutes. Salez et poivrez. Réchauffez 150 g de choucroute cuite nature. Disposez la choucroute dans l'assiette et le poisson en cubes par-dessus.

EXERCICE

C'est la fin de semaine: tout le monde à la piscine. Si elle est extérieure et que le temps le permet, c'est encore mieux! Et si vous avez la chance d'être au bord de l'eau, marchez le long de la plage, dans l'eau jusqu'aux mollets.

COLLATION

2 carrés de chocolat noir
1 thé ou 1 tisane digestion facile* sans sucre (voir p. 145)

SOUPER

Crème de châtaigne (voir p. 181)
Merlan et petits légumes en papillote*
1 grappe de raisin

MERLAN ET PETITS LÉGUMES EN PAPILLOTE

Déposez 1 filet de merlan sur une feuille de papier sulfurisé (30 cm environ). Répartissez sur le dessus ½ courgette et ¼ de poivron rouge coupés en lamelles puis 1 petit blanc de poireau en rondelles. Arrosez du jus de ½ citron, salez, poivrez et enfournez la papillote fermée à four déjà chaud (410 °F/210 °C) pour 15 minutes.

Vous pouvez utiliser une papillote en silicone et faire cuire votre plat 4 minutes au micro-ondes: réglez-le sur puissance moyenne (600 à 800 W maximum).

Exercices respiratoires

Exercices respiratoires 1, 2, 3 et 4 autant de fois que vous pouvez dans la journée (p. 146, 152, 154, 157).

Aérez la maison au moins ¼ d'heure.

Bain

Bain hyperthermique à l'eucalyptus. Mélangez 10 gouttes d'huile essentielle d'eucalyptus et 1 bouchon de base pour bain. Versez dans l'eau de la baignoire (38-39 °C) et plongez-y pendant 20 minutes. Ne vous rincez pas.

Coucher

1 tisane bon sommeil* (voir p. 146)

Réflexo

Stimulez les points «foie» et «estomac» à n'importe quel moment de la journée.

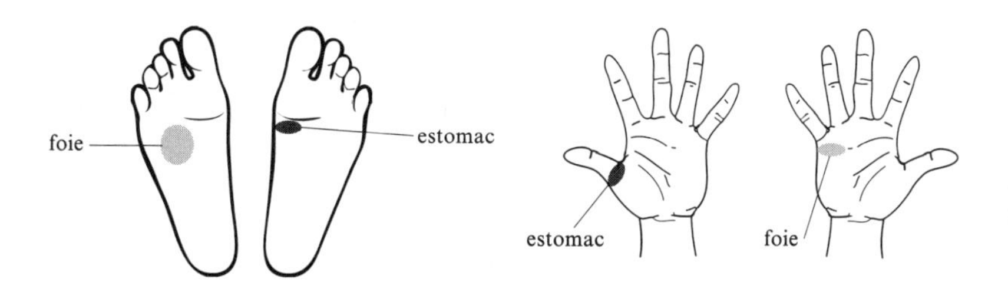

Il y a un rapport de cause à effet entre une digestion heureuse et ce que les hommes nomment le bonheur.
Louis Thomas

DIMANCHE

Petite pause d'autosatisfaction avant de vous concocter une deuxième semaine à ce rythme en allant picorer dans nos autres programmes: vous pouvez être fier de vous, vous avez fait un grand pas pour la quiétude de votre ventre. Vous doutez? Refaites le test (p. 12) et comptabilisez tous les mauvais gestes que vous avez su éviter.

Lever
1 grand verre d'eau minérale, comme la Vichy Saint-Yorre

Aérez la maison en grand toute la matinée si la météo le permet.

Déjeuner
Thé (sans sucre)
1 bol de fraises
1 bol de céréales complètes + lait de soja

Passez les fraises rapidement sous l'eau avant de les équeuter. D'une manière générale, ne laissez pas tremper les fruits et légumes dans l'eau, ils y perdent leurs minéraux.

Douche
Avant la douche, procédez à votre massage au gant de crin sur peau sèche.

Collation
Smoothie aux légumes velours* (voir p. 145)

Dîner

Avocat + pamplemousse
Poitrine de dinde au citron*, riz complet + ½ courgette
1 bol de cerises

> **POITRINE DE DINDE AU CITRON**
> Découpez 1 poitrine de dinde en fines lanières. Recouvrez-les du jus de 1 citron, saupoudrez de curcuma et de poivre, mélangez et placez au frais pendant au moins 10 minutes (1 ou 2 heures c'est mieux). Faites dorer ½ oignon émincé dans une poêle avec un filet d'huile d'olive. Égouttez la dinde et faites-la sauter dans la poêle pendant 5 minutes.

Collation

2 carrés de chocolat
1 thé ou 1 infusion acido-basique (sans sucre)

Ne vous privez pas (trop) de chocolat noir, il a un effet apaisant et relaxant sur le système neuromusculaire.

Souper

Poireau vinaigrette
Spaghetti sauce napolitaine
1 banane en rondelles saupoudrée de cacao

Exercices

C'est dimanche, allez courir dans les feuilles mortes, marcher au bord du lac, traînez la petite famille jusqu'au bois voisin, redécouvrez votre ville, partez au vide-greniers à vélo… bougez!
Exercices respiratoires 1, 2, 3 et 4 autant de fois que vous pouvez dans la journée.

Aérez la maison au moins ¼ d'heure.

Bain

Bain hyperthermique à la lavande. Diluez 8 gouttes d'huile essentielle de lavande dans 1 bouchon de base pour bain et versez dans l'eau.

Coucher

1 tisane bon sommeil* (voir p. 146)

Réflexo

Stimulez les points « reins » et « estomac » à n'importe quel moment de la journée.

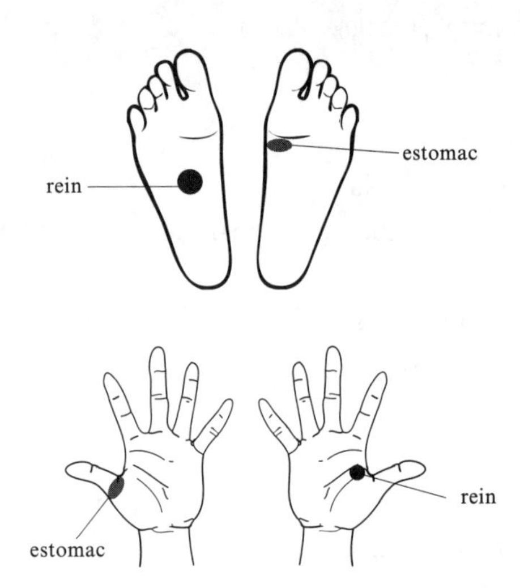

PROGRAMME
SPASMOPHILIE/BONNE HUMEUR/BON SOMMEIL
1 SEMAINE POUR APAISER SES NERFS

Pour chasser les idées noires et retrouver un bon sommeil, nous vous avons concocté un programme complet d'une semaine. Au menu, des sucres à IG bas, des oméga-3, de la lumière, du magnésium, de la vitamine D, du calcium, des petites pauses respiratoires, des bains… Un cocktail vitaminé qui saura à la fois donner un coup de fouet à votre capital antidéprime et vous fournir un canevas pour la suite… car, bien sûr, la recherche de l'équilibre acido-basique reste un travail de longue haleine. Vous verrez que les exercices physiques sont faciles, et si vous avez la bonne habitude de faire une longue marche le matin, ne changez rien, ajoutez ce bonus santé à votre programme ! Nous n'avons pas voulu non plus vous « cueillir » dès le lundi avec des menus trop stricts, c'est pourquoi nous avons attendu le jeudi pour vous concocter une journée végétarienne. Si vous ne vous sentez pas prêt à faire l'impasse sur la viande ou le poisson, choisissez un autre menu n'importe quel jour de la semaine. À vos marques, prêt… c'est parti !

Vos menus de la semaine d'un coup d'œil

LUNDI

- Thé, kiwis, céréales complètes.
- Salade d'endives, saumon, épinards et riz basmati, pomme au four.
- Salade mâche-tomate, lentilles, quinoa, banane bien dans sa peau.

MARDI

- Thé, pamplemousse, tartines beurrées.
- Salade de haricots verts, filet de hareng pomme à l'huile, clémentines.
- Soupe de petits pois à la menthe, purée de carotte au cumin, boulgour, fromage blanc, ananas.

MERCREDI

- Thé, pamplemousse pressé, céréales complètes.
- Carottes à l'orange, rôti de porc, quinoa, petits pois, crème au chocolat.
- Wok de légumes du soleil, tofu ou omelette, panna cotta aux abricots.

JEUDI

- Thé, ananas, tartines beurrées.
- Carottes râpées, spaghetti du soleil, yogourt à la grecque + huile essentielle de verveine citronnée.
- Soupe poireaux pomme de terre, artichaut vinaigrette, compote de pomme.

VENDREDI

- Thé, abricots, céréales complètes.
- Salade de maïs aux filets de maquereaux, ratatouille et riz basmati, petits-suisses au cacao.
- Soupe de châtaignes, endives au jambon, pomme au citron.

SAMEDI

- Thé, dattes, tartines beurrées.
- Salade de chou blanc au sésame, poulet au citron, purée de carotte, lentilles, ananas frais.
- Poireaux vinaigrette, brandade de morue, salade verte, prunes.

DIMANCHE

- Thé, fraises, céréales complètes.
- Salade de champignons, plateau de fruits de mer, banane à la cannelle et aux amandes.
- Salade mâche betterave avocat, moules à l'estragon, riz basmati, mangue.

Votre liste de courses à photocopier pour ne rien oublier !

Tous nos menus sont conçus pour 1 personne. Les plats suivis d'un astérisque renvoient à une recette de ce livre.

Épicerie
- ❑ Abricots au sirop
- ❑ Abricots secs
- ❑ Agar-agar
- ❑ Amandes
- ❑ Bouillon de poulet
- ❑ Boulgour
- ❑ Cacao
- ❑ Cannelle
- ❑ Céréales complètes
- ❑ Chocolat noir
- ❑ Citron
- ❑ Courmayeur
- ❑ Crème de soja
- ❑ Cumin
- ❑ Curcuma
- ❑ Figues sèches
- ❑ Filets de maquereaux
- ❑ Graines de sésame
- ❑ Huile d'olive
- ❑ Huile de colza
- ❑ Huile de noix
- ❑ Huile essentielle de verveine citronnée
- ❑ Lait 2 %
- ❑ Lentilles
- ❑ Maïs
- ❑ Maïzena
- ❑ Noisettes
- ❑ Noix
- ❑ Noix de muscade
- ❑ Poivre
- ❑ Quinoa
- ❑ Raisins secs
- ❑ Riz basmati complet
- ❑ Spaghettis complets
- ❑ Tapenade
- ❑ Thé
- ❑ Thym
- ❑ Vin blanc sec

Rayon bio (si possible)
- ❑ Camomille
- ❑ Cannelle (écorce)
- ❑ Lait d'amande
- ❑ Lait de soja
- ❑ Tilleul
- ❑ Tofu

Frais
- ❑ Beurre
- ❑ Compote de pomme
- ❑ Fromages blancs
- ❑ Petits-suisses
- ❑ Yogourt à la grecque

Poissonnerie (surgelé ou frais)
- ❑ Brandade de morue
- ❑ Filets de hareng
- ❑ Moules
- ❑ Plateau de fruits de mer avec bulots
- ❑ Saumon

Viande
- ❑ Côte de porc
- ❑ Jambon blanc
- ❑ Poitrine de poulet

Légumes
- ❑ Ail
- ❑ Artichaut
- ❑ Aubergines
- ❑ Avocats
- ❑ Basilic
- ❑ Betterave
- ❑ Carottes
- ❑ Champignons
- ❑ Châtaignes (sous vide)
- ❑ Chou blanc
- ❑ Ciboulette
- ❑ Coriandre
- ❑ Courgette
- ❑ Cresson
- ❑ Échalotes
- ❑ Endives
- ❑ Épinards
- ❑ Estragon
- ❑ Fines herbes
- ❑ Haricots verts
- ❑ Laurier
- ❑ Mâche
- ❑ Menthe
- ❑ Oignons
- ❑ Persil
- ❑ Petits pois
- ❑ Poireaux
- ❑ Pommes de terre
- ❑ Roquette
- ❑ Salade verte
- ❑ Tomates

Fruits
- ❑ Abricots
- ❑ Ananas
- ❑ Bananes
- ❑ Citrons
- ❑ Clémentines
- ❑ Dattes
- ❑ Fraises
- ❑ Framboises
- ❑ Kiwis
- ❑ Mangue
- ❑ Orange
- ❑ Pamplemousse
- ❑ Pommes jaunes délicieuses
- ❑ Prunes

Surgelés
- ❑ Petits pois

Pensez au pain !
- ❑ Pain complet

Chaque coup de colère est un coup de vieux,
chaque sourire est un coup de jeune.
Proverbe chinois

LUNDI

Vous avez fait le plein de fruits et légumes au marché hier, engrangé quelques bouteilles d'eau minérale et de lait de soja (ou de lait 2 %) pour la semaine, ceux qui travaillent à l'extérieur se sont laissé une note pour se rappeler d'aérer le bureau en arrivant... vous partez du bon pied pour entamer cette semaine prometteuse et vitaminée!

LEVER

Levez-vous du pied droit et buvez un grand verre d'eau minérale, comme la Courmayeur

Ouvrez les fenêtres en grand pendant au moins ¼ d'heure et tant pis pour les courants d'air!

DÉJEUNER

Thé (sans sucre ni lait)
2 kiwis
1 bol de céréales complètes + lait de soja

Préparez votre thé avec une eau riche en magnésium et calcium.

DOUCHE

Juste avant de prendre votre douche, enfilez le gant de crin et faites des petits mouvements circulaires sur peau sèche en partant des chevilles et en remontant vers le cœur.

COLLATION

Smoothie aux légumes antiblues*

SMOOTHIE AUX LÉGUMES ANTIBLUES

Prélevez la chair de ½ avocat. Rincez 1 poignée de cresson (ou de mâche), pressez ½ citron. Mettez tous les ingrédients dans le mélangeur avec 1 yogourt à la grecque et 3 glaçons puis mixez jusqu'à obtention d'une consistance lisse. (Le cresson se trouve maintenant en sachet.)

DÎNER

Salade d'endives + noisettes concassées + fines herbes + huile de colza

Saumon + épinards + quinoa

1 pomme au four*

POMME AU FOUR TGV

Lavez 1 pomme jaune délicieuse , essuyez-la. Ôtez le cœur à l'aide d'un vide-pomme sans transpercer le fond. Déposez-la sur une assiette, saupoudrez de 2 pincées de cannelle. Placez l'assiette au micro-ondes à puissance maximale pendant 4 minutes.

EXERCICE RESPIRATOIRE

Exercice 1. Placez-vous dans l'encadrement d'une porte, et saisissez les bords latéraux en dessous du niveau des épaules. Penchez le buste lentement vers l'avant, le dos bien droit jusqu'à ce que vos bras soient tendus. Tenez la position une minute. Inspirez lentement, et expirez en ouvrant largement vos épaules.

Ça tire ? ça coince un peu ? Vous en sourirez en fin de semaine, quand vous vous sentirez à l'aise pour faire l'exercice deux fois de suite !

COLLATION

2 abricots secs + 2 figues sèches

1 thé ou 1 infusion bonne humeur* (sans sucre)

> INFUSION BONNE HUMEUR
> Jetez 1 c. à soupe de feuilles de basilic frais dans 250 ml d'eau bouillante. Laissez infuser 10 minutes puis filtrez.

Si vous partez pour la journée, préparez-en 3 fois plus, versez dans un thermos : si une petite soif (ou faim) se fait sentir, cette bombe antispasmodique fera un meilleur travail que n'importe quel soda ou jus de fruit.
Achetez un basilic en pot : vous serez sûr d'avoir tous ses bienfaits à portée de main toute l'année !

Souper

Salade mâche + tomate + oignon + vinaigrette olive/colza
Lentilles + riz basmati + huile d'olive + curcuma
Banane bien dans sa peau* (voir p. 151)

Aérez la maison au moins ¼ d'heure.

Coucher

1 tisane bon sommeil* (voir p. 146)

Réflexo

Stimulez les points « reins » et « plexus solaire » à n'importe quel moment de la journée.

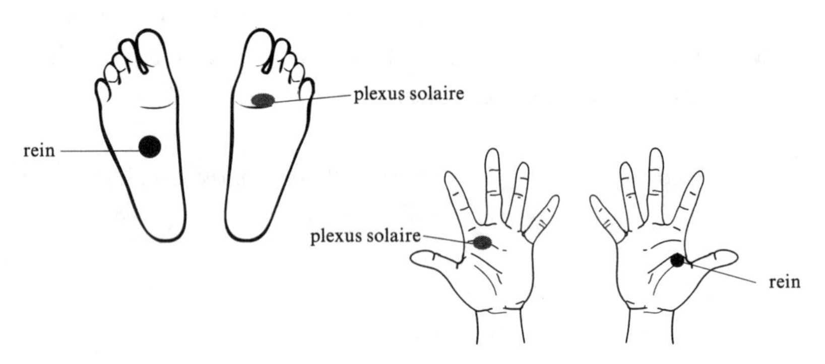

La joie est en tout ; il faut savoir l'extraire.

Confucius

MARDI

Bien dormi ? La fée infusion a dû adoucir votre sommeil et le plein de vitamines participe à un bon réveil. Pas d'embûches pour vos premiers pas vers une hygiène de vie acido-basique ? Si vous avez rencontré des écueils, c'est le moment d'opérer quelques ajustements d'organisation. Hauts les cœurs, le deuxième jour du reste de votre vie saine s'ouvre à vous.

LEVER

1 grand verre d'eau minérale, comme la Courmayeur

Opération aération : ouvrez les fenêtres au moins ¼ d'heure.

DÉJEUNER

Thé (sans sucre)

½ pamplemousse

3 tranches de pain complet + beurre

Vous manquez de courage pour enlever la peau blanche qui enrobe les quartiers du pamplemousse ?

Tant mieux, vous profiterez des fibres qu'elle contient !

COLLATION

Smoothie aux légumes antiblues* (voir p. 169)

Si vous n'êtes pas fan des avocats, choisissez un smoothie aux légumes dans les autres programmes.

Dîner

Salade de haricots verts + ail + ciboulette + huile d'olive
Filets de hareng + pommes de terre à l'huile + ½ oignon
2 clémentines

Pour devenir un champion de l'acido-basique, optez pour une cuisson à la vapeur des haricots verts.

Collation

1 poignée de noix
1 thé ou 1 infusion bonne humeur* (voir p. 170) sans sucre

Les noix renferment tellement d'oméga-3 que 5 d'entre elles par jour couvrent quasiment nos besoins journaliers.

Souper

Soupe de petits pois à la menthe*
Purée de carotte au cumin + boulgour
1 fromage blanc + 2 tranches d'ananas en dés

> **SOUPE DE PETITS POIS À LA MENTHE**
> Plongez 250 g de petits pois surgelés dans 500 ml d'eau bouillante salée pendant 5 minutes. Versez-les dans le mélangeur avec 5 feuilles de menthe et la moitié de l'eau de cuisson. Poivrez et consommez froid ou chaud selon la saison et vos envies.

Exercices

Aujourd'hui, trouvez le moyen de monter au moins 4 étages à pied : métro, bureau, maison, grand magasin…

+

Exercice respiratoire 1 (voir p. 169) chaque fois que vous en avez l'occasion.

Aérez la maison au moins ¼ d'heure.

MASSAGE

Massage antistress. Appliquez 2 gouttes d'huile essentielle de marjolaine sur la face interne des poignets et sur le plexus solaire ½ heure avant le coucher.

COUCHER

Avant de filer sous la couette, buvez une tisane bon sommeil* (voir p. 146).

RÉFLEXO

Stimulez les points « foie » et « plexus solaire » dès que vous en avez l'occasion.

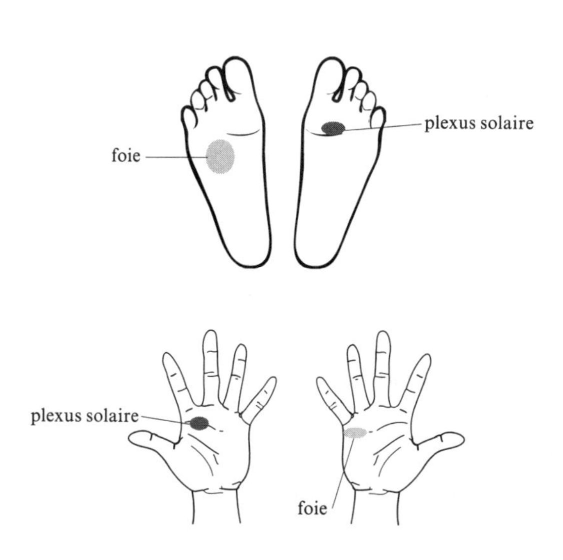

Vous ne pouvez pas empêcher les oiseaux de la tristesse de voler au-dessus de vos têtes, mais vous pouvez les empêcher de faire leurs nids dans vos cheveux.

Proverbe chinois

MERCREDI

Déjà mercredi? Vous commencez à apprécier votre nouveau rythme et peut-être même à avoir certains réflexes acido-basiques! Si ce n'est pas le cas, courage, vous êtes sur la bonne voie.

Lever

1 grand verre d'eau minérale, comme la Courmayeur

Ouvrez toutes les fenêtres de la maison au moins ¼ d'heure et profitez-en pour faire un des exercices respiratoires dans la brise.

Déjeuner

Thé (sans sucre)
½ pamplemousse pressé (reste d'hier)
1 bol de céréales complètes + lait de soja

Si vous tenez vraiment à votre petit café matinal, d'accord, mais sans sucre ni lait!

Collation

Smoothie aux légumes antiblues* (voir p. 169)

Gardez le zeste du citron pour vos hors-d'œuvre de midi!

Dîner

Carottes à l'orange*
Côte de porc quinoa + petits pois
1 crème au chocolat* (voir p. 148)

CAROTTES À L'ORANGE

Râpez 2 carottes, arrosez-les du jus de ½ orange, ajoutez 1 c. à soupe d'huile d'olive. Assaisonnez à votre goût et parsemez d'un zeste de citron râpé.

Collation

1 pomme

1 thé ou 1 infusion bonne humeur* (voir p. 170) sans sucre

Souper

Wok de légumes du soleil (tomate, aubergine, courgette, oignon, ail, huile d'olive, curcuma) + tofu (ou omelette 2 œuvres)

Panna cotta aux abricots*

PANNA COTTA AUX ABRICOTS

Mixez 2 abricots au sirop avec 1 c. à soupe de leur jus. Dans une petite casserole, mélangez au fouet 100 m l de lait d'amande et 1 g d'agar-agar. Portez à ébullition puis laissez frémir 1 minute en remuant sans arrêt. Mélangez cette préparation avec le coulis d'abricot et versez dans une verrine. Placez au réfrigérateur au moins 2 heures.

Exercice respiratoire

Exercice 2. Debout, les pieds joints, bras le long du corps, inspirez profondément en gonflant le ventre; rentrez-le sur l'expiration. Bloquez votre souffle trois secondes, puis recommencez le cycle inspiration – expiration – blocage dix fois de suite.

Aérez la maison au moins ¼ d'heure.

Bain

Bain hyperthermique à la lavande. Diluez 20 gouttes d'huile essentielle de lavande dans 1 bouchon de base pour bain et versez dans l'eau.

Coucher

1 tisane bon sommeil* (voir p. 146) et au lit!

Réflexo

Stimulez les points «côlon» et «plexus solaire» à n'importe quel moment de la journée.

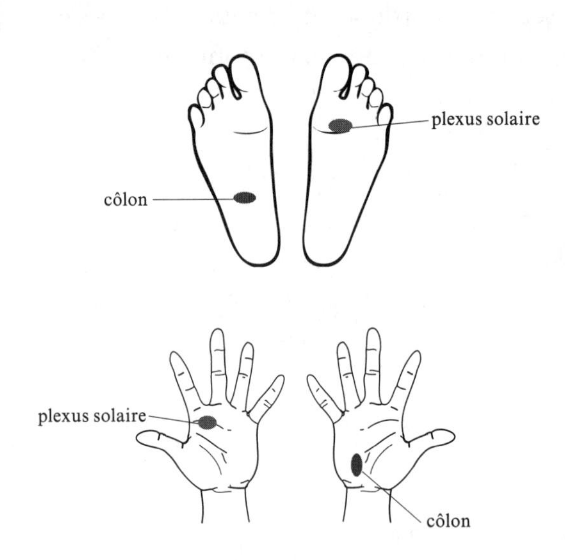

De la santé, du sommeil et de la richesse,
on ne jouit pleinement qu'après les avoir perdus et retrouvés.
Jean-Paul Richter

JEUDI

Journée végétarienne. Ça fait déjà trois jours que vous êtres sur la voie de l'équilibre acido-basique. Votre organisme est prêt à accepter une parenthèse végétarienne.

Lever

1 grand verre d'eau minérale, comme la Courmayeur

Aérez la maison au moins ¼ d'heure.

Déjeuner

Thé (sans sucre)
2 tranches d'ananas frais
3 tranches de pain complet + beurre frais

Collation

Smoothie aux légumes antiblues* (voir p. 169)

Dîner

Carottes râpées + citron + persil
Spaghetti du soleil*
1 yogourt à la grecque + 1 goutte d'huile essentielle de verveine citronnée (antistress)

SPAGHETTI DU SOLEIL

Coupez 1 petite aubergine et ½ courgette en fines rondelles. Faites-les confire 10 minutes dans une sauteuse avec un filet d'huile d'olive, salez et poivrez. Incorporez 1 tomate en quartiers et laissez mijoter 10 minutes à feu doux. Faites cuire 100 g de spaghettis complets dans l'eau bouillante salée, le temps indiqué sur l'emballage. Quand les pâtes sont cuites, égouttez-les et mettez-les dans la sauteuse. Incorporez 1 c. à soupe de tapenade et une petite poignée de roquette. Laissez réchauffer à feu doux 2 minutes.

COLLATION

1 verre de lait de soja + cacao

Si vous n'aimez pas le lait de soja, rabattez-vous sur du lait d'amande, de riz, de châtaigne ou de vache demi-écrémé. Et utilisez du cacao maigre.

SOUPER

Soupe poireaux pomme de terre*
1 artichaut vinaigrette
1 compote de pomme

SOUPE POIREAUX POMME DE TERRE

Détaillez 1 poireau et 1 pomme de terre en fines rondelles. Faites infuser un sachet de bouillon de volaille (bien mieux que le bouillon cube car sans sel et sans gras) dans 300 ml d'eau bouillante. Jetez-y les légumes et laissez cuire 10 minutes. Mixez et parsemez de coriandre ciselée.

Exercice respiratoire

Exercice 3. Debout, les pieds joints, bras le long du corps, montez sur la pointe des pieds en inspirant profondément; puis reposez les pieds à plat sur l'expiration. Bloquez votre souffle trois secondes, puis recommencez la série dix fois de suite.

Aérez la maison au moins ¼ d'heure.

Massage

Massage antistress. Appliquez 2 gouttes d'huile essentielle de marjolaine sur la face interne des poignets et sur le plexus solaire ½ heure avant le coucher.

Coucher

1 tisane bon sommeil* (voir p. 146)

Réflexo

Stimulez les points «reins» et «plexus solaire» à n'importe quel moment de la journée.

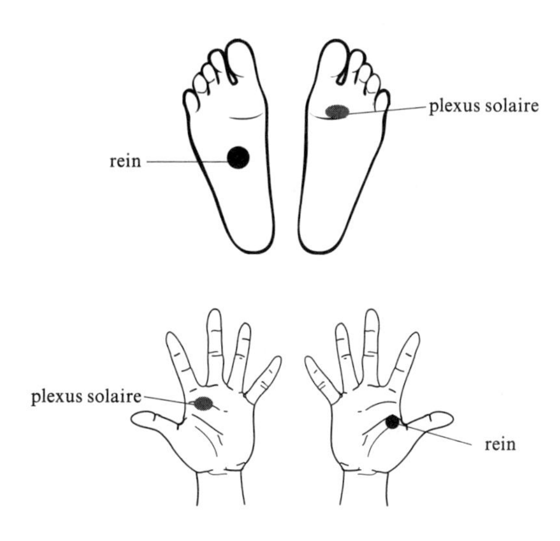

Qui rit vendredi, c'est toujours ça de pris.
François Cavanna

VENDREDI

Félicitations, vous êtes encore avec nous! Vous jouez le jeu et votre corps vous remerciera. Tenez bon, ce serait vraiment trop bête de lâcher maintenant, votre programme prévoit une ratatouille ce midi: du soleil dans l'assiette, ça réchauffe l'humeur.

Lever

1 grand verre d'eau minérale, comme la Courmayeur

Aérez la maison au moins ¼ d'heure.

Déjeuner

Thé (sans sucre)
2 abricots
1 bol de céréales complètes + lait de soja

Pas d'abricots au marché? Remplacez-les par un autre fruit de saison: ils sont au sommet de leur saveur et à parfaite maturité, donc bourrés d'éléments bénéfiques.

Collation

Smoothie aux légumes antiblues* (voir p. 169)

Dîner

Salade de maïs aux filets de maquereaux (1 conserve de chaque)
Ratatouille (1 courgette, ½ aubergine, 1 oignon nouveau, 1 tomate, 1 gousse d'ail, thym, laurier, sel, poivre) + riz basmati
2 petits-suisses + cacao maigre

Vérifiez bien que le maïs que vous achetez est « sans OGM ». Et préférez le jaune, plus riche en antioxydants.

COLLATION

5 noix + 1 petite poignée de raisins secs

1 citronnade* (voir p. 157)

SOUPER

Crème de châtaignes*

Endives au jambon* + salade verte

1 pomme râpée + filet de citron

CRÈME DE CHÂTAIGNES

Faites suer 1 petite échalote émincée dans une casserole avec un filet d'huile d'olive. Ajoutez 100 g de châtaignes (cuites sous vide), 50 ml de bouillon de poule et 150 ml de lait 2%. Laissez cuire 10 minutes à feu doux puis mixez. Salez, poivrez et parsemez de persil.

ENDIVES AU JAMBON

Faites cuire 2 endives à la vapeur pendant 15 minutes. Enroulez chacune de ½ tranche de jambon blanc. Nappez-les de crème de soja, saupoudrez de noix de muscade. Enfournez à 410 °F (210 °C) pour 15 minutes.

EXERCICE RESPIRATOIRE

Exercice 4. Debout, les pieds joints, bras le long du corps, inspirez profondément en gonflant le ventre tout en levant les bras tendus devant vous au-dessus de la tête. Expirez en rentrant le ventre et en descendant tout doucement les bras jusqu'à la position initiale. Bloquez votre souffle trois secondes, puis recommencez la série dix fois de suite.

Aérez la maison au moins ¼ d'heure.

Massage

Massage antistress. Appliquez 2 gouttes d'huile essentielle de marjolaine sur la face interne des poignets et sur le plexus solaire ½ heure avant le coucher.

Coucher

1 tisane bon sommeil* (voir p. 146)

Réflexo

Stimulez les points « poumons » et « plexus solaire » à n'importe quel moment de la journée.

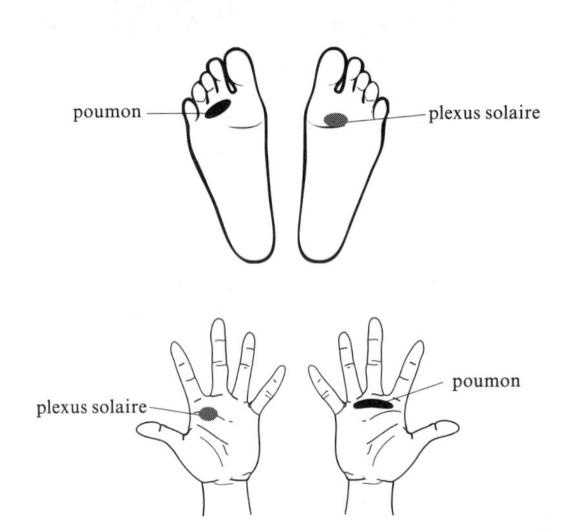

Il y a plus de noblesse dans un chou fraîchement cueilli que dans un homard surgelé.

Guy Savoy

SAMEDI

C'est la fin de semaine, mais pas un laissez-passer pour revenir à vos mauvaises habitudes pour autant. Profitez-en pour faire un petit bilan de cette semaine parfaite et, pourquoi pas, concocter votre propre programme pour la semaine à venir en vous inspirant des autres programmes que nous vous suggérons.
Aujourd'hui, c'est piscine, youpi!

LEVER

1 grand verre d'eau minérale, comme la Courmayeur

Aérez la maison en grand toute la matinée si la météo le permet.

DÉJEUNER

Thé (sans sucre)
6 dattes
3 tranches de pain complet + beurre frais

Choisissez des dattes de qualité, 100% naturelles pour profiter de cette bombe énergétique. Et si vous trouvez des Mejoul, 3 suffiront.

COLLATION

Smoothie aux légumes antiblues* (voir p. 169)

DÎNER

Salade de chou blanc + huile de noix + graines de sésame
Poulet au citron* + purée de carotte + lentilles
2 tranches d'ananas frais

POULET AU CITRON

Découpez 1 poitrine de poulet en fines lanières. Recouvrez-les du jus de 1 citron, saupoudrez de curcuma, mélangez et placez au frais pendant au moins 10 minutes (1 ou 2 heures c'est mieux). Faites dorer ½ oignon émincé dans une poêle avec un filet d'huile d'olive. Égouttez le poulet et faites-le sauter dans la poêle pendant 5 minutes.

COLLATION

fromage blanc+ abricots au sirop
1 thé ou 1 infusion bonne humeur* (sans sucre)

Si vous en avez assez du basilic, remplacez par une infusion de cannelle.*

INFUSION DE CANNELLE

Jetez 5 g d'écorce de cannelle séchée dans 200 ml d'eau bouillante. Laissez infuser pendant 5 minutes et filtrez.

SOUPER

Poireaux vinaigrette + persil
Brandade de morue + salade verte
6 prunes

La morue, c'est du cabillaud salé, vous pouvez donc la remplacer par du cabillaud… (pas trop) salé.

EXERCICES

C'est la fin de semaine: tout le monde à la piscine. Dehors c'est mieux: si vous êtes au bord de la mer, marchez le long de la plage

dans l'eau jusqu'aux mollets ; à la montagne, une petite randonnée ; à la campagne, une longue marche.
Exercices respiratoires 1, 2, 3 et 4 autant de fois que vous pouvez dans la journée (p. 169, 175, 179, 181).

Aérez la maison au moins ¼ d'heure.

BAIN

Bain hyperthermique à la bergamote et au basilic. Diluez 5 gouttes d'huile essentielle de bergamote et 5 gouttes d'huile essentielle de basilic dans 1 bouchon de base pour bain et versez dans l'eau.

COUCHER

1 tisane bon sommeil* (voir p. 146)

RÉFLEXO

Stimulez les points « poumons » et « plexus solaire » à n'importe quel moment de la journée.

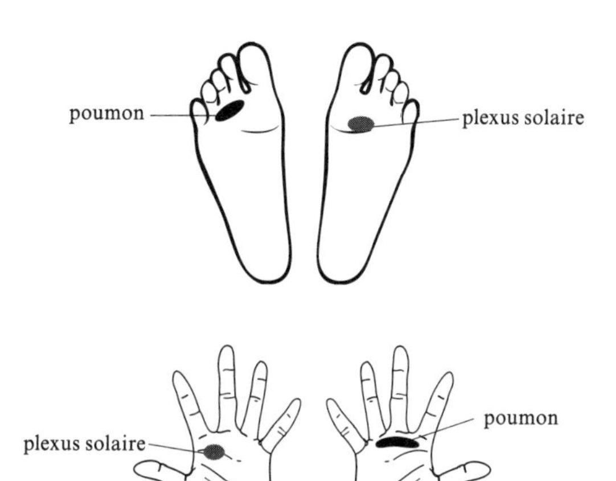

Avez-vous remarqué que lorsque vous commencez un régime, la première chose que vous perdez, c'est votre bonne humeur?

Anonyme

DIMANCHE

Bravo! Vous pouvez être fier de vous! Cette semaine n'a pas pu, à elle seule, venir à bout d'un déséquilibre acido-basique installé, mais elle a de quoi vous redonner le sourire: vous savez quoi faire pour le combattre au quotidien. Vous méritez d'être récompensé... Refaites le test (p. 12), comptabilisez tous les mauvais gestes acidifiants auxquels vous avez échappé et que vous allez chasser définitivement de votre vie.

Lever

1 grand verre d'eau minérale, comme la Courmayeur

Aérez la maison en grand toute la matinée si la météo le permet.

Déjeuner

Thé (sans sucre)
1 bol de fraises
1 bol de céréales complètes + lait de soja

Passez les fraises rapidement sous l'eau avant de les équeuter. D'une manière générale, ne laissez pas tremper les fruits et légumes dans l'eau, ils y perdent leurs minéraux.

Douche

Avant la douche, procédez à votre massage au gant de crin sur peau sèche.

Collation

Smoothie aux légumes antiblues* (voir p. 169)

Dîner

Salade de champignons + échalote + huile d'olive, sel et poivre
Plateau de fruits de mer
Banane + cannelle + amandes

Insistez sur les bulots, gorgés de magnésium. Mais pas sur la mayo!

Collation

2 carrés de chocolat
1 thé ou 1 infusion bonne humeur* sans sucre

Ne vous privez pas (trop) de chocolat noir, il a un effet apaisant et relaxant sur le système neuromusculaire.

Souper

Mâche + betterave + ½ avocat + jus de ½ citron
Moules à l'estragon* + riz basmati
½ mangue

MOULES À L'ESTRAGON

Faites revenir 1 échalote émincée avec 1 c. à soupe d'huile d'olive dans un faitout. Ajoutez 50 ml de vin blanc sec et 1 c. à soupe d'estragon ciselé. Versez 500 g de moules de bouchot nettoyées, poivrez, couvrez et laissez cuire 5 minutes en remuant souvent. Quand les coquilles sont ouvertes, sortez les moules à l'aide d'une écumoire, filtrez le jus, versez-le sur les moules et parsemez de 1 c. à soupe d'estragon ciselé.

Exercice

C'est dimanche, allez courir dans les feuilles mortes, marcher au bord du lac, traînez la petite famille jusqu'au petit bois voisin, redécouvrez votre ville, partez au vide-greniers à vélo… bougez!

Exercices respiratoires 1, 2, 3 et 4 autant de fois que vous pouvez dans la journée.

Aérez la maison au moins ¼ d'heure.

 BAIN

Bain hyperthermique à la lavande. Diluez 8 gouttes d'huile essentielle de lavande dans 1 bouchon de base pour bain et versez dans l'eau.

 COUCHER

1 tisane bon sommeil* (voir p. 146)

 RÉFLEXO

Stimulez les points «reins» et «plexus solaire» à n'importe quel moment de la journée.

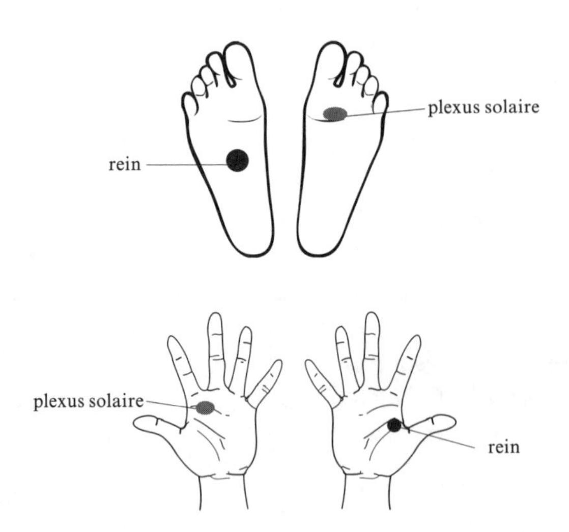

PROGRAMME
MINCEUR COUPE-FAIM/ ANTIFRINGALES
1 SEMAINE POUR ÉLIMINER LES KILOS SUPERFLUS

Bienvenue dans notre programme minceur ! Cette semaine que nous allons passer ensemble réunit tous les ingrédients pour réussir une double mission :

1. *neutraliser au maximum le travail de sape des aliments acidifiants* en les équilibrant avec les aliments alcalinisants ;

2. *s'attaquer à ce surplus graisseux qui vous gêne aux entournures.*

Le « régime » acido-basique est parfait pour ça, car il n'interdit (presque) aucun aliment, du coup, pas de frustration ni de privation : ici, ce sont les combinaisons entre les aliments qui travaillent pour vous ! La recette est simple : des brassées de légumes et d'herbes aromatiques (à volonté), des bouquets de crevettes et autres produits de la mer (avec modération), des infusions, de la viande (avec parcimonie), mais aussi des petits exercices pour s'aérer, transpirer… et des astuces brûle-graisses comme s'il en pleuvait !

Vos menus de la semaine d'un coup d'œil

LUNDI

- Café, toasts nordiques.
- Asperges vinaigrette, risotto aux crevettes, yogourt au sirop d'érable.
- Velouté de champignons, sushis + salade de chou, salade d'orange à la cannelle.

MARDI

- Thé vert, flocons d'avoine, orange pressée.
- Salade de soja champignons, aiguillettes de canard haricots blancs, salade d'orange.
- Soupe aux fanes de radis, pâtes complètes épinards, yogourt à l'ananas frais.

MERCREDI

- Thé vert, pamplemousse, gruau à la cannelle.
- Radis à la croque au poivre, émincé de dinde aux légumes et riz basmati, flan à la poire.
- Pâtes aux fèves, compote de pomme.

JEUDI

- Thé vert, flocons d'avoine, ananas frais.
- Salade d'endives à la pomme et aux noix, artichauts poivrades à la tomate, yogourt au sirop d'érable, clémentines.
- Velouté d'asperges, steak de polenta, compote de rhubarbe.

VENDREDI

- Thé vert, gruau à la cannelle, orange.
- Grosse salade de poulet mariné, fromage frais, kiwis.
- Soupe express de légumes, tartare de saumon salade verte, pomme au four à la cannelle.

SAMEDI

- Thé vert, tartines beurrées, ½ pamplemousse + ½ orange pressée.
- Tartare d'algues, riz aux fruits de mer, pastèque.
- Soupe de carotte express, saumon fumé aux haricots blancs, salade de fraises à la menthe.

DIMANCHE

- Thé vert, œuf coque au gingembre, pain complet.
- Salade de lentilles, huîtres, salade de melon.
- Salade de fenouil à l'orange, pavé de colin fondue de poireau, pomme à la noix de coco.

Votre liste de courses à photocopier pour ne rien oublier !

Tous nos menus sont conçus pour 1 personne. Les plats suivis d'un astérisque renvoient à une recette de ce livre.

Épicerie
- ❑ Agar-agar
- ❑ Bouillon de légumes
- ❑ Café
- ❑ Cannelle
- ❑ Champignons
- ❑ Chocolat noir
- ❑ Contrex (eau minérale)
- ❑ Cumin
- ❑ Eau de fleur d'oranger
- ❑ Flocons d'avoine
- ❑ Fruits secs
- ❑ Graines de sésame
- ❑ Haricots blancs
- ❑ Huile d'olive
- ❑ Huile de sésame
- ❑ Lentilles
- ❑ Macédoine de légumes
- ❑ Miel
- ❑ Nectar de poire
- ❑ Noix
- ❑ Noix de coco râpée
- ❑ Œufs bio
- ❑ Pâtes complètes
- ❑ Polenta précuite
- ❑ Raifort
- ❑ Riz basmati complet
- ❑ Riz rond
- ❑ Sauce soja
- ❑ Sirop d'érable
- ❑ Sucre roux
- ❑ Tabasco
- ❑ Thé vert
- ❑ Vichy Saint-Yorre
- ❑ Vinaigre
- ❑ Vinaigre de cidre

Rayon bio (si possible)
- ❑ Huile essentielle de citron
- ❑ Huile essentielle de gingembre
- ❑ Huile essentielle de mélisse
- ❑ Lait de soja
- ❑ Reine-des-prés infusion

Frais
- ❑ Compote de pomme
- ❑ Compote de rhubarbe
- ❑ Crème liquide allégée
- ❑ Ricotta
- ❑ Saint-Môret
- ❑ Yogourt

Poissonnerie (surgelé ou frais)
- ❑ Colin
- ❑ Crevettes cuites
- ❑ Huîtres
- ❑ Saumon
- ❑ Saumon fumé
- ❑ Sushis
- ❑ Tartare d'algues

Viande
- ❑ Aiguillettes de canard
- ❑ Poitrine de dinde
- ❑ Poitrine de poulet

Légumes
- ❑ Ail
- ❑ Aneth
- ❑ Artichauts poivrades
- ❑ Asperges
- ❑ Aubergine
- ❑ Bulbe de fenouil
- ❑ Carottes
- ❑ Champignons
- ❑ Chou blanc
- ❑ Ciboulette
- ❑ Concombres
- ❑ Échalotes
- ❑ Endives
- ❑ Menthe
- ❑ Oignons
- ❑ Oignons nouveaux
- ❑ Persil
- ❑ Petits pois
- ❑ Piment
- ❑ Poireaux
- ❑ Pomme de terre
- ❑ Pousses de soja
- ❑ Radis roses
- ❑ Roquette
- ❑ Salade verte
- ❑ Tomates

Fruits
- ❑ Ananas
- ❑ Banane
- ❑ Citrons
- ❑ Citron vert
- ❑ Clémentines
- ❑ Fraises
- ❑ Melon (ou billes surgelées)
- ❑ Oranges
- ❑ Pamplemousses
- ❑ Pastèque
- ❑ Pommes
- ❑ Poires

Surgelés
- ❑ Billes de melon (ou melon frais en saison)
- ❑ Fèves pelées
- ❑ Mélange de fruits de mer

Pensez au pain !
- ❑ Pain complet
- ❑ Pain de seigle

Si vous voulez perdre 10 kg en un jour sans exercice et sans régime, faites-vous couper une jambe.
Philippe Geluck

LUNDI

C'est le grand jour : vous avez fait une razzia au rayon légumes et vous voilà d'attaque pour entamer cette semaine brûle-graisses. Vous allez vous régaler !

Lever

1 grand verre d'eau minérale, comme la Contrex + 1 filet de citron

De l'air, de l'air, ouvrez toutes les fenêtres au moins ¼ d'heure.

Déjeuner

Café (sans sucre)
2 toasts nordiques*

TOASTS NORDIQUES

Tartinez 2 petites tranches de pain de seigle toastées avec de la ricotta. Ajoutez ½ tranche de saumon fumé sur chaque tartine. Recouvrez avec quelques rondelles de concombre, puis d'œuf dur. Parsemez d'aneth frais ciselé.

Astuce brûle-graisses : un petit café (sans sucre !) avant le sport. La caféine aide le calcium à pénétrer dans les cellules musculaires pour un travail plus efficace et qui déloge les « vieilles » graisses.

EXERCICE

Coude-genou croisé. Assis sur une chaise près du bord, pieds à plat au sol. En inspirant, levez les bras à la hauteur des épaules, les coudes formant un angle droit, les mains vers le haut et les paumes vers l'avant. Expirez tout en amenant votre genou gauche vers votre coude droit et en contractant le ventre. Gardez la position en bloquant la respiration pendant 3 secondes. Revenez à la position initiale en inspirant. Répétez le mouvement en changeant de côté. Faites une série de 10.

Vous pouvez faire cet exercice au bureau.

DOUCHE

Juste avant de prendre votre douche, enfilez le gant de crin et faites des petits mouvements circulaires sur peau sèche en partant des chevilles et en remontant vers le cœur. On nous l'a dit et redit, c'est la répétition de l'exercice qui donne les meilleurs résultats : ne vous escrimez par le premier jour.

COLLATION

Smoothie aux légumes petit poids*

SMOOTHIE AUX LÉGUMES PETIT POIDS

Épluchez et épépinez ½ concombre. Faites cuire 50 g de petits pois (frais ou surgelés) 10 minutes à la vapeur. Rincez et effeuillez 1 branche de menthe, mettez tous les ingrédients dans le mélangeur avec 100 ml de lait de soja, du sel et du poivre et mixez jusqu'à obtention d'une consistance lisse.

DÎNER

Asperges + vinaigrette
Risotto aux crevettes*
Yogourt + sirop d'érable

> **RISOTTO AUX CREVETTES**
> Faites revenir 1 petite échalote avec un filet d'huile d'olive dans une poêle. Versez 80 g de riz rond et faites-le revenir jusqu'à ce qu'il devienne transparent. Ajouter petit à petit 300 ml de bouillon de légumes, en remuant sans cesse. Quand le riz est cuit, incorporez 80 g de crevettes cuites et décortiquées et parsemez de graines de sésame.

COLLATION

1 thé vert
1 banane

SOUPER

Velouté de champignons*
8 sushis + chou blanc râpé
Salade d'orange à la cannelle

> **VELOUTÉ DE CHAMPIGNONS**
> Faites revenir 1 oignon dans un filet d'huile d'olive. Ajoutez une petite conserve de champignons égouttés et recouvrez de bouillon de légumes. Laissez cuire 10 minutes. Mixez et parsemez de graines de sésame.

Aérez la maison au moins ¼ d'heure.

 EXERCICE RESPIRATOIRE

Exercice 1 (voir p. 169).

 COUCHER

1 tisane minceur*

 TISANE MINCEUR

Jetez 1 c. à soupe de reine-des-prés dans une tasse d'eau bouillante. Laissez infuser 10 minutes. Filtrez. Ajoutez 1 goutte d'huile essentielle de citron diluée dans 8 gouttes de labrafil*.

* Le labrafil est un dispersant qui permet de mélanger les huiles essentielles à la tisane. En vente en pharmacie.

 RÉFLEXO

Stimulez les points «reins» et «système lymphatique» à n'importe quel moment de la journée.

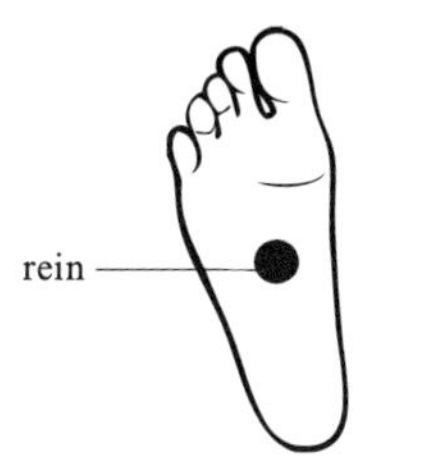

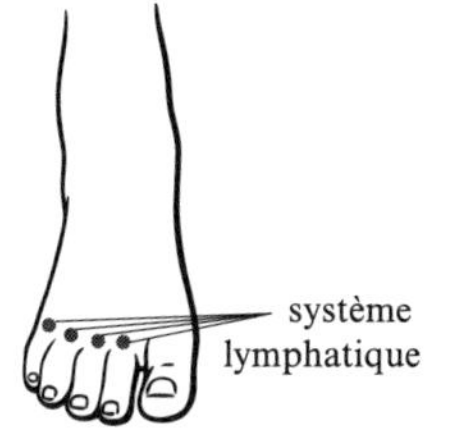

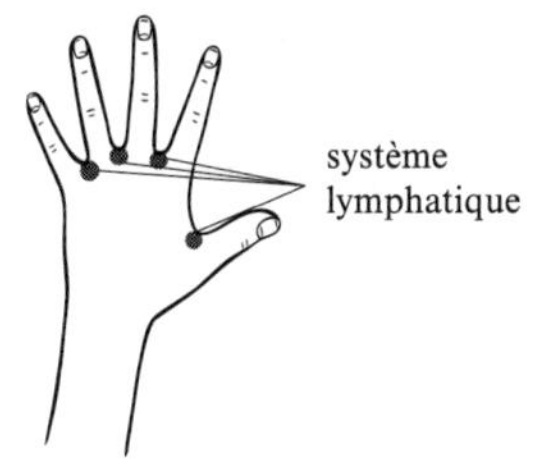

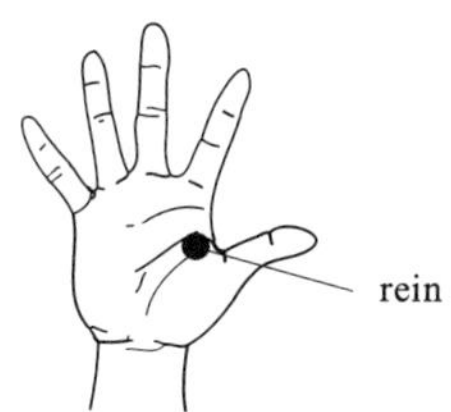

Je me suis mis au régime : en quatorze jours,
j'ai perdu deux semaines.
Joe Lewis

MARDI

On garde la tête dans le guidon, la première étape est derrière vous et ce n'était pas l'ascension du mont Everest… Mais la course pour un équilibre acido-basique demande de l'endurance, accrochez-vous, c'est vous qui allez gagner à la fin !

Lever

1 grand verre d'eau minérale, comme la Contrex + filet de citron

Offrez un grand bol d'air à votre maison : ouvrez toutes les fenêtres au moins ¼ d'heure.

Déjeuner

Thé vert (sans sucre)
1 bol de flocons d'avoine + lait écrémé ou de soja
1 orange pressée

Ultrariche en fibres solubles, l'avoine fait partie des meilleurs aliments coupe-faim.

Collation

Smoothie aux légumes petit poids* (voir p. 193)

Dîner

Salade de soja + champignons + huile d'olive + vinaigre + raifort
Aiguillettes de canard + haricots blancs (en conserve)
Salade d'orange*

SALADE ORANGE

Détaillez 1 orange en fines tranches. Saupoudrez de cannelle, arrosez de 1 c. à soupe d'eau de fleur d'oranger et parsemez de quelques éclats de noix.

COLLATION

1 boisson magique*

BOISSON MAGIQUE

Versez 1 c. à thé de poudre d'agar-agar dans 200 ml de thé vert et laissez frémir 1 minute. Ajoutez 1 goutte d'huile essentielle de citron. Buvez sans attendre que la boisson refroidisse, car une fois tiédie, elle va se gélifier sous l'action de l'agar-agar.

EXERCICE RESPIRATOIRE

Exercice 2. Debout, les pieds joints, bras le long du corps, inspirez profondément en gonflant le ventre; rentrez-le sur l'expiration. Bloquez votre souffle trois secondes, puis recommencez le cycle inspiration-expiration-blocage dix fois de suite.

SOUPER

Soupe aux fanes de radis*
Pâtes complètes + épinards
Yogourt nature ananas frais

SOUPE AUX FANES DE RADIS

Lavez les fanes d'une botte de radis. Pelez 1 pomme de terre et coupez-la en morceaux. Épluchez 1 oignon nouveau. Versez 1 c. à soupe d'huile d'olive dans une casserole, faites-y revenir l'oignon et la pomme de terre pendant 3 minutes. Ajoutez les fanes de radis puis couvrez de 500 ml d'eau. Salez, poivrez. Au premier bouillon, baissez le feu, couvrez et poursuivez la cuisson pendant 30 minutes. Mixez le tout et ajoutez le jus de ½ citron.

Quant aux radis, vous les mangerez demain midi.

Aérez la maison au moins ¼ d'heure.

MASSAGE ANTICELLULITE

Mélangez 1 goutte d'huile essentielle de genévrier avec 9 gouttes d'HV de noisette. Appliquez en massage énergique sur les zones à traiter.

COUCHER

1 tisane minceur* (voir p. 195)

RÉFLEXO

Stimulez les points «foie» et «système lymphatique» à n'importe quel moment de la journée.

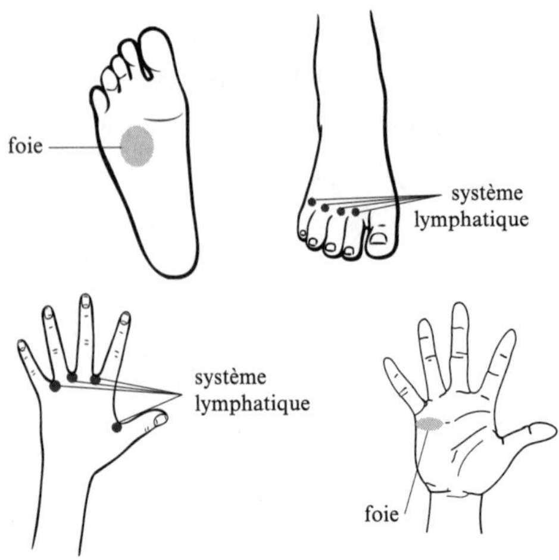

Quand j'ai bien faim et que je mange,
je ressens autant de plaisir qu'à gratter ce qui me démange.
Paul Scarron

MERCREDI

Vous êtes à fond, bravo! Vous sentez déjà que quelque chose se passe en vous? Vous vous sentez plus léger, mieux dans votre tête? Vous tenez le bon bout! Fort de ces deux premiers jours, faites des ajustements d'organisation, si besoin (le smoothie vert dans un thermos, pour les travailleurs, c'est un doudou à traîner partout dans son sac). Motivé, motivé!

LEVER

1 café

Aérez la maison en grand au moins ¼ d'heure.

EXERCICE

Lever de genoux. Assis sur le bord d'une chaise pieds à plat au sol. Saisissez les bords de la chaise au niveau de vos fesses. Inspirez profondément puis amenez les genoux vers la poitrine en expirant. Vous pouvez vous incliner en arrière si besoin, mais avec le dos bien droit. Gardez la position en bloquant la respiration pendant 3 secondes. Revenez à la position initiale en inspirant. Faites une série de 10.

DÉJEUNER

Thé vert (sans sucre)
½ pamplemousse
1 bol de gruau à la cannelle*

GRUAU À LA CANNELLE

Dans une petite casserole, faites chauffer 200 ml de lait de soja. Versez en pluie 3 c. à soupe de flocons d'avoine et laissez cuire 2 minutes jusqu'à épaississement de la préparation. Hors du feu ajoutez 1 c. à soupe de sucre roux et 1 c. à thé de cannelle.

Pas fan du thé vert? Dommage, il renferme des polyphénols qui, d'après une étude de l'Université de Genève, brûleraient 4 % de graisses en plus!

Collation

Smoothie aux légumes petit poids* (voir p. 193)

Vive le petit pois! Pauvre en graisses et en calories, mais riche en sucres «lents» et en fibres, c'est le légume qui possède l'index de satiété le plus élevé: une fois avalé ce smoothie aux légumes, aucun risque de fringale jusqu'au déjeuner.

Dîner

Radis à la croque au poivre
Émincé de dinde, tomate, aubergine, piment, riz basmati
Flan à la poire*

FLAN À LA POIRE

Dans une casserole, délayez 1 g d'agar-agar dans 250 ml de nectar de poire. Portez à ébullition puis laissez cuire à feu doux pendant 1 minute sans cesser de mélanger. Versez dans une coupe et placez 2 heures au réfrigérateur.

Collation

1 pomme
1 thé vert (sans sucre)

Souper

Pâtes complètes + fèves + roquette + huile d'olive
Compote de pomme

Aérez la maison au moins ¼ d'heure.

Bain

Bain hyperthermique au bois de cèdre. Diluez 20 gouttes d'huile essentielle de bois de cèdre dans 1 bouchon de base pour bain et versez dans l'eau. Attention : cette huile essentielle est interdite aux femmes enceintes ou allaitantes.

Coucher

1 tisane minceur* (voir p. 195)

Idéale pour déstocker pendant votre sommeil, elle est aussi parfaite à siroter toute la journée !

Réflexo

Stimulez les points « côlon » et « système lymphatique » à n'importe quel moment de la journée.

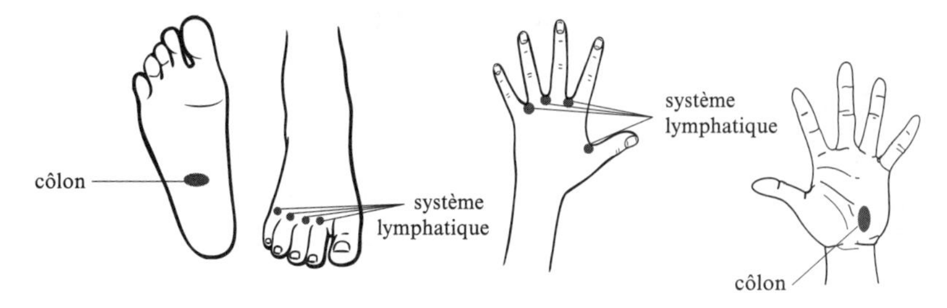

C'est curieux, cette habitude qu'ont les hommes de rentrer le ventre quand ils se pèsent. À moins que ce soit pour voir la balance…

Michel Galabru

JEUDI

Journée végétarienne. Ça fait déjà trois jours que vous vous êtes lancé à la recherche de votre équilibre acido-basique tout en travaillant à retrouver la ligne, votre organisme est prêt à attaquer une journée végétarienne.

Lever

1 grand verre d'eau minérale, comme la Contrex + 1 filet de jus de citron

Au diable les frileux, aérez la maison au moins ¼ d'heure!

Déjeuner

Thé vert

1 bol de flocons d'avoine + lait écrémé ou de soja

2 tranches d'ananas frais

L'ananas diminue la sensation de faim et recèle de la broméla ïne, une enzyme brûle-graisses. Cerise sur l'ananas, il draine et est anti-rétention d'eau.

Collation

Smoothie aux légumes petits poids* (voir p. 193)

Dîner

Salade d'endives + noix + ¼ de pomme

3 artichauts poivrades, tomate, ½ oignon, piment, ail, persil

1 yogourt + 1 c. à thé de sirop d'érable

2 clémentines

Buvez du petit-lait. Ne jetez pas le liquide qui surnage à la surface des yogourts, c'est du lactosérum. Il contient de nombreuses vitamines, des minéraux, du calcium et des protéines intéressantes.

Exercice

Coude-genou croisé (p. 193).

Collation

1 boisson magique* (voir p. 197)

Souper

Velouté d'asperges (voir p. 194 recette "velouté de champignons", en les remplaçant par 1 petite conserve d'asperges)
Steak de polenta*
Compote de rhubarbe

> **STEAK DE POLENTA**
>
> Portez à ébullition 250 ml de bouillon de légumes puis versez 100 g de polenta précuite. Remuez sans cesse jusqu'à épaississement de la polenta. Étalez-la sur 1 cm de hauteur, à la spatule sur une plaque, lissez-la bien et parsemez-la de graines de sésame. Laissez refroidir pendant 1 heure puis découpez la pâte en carrés. Faites-les dorer avec ½ c. à soupe d'huile d'olive dans une poêle bien chaude 2 minutes de chaque côté.

Exercice respiratoire

Exercice 3 (voir p. 179).

Aérez la maison au moins ¼ d'heure.

Massage anticellulite

Mélangez 1 goutte d'HE de genévrier avec 9 gouttes d'HV de noisette. Appliquez en massage énergique sur les zones à traiter.

COUCHER
1 tisane minceur* (voir p. 195)

RÉFLEXO
Stimulez les points «foie» et «système lymphatique» à n'importe quel moment de la journée.

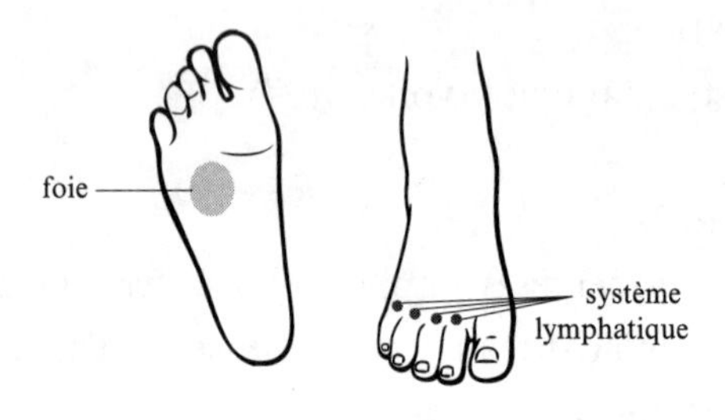

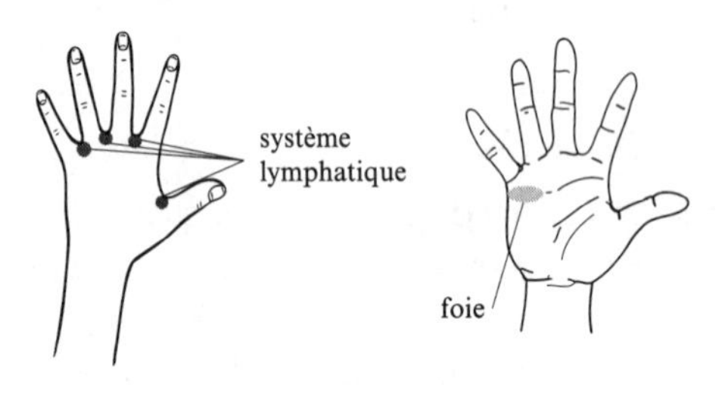

Le régime basses calories, ça leur naufrage le mental.
Si tu bannis la tortore de la vie, il te reste quoi?
San Antonio

VENDREDI

Déjà vendredi, chapeau, vous jouez le jeu! Peut-être même commencez-vous à avoir des réflexes acido-basiques comme un petit exercice respiratoire en attendant le bus, aérer la maison contre vents et marées…? Vous avez aussi l'impression de passer un peu votre vie aux toilettes, avec tous ces aliments magiques pour éliminer? C'est pour la bonne cause!

Lever

1 grand verre d'eau minérale, comme la Contrex + 1 filet de jus de citron

Aérez la maison au moins ¼ d'heure.

Déjeuner

Thé vert (sans sucre)
Gruau à la cannelle* (voir p. 200)
1 orange

Douche

Mission gant de crin, si vous l'acceptez.

Collation

Smoothie aux légumes petit poids* (voir p. 193)

Mettez quelques gouttes de Tabasco dans votre smoothie: il augmente de 25% le métabolisme de base dans les heures qui suivent le repas. Traduction: vous brûlerez plus de graisses.

Dîner

Salade de poulet mariné*

1 fromage frais

2 kiwis

> **SALADE DE POULET MARINÉ**
>
> Arrosez 1 poitrine de poulet du jus de ½ citron vert, 1 c. à soupe d'huile de sésame et 1 c. à thé de sauce soja. Placez au frais pendant 2 heures. Faites dorer le poulet dans une poêle avec un peu de marinade, 2 minutes de chaque côté. Coupez-le en lanières. Déposez-les dans un saladier avec 100 g de pousses de soja, les segments de ½ pamplemousse, 3 champignons émincés, 5 tiges de ciboulette ciselées et arrosez du jus de ½ orange.

Filmez l'autre moitié du pamplemousse et de l'orange jusqu'à demain matin.

Collation

5 noix

1 citronnade* (voir p. 157)

Pause huile essentielle : respirez à même le flacon de menthe poivrée, ses propriétés antigrignotage sont prouvées.

Souper

Soupe express de légumes*

Tartare de saumon + jus de ½ citron vert + salade verte

1 poire au four + cannelle

SOUPE EXPRESS DE LÉGUMES

Égouttez 1 petite conserve de macédoine de légumes. Versez-la dans une casserole contenant 150 ml d'eau bouillante. Laissez reprendre l'ébullition. Ajoutez 2 c. à soupe de crème liquide allégée, poivrez et mixez.

Exercice respiratoire

Exercice 4 (p. 181).

Aérez la maison au moins ¼ d'heure.

Coucher

1 tisane minceur* (voir p. 195)

Réflexo

Stimulez les points «reins» et «système lymphatique» à n'importe quel moment de la journée.

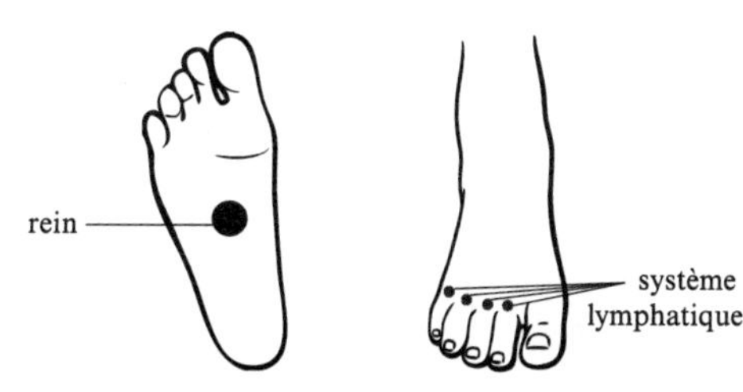

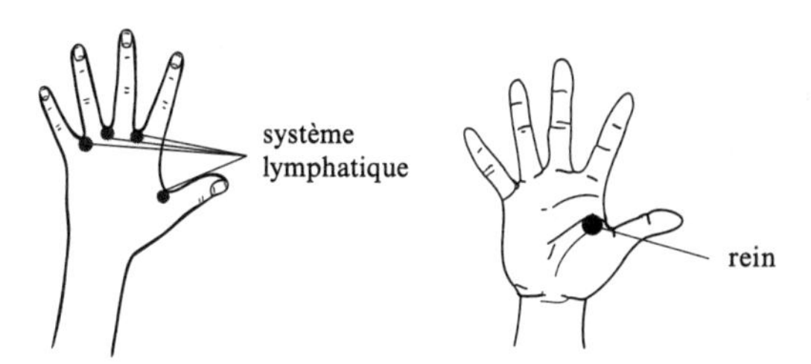

Les écureuils, dit-on, amassent leur nourriture dans des cachettes qu'ensuite ils ne savent plus retrouver. Un tel oubli me semble lumineux et mystérieusement sage.

Christian Bobin

SAMEDI

Déjà la fin de semaine, ne baissez pas la garde! Premier test: enfilez votre maillot de bain en prévision de la séance de piscine programmée pour constater vos progrès… Deuxième test: retournez en page 12 et comptabilisez tous les mauvais gestes acidifiants auxquels vous avez tordu le cou durant cette semaine.

LEVER

1 grand verre d'eau minérale, comme la Contrex + 1 filet de jus de citron

Aérez la maison au moins ¼ d'heure. Si c'est jour de ménage, faites-le toutes fenêtres ouvertes.

DÉJEUNER

Thé vert (sans sucre)
3 tranches de pain complet + beurre
½ pamplemousse et ½ orange pressés

COLLATION

Smoothie aux légumes petit poids* (voir p. 193)

DÎNER

Tartare d'algues
Riz aux fruits de mer*
1 tranche de pastèque

RIZ AUX FRUITS DE MER

Décongelez 100 g de mélange de fruits de mer surgelés. Chauffez ½ c. à thé d'huile d'olive dans une poêle et mettez ½ oignon pelé à blondir pendant 3 minutes. Ajoutez les fruits de mer et poivrez. Laissez cuire à feu doux jusqu'à évaporation du liquide en remuant souvent. Faites cuire 50 g de riz basmati dans une casserole d'eau à peine salée pendant 15 minutes puis rincez-le sous l'eau froide. Mélangez le riz et les fruits de mer, parsemez de persil ciselé. Préparez une vinaigrette avec ½ c. à soupe d'huile et 1 c. à soupe de vinaigre de cidre.

COLLATION

1 poignée de fruits secs

1 thé vert

Si vous avez très faim, remplacez le thé par une boisson magique (p. 197).

SOUPER

Soupe de carotte express*

Saumon fumé aux haricots blancs*

Salade de fraises + filet de citron + menthe ciselée

SOUPE DE CAROTTE EXPRESS

Pelez 3 carottes et détaillez-les en tronçons. Mettez-les à cuire dans ½ litre d'eau de Vichy poivrée pendant 20 minutes à feu doux. Mixez avec une portion de Saint-Môret et 1 pincée de cumin.

SAUMON FUMÉ AUX HARICOTS BLANCS

Égouttez 1 petite conserve de haricots blancs. Ajoutez 2 tranches de saumon fumé coupé en lanières. Arrosez d'un filet d'huile d'olive et poivrez. Saupoudrez de ½ c. à thé de cumin en poudre et parsemez de ciboulette.

Exercice

C'est la fin de semaine : tout le monde à la piscine + exercices respiratoires 1, 2, 3 et 4 (p. 169, 197, 179, 181)

Aérez la maison au moins ¼ d'heure.

Bain

Bain hyperthermique au cyprès. Diluez 20 gouttes d'huile essentielle de cyprès dans 1 bouchon de base pour bain et versez dans l'eau.

Coucher

1 tisane minceur* (voir p. 195)

Réflexo

Stimulez les points « côlon » et « système lymphatique » à n'importe quel moment de la journée.

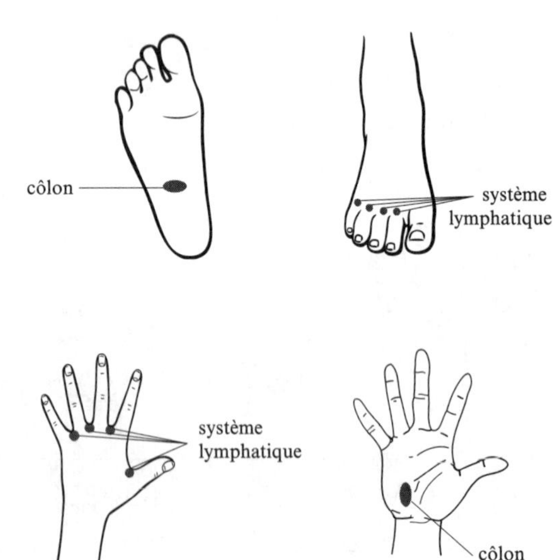

Un repas qui commence par un bouillon, épargne les prescriptions.

Proverbe chinois

DIMANCHE

Ce dernier jour de figures imposées est placé sous le signe des embruns : huîtres et poisson au menu. C'est aujourd'hui aussi que vous allez décider de continuer de jouer ou pas en deuxième semaine. Épatez-vous ! Prenez les choses en main en vous inspirant de nos menus (p. 104 à 115) et faites de votre vie un modèle d'équilibre acido-basique !

Lever

1 grand verre d'eau minérale, comme la Contrex + 1 filet de jus de citron

Aérez la maison au moins ¼ d'heure.

Déjeuner

Thé vert (sans sucre)
1 œuf coque au gingembre*
2 tranches de pain complet

> **ŒUF COQUE AU GINGEMBRE**
> Plongez un œuf 3 minutes dans l'eau bouillante. Placez-le dans un coquetier, décalottez-le et versez dedans 1 goutte d'huile essentielle de gingembre. Mélangez à la petite cuillère et dégustez.

Le jaune d'œuf favorise la production naturelle de testostérone et d'hormone de croissance, un cocktail parfait pour plus de muscles, mais moins de graisses !

Douche

Friction gant de crin sur peau sèche avant la douche. Hop !

Collation

Smoothie aux légumes petit poids* (voir p. 193)

Dîner

Salade de lentilles + échalote + persil

12 huîtres

Salade de melon*

> **SALADE DE MELON**
>
> Faites décongeler 5 c. à soupe de billes de melon surgelées (en saison, bien sûr, melon frais !). Arrosez du jus de ½ citron. Diluez 1 goutte d'huile essentielle de mélisse dans 1 c. à thé de miel et versez sur le melon. Parsemez de feuilles de menthe ciselées.

Exercices

C'est dimanche, allez courir dans les feuilles mortes, marcher au bord du lac, traînez la petite famille jusqu'au petit bois voisin, redécouvrez votre ville, partez au vide-greniers à vélo… bougez! Exercices respiratoires 1, 2, 3 et 4 (p. 169, 197, 179, 181) autant de fois que vous pouvez dans la journée.

Collation

2 carrés de chocolat

1 boisson magique* (voir p. 197)

Souper

Salade de fenouil + jus d'orange

Pavé de colin fondue de poireau*

Pomme râpée parsemée de noix de coco

 PAVÉ DE COLIN À LA FONDUE DE POIREAU

Épluchez et lavez consciencieusement 3 petits poireaux. Détaillez-les en tronçons. Versez ½ c. à soupe d'huile d'olive dans une sauteuse et quand elle est bien chaude, versez-y les poireaux. Mélangez et laissez-les fondre à feu doux pendant 5 minutes. Ajoutez 1 petit verre d'eau, salez, poivrez et poursuivez la cuisson à feu doux pendant 20 minutes en remuant de temps en temps. Déposez 1 pavé de colin de 100 g environ sur les poireaux, couvrez et laissez cuire 15 minutes en retournant le poisson à mi-cuisson.

Aérez la maison au moins ¼ d'heure.

 BAIN

Bain hyperthermique au pamplemousse. Diluez 10 gouttes d'huile essentielle de pamplemousse dans 1 bouchon de base pour bain et versez dans l'eau. Attention : l'huile essentielle de pamplemousse est photosensibilisante. Si vous décidez de prendre votre bain le matin : privé de soleil !

 COUCHER

1 tisane minceur* (voir p. 195).

 RÉFLEXO

Stimulez les points « poumons » et « système lymphatique » à n'importe quel moment de la journée.

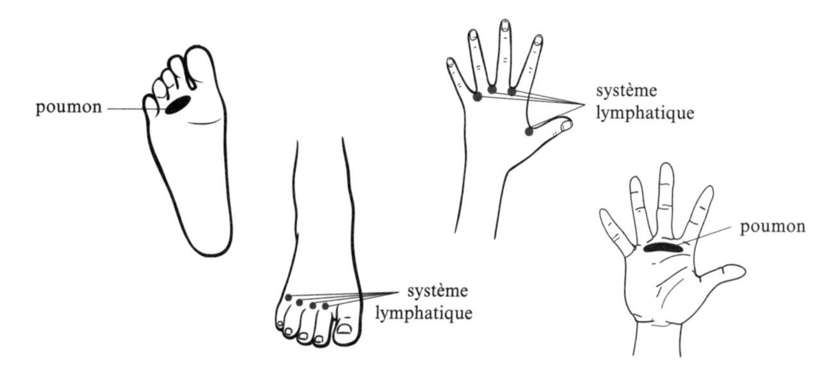

PROGRAMME
CONFORT ARTICULAIRE
1 SEMAINE POUR LIBÉRER SES MOUVEMENTS

Ce programme d'une semaine vous apporte sur un plateau de quoi vous gorger de vitamines et minéraux amis du cartilage et des tendons, d'oméga-3 (anti-inflamatoires), de bons sucres, le tout accommodé en repas légers. Un cocktail antirouille et antidouleurs qui, en plus, vous aidera à contrôler votre poids et, par voie de conséquence, soulagera vos articulations. Heureuse coïncidence, protéger ses articulations de l'excès d'acidité passe aussi par des petits gestes de tous les jours comme les exercices respiratoires et physiques, les massages et les bains, à la base de l'équilibre acido-basique : deux problèmes, une solution !

Vos menus de la semaine d'un coup d'œil

LUNDI

- Thé, muesli vitaminé.
- Salade avocat pamplemousse, boudin noir aux deux purées, salade de fruits frais.
- Crème de céleri, pâtes complètes au saumon fumé, banane.

MARDI

- Thé, muesli vitaminé.
- Salade orange fenouil, rôti de porc bettes à carde et blé, kiwis.
- Pavé de cabillaud, carottes à la coriandre et riz basmati, sorbet cassis.

MERCREDI

- Thé, muesli vitaminé.
- Concombre à l'aneth, steak haricots verts et blancs, clémentines.
- Soupe de courgette à la coriandre, tagliatelles au pesto de noisettes, raisin.

JEUDI

- Thé, muesli vitaminé.
- Salade de pâtes à l'italienne, melon à la menthe.
- Paella végétarienne, sorbet citron.

VENDREDI

- Thé, muesli vitaminé.
- Salade de mâche aux noisettes, foie de veau aux choux de Bruxelles, poire au vin.
- Crème de châtaignes, omelette aux fines herbes, cresson, mangue.

SAMEDI

- Thé, muesli vitaminé.
- Asperges vinaigrette, maquereau en papillote à la tomate, riz complet, fromage blanc au coulis de fruits rouges.
- Gaspacho, risotto au saumon, compote de poire.

DIMANCHE

- Thé, muesli vitaminé.
- Céleri branche à la croque, taboulé, tartare de bœuf, compote de pomme à la cannelle.
- Salade de mâche, cabillaud vinaigrette et pommes de terre rates vapeur, ananas.

Votre liste de courses à photocopier pour ne rien oublier !

Tous nos menus sont conçus pour 1 personne. Les plats suivis d'un astérisque renvoient à une recette de ce livre.

Épicerie
- ❑ Amandes
- ❑ Blé à cuire
- ❑ Bouillon de légumes
- ❑ Bouillon de volaille
- ❑ Boulgour
- ❑ Cannelle (en poudre et en bâton)
- ❑ Câpres
- ❑ Châtaignes sous vide
- ❑ Chocolat noir
- ❑ Clous de girofle
- ❑ Cœurs d'artichauts
- ❑ Courmayeur
- ❑ Curcuma
- ❑ Farfalles
- ❑ Flocons d'avoine
- ❑ Graines de cumin
- ❑ Graines de sésame
- ❑ Haricots blancs
- ❑ Huile d'olive
- ❑ Huile de colza
- ❑ Lait 2 %
- ❑ Miel
- ❑ Moutarde
- ❑ Noisettes
- ❑ Noix
- ❑ Noix de muscade
- ❑ Œufs
- ❑ Paprika
- ❑ Pâtes complètes
- ❑ Pulpe de tomate
- ❑ Raisins secs
- ❑ Riz arborio
- ❑ Riz basmati complet
- ❑ Salvetat (eau minérale)
- ❑ Sucre
- ❑ Tabasco
- ❑ Tagliatelles
- ❑ Tomates confites
- ❑ Vin rouge
- ❑ Vinaigre balsamique
- ❑ Vinaigre de cidre

Rayon bio (si possible)
- ❑ Ginseng (racine)
- ❑ Graines germées d'alfalfa
- ❑ Huile essentielle de cannelle
- ❑ Huile essentielle de petit grain bigaradier
- ❑ Purée d'amande blanche

Frais
- ❑ Compote de poire
- ❑ Compote de pomme
- ❑ Fromage blanc

Poissonnerie (surgelé ou frais)
- ❑ Cabillaud
- ❑ Maquereau
- ❑ Saumon
- ❑ Saumon fumé

Viande
- ❑ Bœuf haché tartare
- ❑ Boudin noir
- ❑ Foie de veau
- ❑ Rôti de porc
- ❑ Steak

Légumes
- ❑ Ail
- ❑ Aneth
- ❑ Asperges
- ❑ Avocat
- ❑ Basilic
- ❑ Bettes à carde
- ❑ Carottes
- ❑ Céleri branche
- ❑ Céleri-rave
- ❑ Choux de Bruxelles
- ❑ Ciboulette
- ❑ Concombre
- ❑ Coriandre
- ❑ Courgettes
- ❑ Cresson
- ❑ Échalotes
- ❑ Estragon
- ❑ Fenouil
- ❑ Gingembre frais
- ❑ Haricots verts
- ❑ Mâche
- ❑ Menthe
- ❑ Mesclun
- ❑ Oignons nouveaux
- ❑ Persil
- ❑ Petits pois
- ❑ Poivron
- ❑ Pommes de terre rates
- ❑ Pommes de terre à purée
- ❑ Pousses d'épinards
- ❑ Romarin
- ❑ Sarriette
- ❑ Thym
- ❑ Tomates

Fruits
- ❑ Abricots
- ❑ Ananas
- ❑ Bananes
- ❑ Citrons
- ❑ Clémentines
- ❑ Kiwis
- ❑ Mangue
- ❑ Melon
- ❑ Oranges
- ❑ Pamplemousses
- ❑ Poires
- ❑ Pommes
- ❑ Raisin

Surgelés
- ❑ Cassis
- ❑ Coulis de fruits rouges
- ❑ Sorbet cassis
- ❑ Sorbet citron

Pensez au pain !
- ❑ Pain complet

L'existence, ramenée à elle-même, représente peu de chose : le souffle d'un désir matérialisé, un rêve d'éternité sitôt brisé par les rhumatismes et le tiers provisionnel.

Bruno Tessarech

LUNDI

La chasse aux raideurs est ouverte, ce premier jour va remplir votre musette de minéraux, de vitamines, de végétaux à indice glycémique bas (sucres « lents ») et riches en chlorophylle. Mais aussi de gingembre anti-inflammatoire, pour piquer votre vitalité au vif, de ginseng en infusion pour stimuler la plupart de vos systèmes corporels, d'un peu de gymnastique... de quoi dynamiter les grains de sable qui encombrent vos rouages.

Lever

1 grand verre d'eau minérale, comme la Courmayeur + 1 filet de citron

De l'air, de l'air, ouvrez toutes les fenêtres au moins ¼ d'heure.
Respirez à même le flacon d'huile essentielle de petit grain bigaradier.

Déjeuner

1 thé
Muesli vitaminé

MUESLI VITAMINÉ POUR TOUTE LA SEMAINE

Mélangez 12 c. à soupe de flocons d'avoine, 200 g de raisins secs, 12 noix et 12 amandes finement hachées. Ajoutez une poignée de noisettes. Au moment de déguster, arrosez du jus d'une orange et ajoutez 3 c. à soupe de cassis (frais ou surgelé).

Douche

Juste avant de prendre votre douche, enfilez le gant de crin et frictionnez-vous avec douceur, des pieds à la tête. Les plus courageux termineront leur douche par un jet d'eau bien fraîche, au moins sur les jambes.

Collation

Smoothie aux légumes antirouille*

> **SMOOTHIE AUX LÉGUMES ANTIROUILLE**
> Mettez dans le mélangeur 1 poire pelée et épépinée, 1 poignée de pousses d'épinards, ½ c. à thé de cannelle, le jus de ½ orange. Mixez jusqu'à obtention d'une consistance lisse. Ajoutez 100 ml de Salvetat et mélangez à la cuillère.

Dîner

Salade avocat pamplemousse*

Boudin noir + purée de pommes de terre (1) + purée de pomme fruit (2)

Salade de fruits frais (½ orange, ½ melon, 1 banane)

> **SALADE AVOCAT PAMPLEMOUSSE**
> Prélevez la chair de ½ avocat. Pelez à vif ½ pamplemousse, séparez les segments. Arrosez d'un filet d'huile d'olive et parsemez d'aneth ciselé.

Collation

1 petite poignée d'amandes (non salées)

1 tisane antirouille chaude ou froide*

TISANE ANTIROUILLE

Mettez 1 g de ginseng dans une casserole contenant 1 tasse d'eau bouillante. Laissez frémir 5 minutes. Retirez la racine. Ajoutez dans la tasse 1 goutte d'huile essentielle de cannelle diluée dans 1 c. à thé de miel.

EXERCICE

Étirements zen. Debout, écartez vos pieds de la largeur de votre bassin et gardez-les parallèles. Prenez une bonne inspiration, levez les bras au-dessus de la tête et étirez-vous. En expirant, penchez-vous en avant et laissez vos bras pendre vers le sol. Fléchissez un peu vos genoux pour éviter de trop étirer l'arrière des jambes. Veillez à ce que vos genoux restent bien parallèles et ne s'entrechoquent pas. Pour détendre le haut du corps, tenez vos coudes. Cela «leste» le buste et permet d'aller plus loin dans l'inclinaison en avant. Respirez profondément et régulièrement. Pour remonter, lâchez vos bras et déroulez lentement votre colonne. Répétez l'exercice au moins deux fois. Essayez de maintenir la posture un peu plus longtemps à chaque fois.

SOUPER

Crème de céleri*
Pâtes complètes au saumon fumé (2 tranches) + huile de colza + aneth
1 banane

CRÈME DE CÉLERI

Mettez à cuire ¼ de céleri-rave coupé grossièrement, ¼ d'oignon dans 250 ml d'eau pendant 15 minutes. Quand les légumes sont tendres, mixez-les. Ajoutez 1 c. à soupe de purée d'amande blanche délayée dans un peu d'eau. Salez et parsemez de persil ciselé.

Choisissez la purée d'amande blanche non sucrée, vendue en boutique bio. Bannissez le persil déshydraté, il a perdu la plupart de ses bienfaits et n'a aucune saveur, mieux vaut l'utiliser sous sa forme surgelée que pas du tout. Le nec plus ultra ? Faites pousser votre persil sur le balcon !

Aérez la maison au moins ¼ d'heure.

Exercice respiratoire

Exercice 1. Placez-vous dans l'encadrement d'une porte, et saisissez les bords latéraux en dessous du niveau des épaules. Penchez le buste lentement vers l'avant, le dos bien droit jusqu'à ce que vos bras soient tendus. Tenez la position une minute. Inspirez lentement, et expirez en ouvrant largement vos épaules.

Coucher

1 tisane acido-basique*

TISANE ACIDO-BASIQUE

Versez 1 c. à thé de romarin et 1 c. à thé de thym dans 200 ml d'eau bouillante. Laissez infuser 5 minutes et filtrez.

Réflexo

Stimulez les points « reins » et les zones réflexes concernées à n'importe quel moment de la journée.

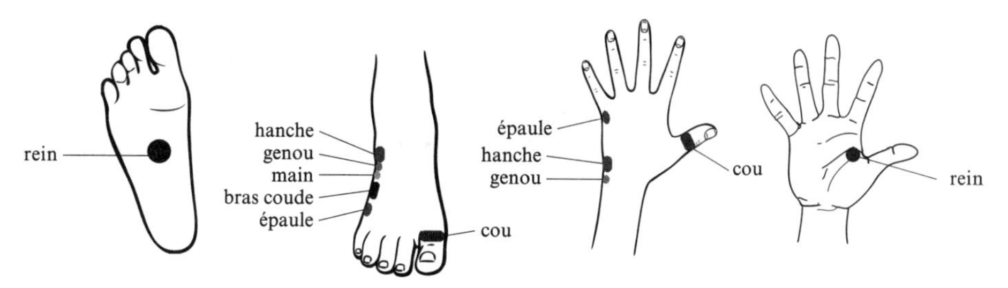

N'allez pas vous fourrer dans le crâne que les rhumatisants ne s'intéressent pas à l'amour. Dans la plupart des cas, c'est justement en faisant l'amour qu'ils ont attrapé des rhumatismes.

Groucho Marx

MARDI

Vous êtes encore avec nous? Avec des combinaisons d'aliments acidifiants et alcalinisants savamment orchestrées pour atteindre un équilibre neutre, et dynamisées par des gestes toniques, tout est réuni aujourd'hui pour mettre un turbo dans votre moteur.

Lever

1 grand verre d'eau minérale, comme la Courmayeur + 1 filet de citron

Offrez un grand bol d'air à votre maison : ouvrez toutes les fenêtres au moins ¼ d'heure.
Respirez à même le flacon d'huile essentielle de petit grain bigaradier.

Déjeuner

Thé (sans sucre)
Muesli vitaminé

Remplacez le jus d'orange de votre muesli vitaminé par le jus du ½ pamplemousse restant d'hier midi.

Massage tonique

Mélangez 1 goutte d'huile essentielle d'épinette noire et 1 goutte d'huile essentielle de pin sylvestre et appliquez en massage sur le bas du dos juste après la douche. Attention : pas chez la femme enceinte.

Collation

Smoothie aux légumes antirouille* (voir p. 219)

Sa réputation (usurpée) de champion en fer fait oublier que l'épinard regorge de vitamines… surtout cru !

Dîner

Salade orange fenouil*
Rôti de porc + bettes à carde + blé
2 kiwis

SALADE ORANGE FENOUIL

Détaillez ¼ de bulbe de fenouil en fines lamelles. Arrosez-le d'un filet de jus de citron. Pelez à vif 1 orange, détachez les segments. Disposez sur une assiette, arrosez de 1 c. à soupe d'huile d'olive, parsemez de graines germées d'alfalfa et saupoudrez de 1 c. à thé de graines de cumin.

Vous pouvez acheter l'alfalfa tel quel ou le faire germer vous-mêmes. On trouve les graines à germer dans toutes les jardineries. Achetez-les bio !

Exercice

Jeux de mains. Assis confortablement, portez vos mains à la hauteur des yeux et frottez-les vigoureusement l'une contre l'autre une dizaine de secondes. Serrez les poings, puis faites-les tourner sur l'axe du poignet sans bouger les avant-bras 10 fois dans le sens des aiguilles d'une montre, 10 fois dans l'autre sens. Tendez vos bras vers le ciel et ouvrez vos mains en tirant bien sur les doigts, baissez les bras, détendez-vous. Saisissez un doigt à sa base, puis étirez-le en glissant jusqu'à l'extrémité ; répétez l'opération sur chaque doigt de chaque main. Massez énergiquement en petits cercles le centre de la main, puis tous les « monts » à la base de chaque doigt. Agitez les mains (comme si vous vouliez faire sécher plus vite votre vernis à ongles), sans brusquerie. Ces exercices d'automassage sont inspirés des pratiques de shiatsu.

COLLATION

2 carrés de chocolat noir
1 infusion antirouille*

EXERCICE RESPIRATOIRE

Exercice 2. Debout, les pieds joints, bras le long du corps, inspirez profondément en gonflant le ventre; rentrez-le sur l'expiration. Bloquez votre souffle trois secondes, puis recommencez le cycle inspiration-expiration-blocage dix fois de suite.

SOUPER

Pavé de cabillaud, carottes à la coriandre*, riz basmati
Sorbet cassis

> CAROTTES À LA CORIANDRE
> Faites cuire 3 carottes coupées en rondelles à la vapeur pendant 5 minutes. Parsemez de coriandre ciselée et de graines de sésame.

Aérez la maison au moins ¼ d'heure.

COUCHER

1 tisane acido-basique* (voir p. 221)

RÉFLEXO

Stimulez le point « foie » et les zones réflexes concernées à n'importe quel moment de la journée.

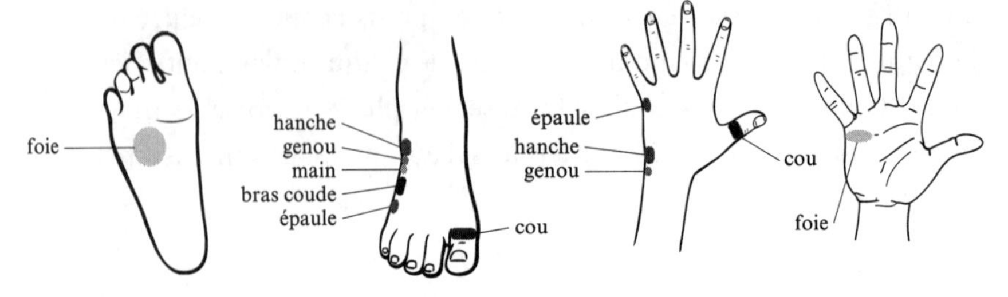

Le meilleur remède pour les rhumatismes,
c'est de remercier Dieu de ne pas avoir de goutte.

Josh Billings

MERCREDI

Déjà mercredi ? Quel entrain, on vous croirait dopé ! Profitez de ce regain d'énergie pour faire des ajustements d'organisation (le smoothie aux légumes dans un thermos pour la pause ; avancez-vous sur les courses de demain...). Et si vous tenez à décrocher le tableau d'honneur, boudez l'ascenseur au profit des escaliers, ou faites le tour du pâté de maisons en marche rapide : une, deux, une, deux !

Lever

1 grand verre d'eau minérale, comme la Courmayeur
+ 1 filet de citron

Aérez la maison en grand au moins ¼ d'heure.
Respirez le flacon d'huile essentielle de petit grain.

Déjeuner

Thé (sans sucre)
Muesli

Remplacez le cassis de votre muesli vitaminé par des bleuets.

Collation

Smoothie aux légumes antirouille* (voir p. 219)

Dîner

Concombre à l'aneth*
Steak haricots verts/haricots blancs
2 clémentines

> CONCOMBRE À L'ANETH
> Pelez ½ concombre et détaillez-le en fines lamelles. Arrosez-le d'une vinaigrette faite avec le jus de ½ citron, 1 c. à soupe d'huile d'olive, quelques brins d'aneth ciselé, du sel et du poivre.

COLLATION

1 petite poignée d'un mélange de noisettes et raisins secs
1 tisane antirouille*

EXERCICE

Étirement. Faites un grand pas en avant du pied gauche en veillant à garder vos hanches bien droites. Expirez à fond, relâchez votre corps et ancrez solidement dans le sol votre talon arrière. Étirez-vous, comme si vous vouliez que votre tête touche le plafond, tout en gardant vos pieds enfoncés dans le sol. L'étirement se fait à la fois vers le haut et vers le bas. Inspirez, fléchissez la jambe gauche et levez les bras à hauteur des épaules, paumes tournées l'une vers l'autre et coudes fléchis à angle droit. Gardez la position 10 secondes puis changez de jambe. Faites une série de 10 répétitions.

SOUPER

Soupe de courgette + coriandre
Tagliatelles au pesto de noisettes*
1 grappe de raisin

> TAGLIATELLES AU PESTO DE NOISETTES
> Plongez 100 g de tagliatelles dans 1 litre d'eau bouillante salée. Mixez une douzaine de feuilles de basilic avec ½ gousse d'ail, 2 c. à soupe d'huile d'olive et 20 g de noisettes. Répartissez sur les pâtes égouttées.

C'est mercredi, si des convives en culottes courtes s'invitent à votre table, partagez votre menu en adaptant les quantités. Ajoutez du fromage dans la soupe de courgettes avant de la mixer et du bacon dégraissé grillé dans leurs pâtes.

Aérez la maison au moins ¼ d'heure.

Bain

Bain hyperthermique au basilic. Diluez 10 gouttes d'huile essentielle de basilic dans 1 bouchon de base pour bain et versez dans l'eau.

Exercice respiratoire

Exercice 3 (voir p. 179).

Coucher

1 tisane acido-basique* (voir p. 221)

Réflexo

Stimulez le point «côlon» et les zones réflexes concernées à n'importe quel moment de la journée.

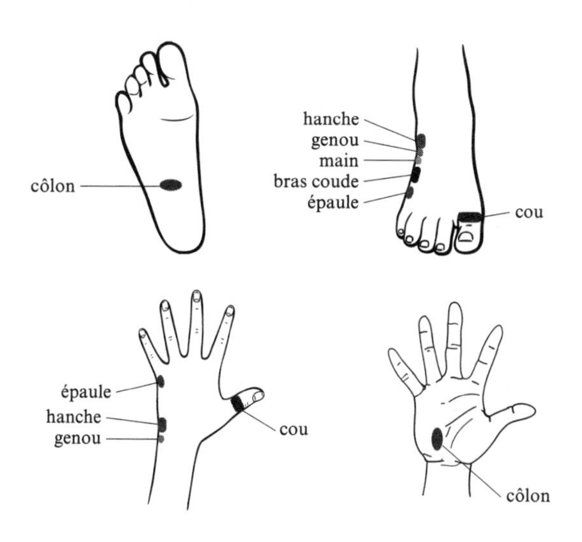

Ce n'est pas parce que Marcel a mal au tendon d'Achille qu'Achille a mal au tendon de Marcel.
Philippe Geluck

JEUDI

Journée végétarienne. Ça fait déjà trois jours que vous vous êtes lancé à la recherche de votre équilibre acido-basique tout en restaurant l'élasticité de vos articulations, votre organisme est prêt à attaquer une journée végétarienne.

Lever

1 grand verre d'eau minérale, comme la Courmayeur
+ 1 filet de citron

Au diable les frileux, aérez la maison au moins ¼ d'heure !
Respirez le flacon d'huile essentielle de petit grain bigaradier.

Déjeuner

Thé (sans sucre)
Muesli vitaminé

Remplacez le cassis de votre muesli vitaminé par des framboises.

Collation

Smoothie aux légumes antirouille* (voir p. 219)

Dîner

Salade de pâtes à l'italienne*
½ melon + menthe fraîche ciselée, ou 1 poire

SALADE DE PÂTES À L'ITALIENNE

Faites cuire 100 g de farfalles complètes dans de l'eau bouillante salée, le temps indiqué sur l'emballage. Une fois les pâtes froides, ajoutez 1 poignée de mesclun, 6 tomates confites détaillées en lanières, 2 cœurs d'artichaut en bocal. Arrosez de 1 c. à soupe de vinaigre balsamique et 2 c. à soupe d'huile d'olive.

COLLATION

4 abricots ou 1 pomme
1 infusion antirouille*

4 abricots garantissent nos besoins quotidiens en carotène : peu de calories et un passeport bonne mine, ça donne la pêche.

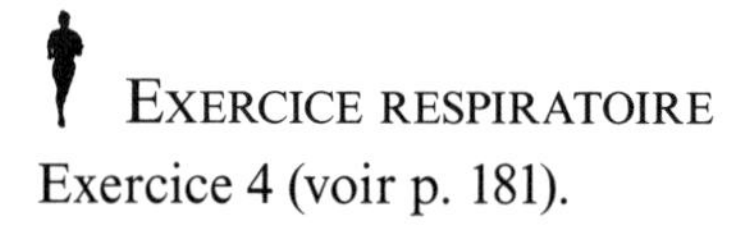

EXERCICE RESPIRATOIRE

Exercice 4 (voir p. 181).

SOUPER

Paella végétarienne
Sorbet citron

PAELLA VÉGÉTARIENNE

Coupez en petits dés 1 carotte, ½ poivron, 1 petite poignée de haricots verts, 2 c. à soupe de petits pois. Dans une casserole, faites blondir 1 petit oignon émincé avec un filet d'huile d'olive. Versez 100 g de riz complet, 1 petite gousse d'ail hachée, ¼ de c. à thé de paprika et de curcuma. Mélangez et ajoutez les légumes. Versez 500 ml d'eau, couvrez et laissez frémir à feu doux 20 minutes sans remuer.

Aérez la maison au moins ¼ d'heure.

EXERCICE

Jeux de pieds. Assis confortablement, pieds nus, contractez les orteils, puis faites tourner vos pieds sur l'axe des chevilles sans bouger les jambes 10 fois dans le sens des aiguilles d'une montre, 10 fois dans l'autre sens. Saisissez un orteil à sa base puis étirez-le en glissant jusqu'à l'extrémité ; répétez l'opération sur chaque doigt de chaque pied. Terminez l'exercice en tapotant le centre du pied, puis frottez-le énergiquement.

COUCHER

1 tisane acido-basique* (voir p. 221)

RÉFLEXO

Stimulez le point « reins » et les zones réflexes concernées à n'importe quel moment de la journée.

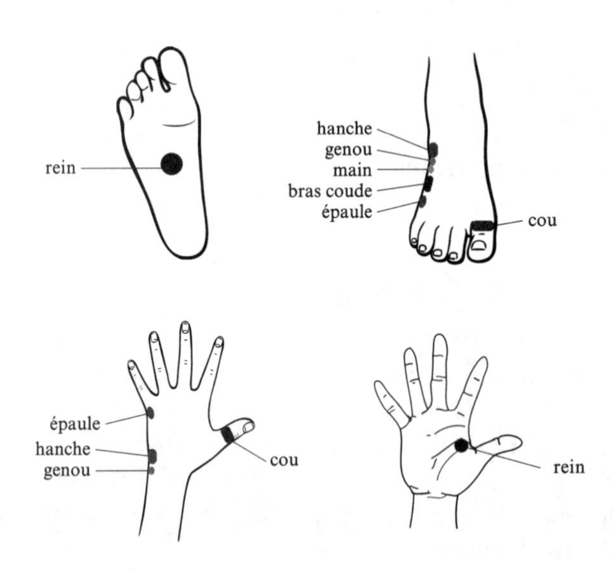

On a beau avoir une santé de fer, on finit toujours par rouiller.

Jacques Prévert

VENDREDI

Votre motivation force le respect! Pour autant, ne vous reposez pas sur vos lauriers, le chemin qui mène à l'équilibre acido-basique est un parcours de randonnée, pas une piste de sprint. Si vous partez au cours de la fin de semaine, n'oubliez rien: les huiles essentielles, la liste des courses, le gant de crin, le mélangeur...

Lever

1 grand verre d'eau minérale, comme la Courmayeur + 1 filet de citron

Aérez la maison au moins ¼ d'heure.
Respirez à même le flacon d'HE de petit grain bigaradier.

Déjeuner

Thé (sans sucre)
Muesli vitaminé

Remplacez le cassis de votre muesli vitaminé par des petits dés de kiwi.

Douche

Mission gant de crin, si vous l'acceptez (voir p. 193).

Collation

Smoothie aux légumes antirouille* (voir p. 219)

Dîner

Salade de mâche + noisettes concassées + huile d'olive + ciboulette
Foie de veau + choux de Bruxelles
Poire au vin*

POIRE AU VIN

Portez à ébullition 250 ml de vin rouge. Ajoutez 50 g de sucre complet, 1 bâton de cannelle, 1 clou de girofle, 2 grains de poivre, un zeste d'orange, un petit morceau de gingembre râpé et une pincée de noix de muscade. Plongez une poire pelée, entière et laissez-la pocher 15 minutes à feu doux. Égouttez la poire et faites réduire le jus de cuisson jusqu'à obtenir un sirop.

EXERCICE RESPIRATOIRE

Exercice 1 (voir p. 221).

COLLATION

5 noix
2 carrés de chocolat noir
1 infusion antirouille*

SOUPER

Crème de châtaignes* (voir p. 181)
Omelette aux fines herbes (3 œufs) + salade de cresson + ail + huile d'olive
½ mangue

EXERCICE

Jeux de mains et jeux de pieds (voir p. 223 et p. 230).

Aérez la maison au moins ¼ d'heure.

COUCHER

1 tisane acido-basique* (voir p. 221)

RÉFLEXO

Stimulez le point « poumons » et les zones réflexes concernées à n'importe quel moment de la journée.

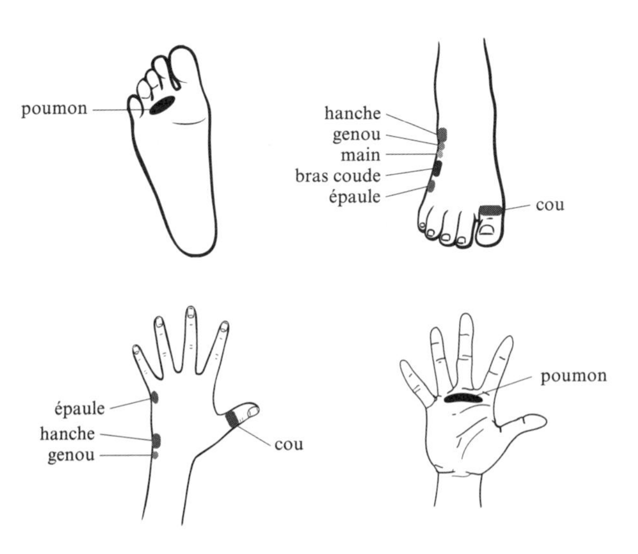

Depuis quelques années, les femmes qui me font tourner la tête sont surprises par le bruit que fait mon arthrose cervicale.

Michel Galabru

SAMEDI

C'est bien vous cette personne débordant d'énergie tout en souplesse? Félicitations, quand vous décidez de vous prendre en main, c'est payant. Pour fêter ça, invitez des amis à souper en leur précisant que vous suivez un régime acido-basique: adaptez juste les quantités du menu (gaspacho, risotto, compote)… Parions que vous ferez des adeptes!

Lever

1 grand verre d'eau minérale, comme la Courmayeur + 1 filet de citron

Aérez la maison au moins ¼ d'heure. Si c'est jour de ménage, faites-le toutes fenêtres ouvertes.

Déjeuner

Thé (sans sucre)
Muesli vitaminé

Remplacez le cassis de votre muesli vitaminé par la ½ mangue qu'il vous reste d'hier (des abricots secs, de septembre à mai).

Collation

Smoothie aux légumes antirouille* (voir p. 219)

Exercices

C'est la fin de semaine: tout le monde à la piscine + exercices de respiration 1, 2, 3 et 4 (p. 221, 224, 179, 181)

Vous traînez les pieds pour aller à la piscine ? Pensez au travail de fond qui s'opère en pratiquant la natation. Et sans tension pour vos articulations, puisque vous êtes porté par l'eau.

DÎNER

Asperges + filet de citron + huile de colza
Maquereau en papillote* + riz complet
1 fromage blanc + coulis de fruits rouges

MAQUEREAU EN PAPILLOTE

Coupez ½ citron et 1 tomate en fines rondelles. Déposez-les sur une feuille de papier sulfurisé, parsemez de sarriette. Badigeonnez de moutarde 1 maquereau vidé et lavé sur les deux faces puis déposez-le sur le lit de citron et tomate. Parsemez d'estragon frais ciselé. Fermez la papillote et enfournez dans un four déjà chaud (410 °F/210 °C) pendant 20 minutes.

L'asperge est LE légume antiacidité par excellence : son action dépurative chasse les surcharges favorisant les douleurs articulaires.

COLLATION

1 banane
1 infusion antirouille*

SOUPER

Gaspacho*
Risotto au saumon
Compote de poire

GASPACHO

Versez dans le mixeur 1 tomate coupée en quatre, 2 oignons nouveaux, ½ poivron épépiné, ½ concombre, 1 petite gousse d'ail et mixez le tout. Salez, poivrez et ajoutez quelques gouttes de Tabasco. Parsemez de basilic ciselé et dégustez bien frais.

Aérez la maison au moins ¼ d'heure.

Exercices

Profitez de votre séance télé pour faire vos jeux de mains (voir p. 223) et jeux de pieds (voir p. 230).

Quelques gouttes d'huile de tournesol peuvent rendre ces exercices plus agréables, ne vous privez pas. Mieux : ajoutez-y 2 gouttes d'huile essentielle de gaulthérie. Profitez-en pour masser toutes les articulations douloureuses avec ce mélange.

Bain

Bain hyperthermique de citronnelle. Diluez 10 gouttes d'huile essentielle de citronnelle dans 1 bouchon de base pour bain et versez dans l'eau.

Coucher

1 tisane acido-basique* (voir p. 221)

Réflexo

Stimulez le point « reins » et les zones réflexes concernées à n'importe quel moment de la journée.

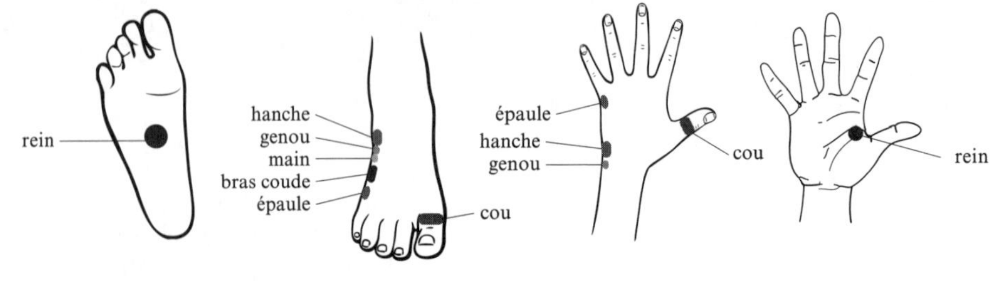

Déjeuner de roi, dîner de prince, souper de pauvre.

Anonyme

DIMANCHE

Bravo, vous avez mené ce programme tambour battant! Vous voilà gonflé à bloc pour de nouvelles aventures acido-basiques. Rome ne s'est pas faite en un jour, la recherche de l'équilibre acido-basique est un investissement à long terme, tout comme la protection de ses articulations. Mais l'heure est aux congratulations: refaites le test (p. 12), comptabilisez tous les mauvais gestes acidifiants auxquels vous avez échappé et que vous allez chasser définitivement de votre vie.

Lever

1 grand verre d'eau minérale, comme la Courmayeur + 1 filet de citron

Aérez la maison au moins ¼ d'heure.

Déjeuner

Thé (sans sucre)
Muesli vitaminé

Remplacez le cassis de votre muesli par des petits dés d'ananas frais.

Douche

Avant la douche, procédez à votre massage des pieds à la tête au gant de crin sur peau sèche.

Exercices

Jeux de mains (voir p. 223) et jeux de pieds (voir p. 230).

Collation

Smoothie aux légumes antirouille* (voir p. 219)

Dîner

Céleri-branche à la croque
Taboulé*
Tartare de bœuf
Compote de pomme + cannelle

> **TABOULÉ**
> Mélangez 50 g de boulgour avec 100 g de pulpe de tomates. Ajoutez 2 petits oignons nouveaux émincés, le jus de ½ citron, 1 c. à soupe d'huile d'olive et 5 branches de menthe ciselée. Placez 3 heures au réfrigérateur.

Exercices

C'est dimanche, faites une grande balade tranquille de 1 h 30 au grand air, à pied ou à vélo. Si vous restez à la maison, cherchez une activité de remplacement : un coup de rateau sur le terrain, une chasse au trésor avec les enfants… et il doit bien y avoir des rangements en souffrance !
Exercices respiratoires 1, 2, 3 et 4 autant de fois que vous pouvez dans la journée.

Collation

1 petite poignée d'amandes
1 infusion antirouille*

Souper

Salade de mâche + ciboulette + huile d'olive
Cabillaud vinaigrette* + rates vapeur
2 tranches d'ananas

CABILLAUD VINAIGRETTE

Déposez 6 pommes de terre rates au rez-de-chaussée du cuit-vapeur pour 20 minutes de cuisson. 5 minutes avant la fin de la cuisson, déposez 1 pavé de cabillaud dans le panier supérieur. Pendant ce temps, faites une vinaigrette avec 1 c. à soupe de vinaigre de cidre, 2 c. à soupe d'huile d'olive, 1 petite échalote émincée, 1 c. à thé de câpres et 3 branches de persil ciselé. Salez, poivrez et nappez-en le poisson et les rates.

Aérez la maison au moins ¼ d'heure.

BAIN

Bain hyperthermique au petit grain bigaradier. Diluez 10 gouttes d'huile essentielle de petit grain bigaradier dans 1 bouchon de base pour bain et versez dans l'eau.

COUCHER

1 tisane acido-basique* (voir p. 221).

RÉFLEXO

Stimulez le point « foie » et les zones réflexes concernées à n'importe quel moment de la journée.

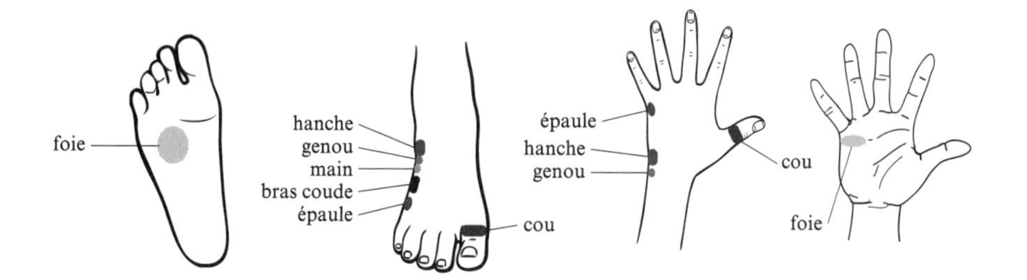

PROGRAMME
DÉTOX

1 SEMAINE POUR SE PURIFIER

Grand nettoyage de printemps, tout doit disparaître ! Notre corps ne nous a pas attendus pour éliminer les toxines : comme vous le savez maintenant, il possède son propre système de détoxification. Mais il arrive que les organes n'en puissent plus, à force d'être sollicités ; ils fatiguent et bâclent le travail. Les conséquences ne tardent pas alors à se manifester par un manque de dynamisme… que l'on met bien souvent sur le dos du surmenage. Le programme de cette semaine s'attache à stimuler ces organes avec des aliments drainants, dépolluants, des gestes simples, des bains visant à décrasser nos fonctions vitales et des exercices respiratoires adéquats. Deux à trois semaines à ce « régime » devraient aboutir à un teint purifié, une circulation fluidifiée, des jambes et bras allégés. Mais qui dit détox ne dit certainement pas déséquilibre acido-basique ! Mettez toutes les chances du côté de votre foie, notre usine de détoxification personnelle la plus active.

Vos menus de la semaine d'un coup d'œil

LUNDI

- Thé détox, fromage blanc + miel, ananas frais.
- Salade de radis noir, poulet au citron, courgettes et boulgour, compote de pomme.
- Truite en papillote, brocoli et riz complet, cerises.

MARDI

- Thé détox, 2 tartines à la confiture, pommes cuite.
- Asperges vinaigrette, sole haricots verts quinoa, soupe de fraises.
- Poireaux vinaigrette, œufs à la coque aux épinards, ananas.

MERCREDI

- Thé détox, yogourt au soja, kiwis.
- Salade de cresson, artichauts farcis aux champignons, riz basmati, pruneaux à la cannelle.
- Soupe au chou, jambon de dinde, coquillettes à la tomate, mangue poêlée.

JEUDI

- Thé détox, 2 tartines à la confiture, kakis.
- Salade de pois chiches, riz basmati aux aubergines, compote d'abricot.
- Salade d'endives, potée végétarienne, yogourt à l'huile essentielle de citron.

VENDREDI

- Thé détox, fromage blanc fraises.
- Carottes râpées au citron, merlan purée de patate douce au gingembre, sorbet citron vert.
- Soupe de poireaux, salade d'orge aux calamars, pêche.

SAMEDI

- Thé détox, yogourt au soja + miel, cerises.
- Salade de betterave, huîtres, crumble aux poires.
- Salade de tomates et concombre, œufs brouillés, chou-fleur, salade de fruits.

DIMANCHE

- Thé détox, fromage blanc + miel, amandes.
- Salade avocat pamplemousse, rouget en papillote, brocoli et quinoa, smoothie cerises.
- Salade de concombre, cabillaud aux épinards et riz basmati, verrine de mangue au basilic.

Votre liste de courses à photocopier pour ne rien oublier !

Tous nos menus sont conçus pour 1 personne. Les plats suivis d'un astérisque renvoient à une recette de ce livre.

Épicerie

- ❑ Amandes
- ❑ Bouillon de volaille
- ❑ Boulgour
- ❑ Cannelle
- ❑ Confiture
- ❑ Coquillettes complètes
- ❑ Courmayeur
- ❑ Curcuma
- ❑ Curry
- ❑ Flocons d'avoine
- ❑ Fonds d'artichaut
- ❑ Fruits secs
- ❑ Huile d'olive
- ❑ Miel
- ❑ Moutarde
- ❑ Muscade
- ❑ Noix
- ❑ Œufs
- ❑ Orge perlé
- ❑ Poires au sirop léger
- ❑ Pois chiches
- ❑ Poivre de Cayenne
- ❑ Pruneaux
- ❑ Quinoa
- ❑ Riz basmati complet
- ❑ Sauce tomate
- ❑ Sirop d'érable
- ❑ Thé vert

Rayon bio (si possible)

- ❑ Chicorée/pissenlit/menthe (mélange pour tisane : 100 g)
- ❑ Graines germées de radis
- ❑ Huile essentielle de citron

Frais

- ❑ Compote de poire
- ❑ Compote de pomme
- ❑ Fromage blanc à 0 %
- ❑ Yogourt bifidus
- ❑ Yogourt de soja

Poissonnerie (surgelé ou frais)

- ❑ Calamars
- ❑ Cabillaud
- ❑ Huîtres
- ❑ Merlan
- ❑ Rouget
- ❑ Sole
- ❑ Truite

Viande

- ❑ Jambon de dinde
- ❑ Poitrine de poulet

Légumes

- ❑ Ail
- ❑ Asperges
- ❑ Aubergine
- ❑ Avocat
- ❑ Basilic
- ❑ Betterave
- ❑ Brocolis
- ❑ Carottes
- ❑ Céleri branche
- ❑ Champignons
- ❑ Chou vert
- ❑ Ciboulette
- ❑ Concombre
- ❑ Coriandre
- ❑ Courgette
- ❑ Cresson
- ❑ Échalotes
- ❑ Endives
- ❑ Épinards
- ❑ Haricots verts
- ❑ Laitue romaine
- ❑ Laurier
- ❑ Menthe
- ❑ Navets
- ❑ Oignons nouveaux
- ❑ Patates douces
- ❑ Persil
- ❑ Poireaux
- ❑ Pomme de terre
- ❑ Radis noir
- ❑ Thym
- ❑ Tomate

Fruits

- ❑ Abricots
- ❑ Ananas
- ❑ Bananes
- ❑ Cerises
- ❑ Citron vert
- ❑ Citrons
- ❑ Clémentines
- ❑ Fraises
- ❑ Gingembre
- ❑ Kakis à volonté
- ❑ Kiwis à volonté
- ❑ Mangue
- ❑ Pamplemousse
- ❑ Pêche
- ❑ Pommes
- ❑ Pommes granny-smith

Surgelés

- ❑ Chou-fleur
- ❑ Cerises surgelées
- ❑ Sorbet citron vert sans sucre

Pensez au pain !

- ❑ Pain complet

Le cerveau de l'imbécile n'est pas un cerveau vide,
c'est un cerveau encombré où les idées fermentent
au lieu de s'assimiler, comme les résidus alimentaires
dans un côlon envahi par les toxines.

Georges Bernanos

LUNDI

Brocolis, thé vert, citron, pissenlit, artichaut… c'est un décalaminage de fond qui vous attend pour cette première journée de remise à neuf. Pas de panique, cette « diète naturelle » ne se résume pas en une soupe à la grimace : on vous a mijoté des petits plats !

Lever

1 grand verre d'eau minérale, comme la Courmayeur + ½ citron pressé

De l'air, de l'air, ouvrez toutes les fenêtres au moins ¼ d'heure.

Exercices

Flexion… extension. Debout, pieds parallèles et très écartés (plus que la largeur des hanches), mains posées sur les cuisses. Sur l'expiration : fléchissez la jambe droite, jambe gauche tendue, pieds toujours bien parallèles et talons au sol. Gardez la position quelques secondes. Sur l'inspiration : revenez à la position initiale. Recommencez de l'autre côté, en fléchissant la jambe gauche. Faites une série de 20.

Le matin à jeun, c'est le meilleur moment de la journée pour les défis sportifs : à bon entendeur…

Déjeuner

Thé détox*
1 fromage blanc + miel
2 tranches d'ananas frais

THÉ DÉTOX

Préparez ½ litre de thé détox pour la journée : versez ½ litre d'eau frémissante sur 4 c. à thé de thé vert. Couvrez et laissez infuser 10 minutes. Filtrez, pressez 1 citron dans le thé, ajoutez ¼ de c. à thé de poivre de Cayenne et 4 c. à soupe de sirop d'érable, mélangez bien.

Même juteux et sucré à souhait, l'ananas est votre ami grâce à son pouvoir drainant et anti-rétention d'eau !

Douche

Avant de filer sous la douche, enfilez le gant de crin et frictionnez-vous avec douceur, des pieds à la tête (en commençant par les pieds et en remontant vers le cœur). Les plus courageux termineront la séance par un jet d'eau bien fraîche, au moins sur les jambes.

Massage

Juste après la douche, appliquez 6 gouttes d'huile essentielle de cèdre mélangées à 1 c. à soupe d'huile végétale de noisette en massages profonds sur les zones surchargées. Attention cette huile essentielle est interdite aux femmes enceintes.

Collation

Smoothie aux légumes détox*

SMOOTHIE AUX LÉGUMES DÉTOX

Mettez dans le mélangeur 1 pomme granny-smith épluchée et épépinée, le jus de 1 citron, 6 grandes feuilles de romaine, 100 ml de Courmayeur, ½ banane, 1 cm de gingembre frais écrasé au presse-ail. Mixez jusqu'à obtention d'une consistance homogène.

Dîner

Salade de radis noir*

Poulet au citron (voir p. 184) + courgettes + boulgour

Compote de pomme

> **SALADE DE RADIS NOIR**
>
> Pelez et râpez ½ radis noir. Dans un petit bol, mélangez ½ c. à thé de moutarde, le jus de ½ citron et 2 c. à soupe d'huile d'olive. Arrosez les radis de la vinaigrette, parsemez de graines germées et dégustez bien frais.

Impitoyable envers les excès, le radis noir n'a pas son pareil pour soutenir l'appareil digestif dans le traitement, le tri et l'élimination des trop-pleins. C'est un allié de choix pour ceux qui ne sont pas rebutés par son côté piquant. En bâtonnets, à la croque, toutes les occasions de fringale sont bonnes pour consommer la moitié restante !

Collation

1 thé détox*

6 amandes

Souper

Truite en papillote* + brocoli + riz complet

1 bol de cerises ou 1 pomme

> **TRUITE EN PAPILLOTE**
>
> Déposez une truite vidée et lavée dans une feuille de papier sulfurisé ou dans une papillote en silicone. Répartissez les rondelles de ½ citron sur le poisson, du sel, du poivre et une pincée de thym. Fermez la papillote et enfournez pour 20 minutes à four chaud.

Aérez la maison au moins ¼ d'heure.

 EXERCICE RESPIRATOIRE

Exercice 1. Placez-vous dans l'encadrement d'une porte, et saisissez les bords latéraux en dessous du niveau des épaules. Penchez le buste lentement vers l'avant, le dos bien droit jusqu'à ce que vos bras soient tendus. Tenez la position une minute. Inspirez lentement, et expirez en ouvrant largement vos épaules.

 COUCHER

1 tisane détox*

 TISANE DÉTOX

Mettez 1 c. à soupe d'un mélange de chicorée, pissenlit, menthe dans 1 tasse d'eau bouillante. Laissez bouillir 3 minutes, coupez le feu. Laissez encore infuser 10 minutes. Filtrez.

 RÉFLEXO

Stimulez le point « reins » à n'importe quel moment de la journée.

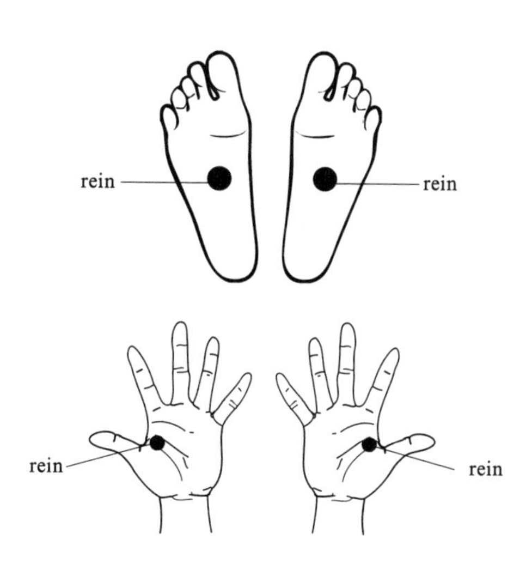

Il allait à grands pas importants, charmé de ses toxines brûlées par cette longue promenade de digestion.

Albert Cohen

MARDI

Bonjour, bien dormi ? On l'espère, car c'est un ingrédient à ne pas sous-estimer. Pour favoriser votre sommeil, d'ailleurs, dans le cadre de cette opération détox, installez un chlorophytum, alias la plante araignée, dans votre chambre. Son feuillage est un super-capteur des substances toxiques nichées dans nos moquettes et produits d'entretien.

LEVER

1 grand verre d'eau minérale, comme la Courmayeur + ½ citron pressé

Offrez un grand bol d'air à votre maison : ouvrez toutes les fenêtres au moins ¼ d'heure.

EXERCICE

Souplesse avant. Debout, pieds parallèles et légèrement écartés. Sur l'inspiration : levez les bras au-dessus de la tête. Gardez la position quelques secondes. Sur l'expiration : penchez-vous lentement en avant jusqu'à toucher la pointe de vos pieds si possible jambes tendues. Relâchez bien vos bras et gardez la position quelques secondes. Faites une série de 20.

La première fois, ça coince un peu, mais demain ça ira mieux.

DÉJEUNER

Thé détox*

2 tranches de pain complet + confiture

Pommes cuite nature (10 à 15 minutes au cuit-vapeur)

Pour parfumer sans sucrer, abusez de la cannelle.

Collation

Smoothie aux légumes détox* (voir p. 245)

Dîner

Asperges vinaigrette
Sole + haricots verts + quinoa + curcuma
Soupe de fraises*

> **SOUPE DE FRAISES**
> Mixez 200 g de fraises avec le jus de 1 citron jusqu'à obtention d'une consistance homogène. Versez dans une coupe, parsemez de menthe fraîche ciselée et dégustez bien frais.

Si vous ne trouvez pas de fraises, ça sera soupe de kiwis !

Collation

Thé détox*
1 poignée de fruits secs

Exercice respiratoire

Exercice 2. Debout, les pieds joints, bras le long du corps, inspirez profondément en gonflant le ventre; rentrez-le sur l'expiration. Bloquez votre souffle trois secondes, puis recommencez le cycle inspiration-expiration-blocage dix fois de suite.

Souper

Poireaux vinaigrette
2 œufs à la coque + épinards
2 tranches d'ananas

Le poireau est le monsieur Propre du système digestif, laissez-le travailler sans l'ensevelir sous la vinaigrette !
Aérez la maison au moins ¼ d'heure.

 COUCHER

1 tisane détox* (voir p. 247)

 RÉFLEXO

Stimulez le point « foie » à n'importe quel moment de la journée.

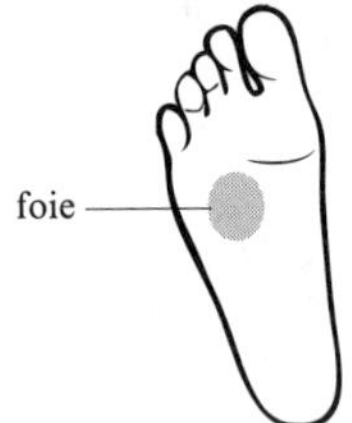

foie

Dieu a fait l'aliment, le diable l'assaisonnement.

James Joyce

MERCREDI

Un coup de mou côté motivation? Pensez à votre petite usine de traitement des déchets personnelle, toute dédiée à la purification de votre organisme… pas très glamour, mais qui sortira de ce programme propre comme un sou neuf? Courage!

Lever

1 grand verre d'eau minérale, comme la Courmayeur + ½ citron pressé

Aérez la maison en grand au moins ¼ d'heure.

Exercice

Flexion… extension (voir p. 244).

Déjeuner

Thé détox*
1 yogourt au soja
Kiwis à volonté

Palme d'or en vitamine C, le kiwi se paie le luxe d'être un grand fournisseur de minéraux!

Collation

Smoothie aux légumes détox* (voir p. 245)

Dîner

Salade de cresson
Artichauts farcis*+ riz basmati
Pruneaux + cannelle

ARTICHAUTS FARCIS

Dans une poêle, faites revenir une tranche de jambon de dinde en lamelles et 50 g de champignons émincés avec un filet d'huile d'olive. Arrosez du jus de ½ citron. Farcissez 2 fonds d'artichaut de la préparation et enfournez pour 10 minutes à 350 °F (180 °C). Parsemez de persil ciselé.

Arrêtez de vous faire de la bile, l'artichaut s'en charge grâce à la cynarine qu'il renferme, principalement dans ses feuilles, et c'est bon pour notre opération décrassage : conservez leur eau de cuisson et recyclez-la dans vos soupes.

COLLATION

1 thé détox

1 fromage blanc 0 % + dés de kiwi

SOUPER

Soupe au chou*

1 tranche de jambon de dinde + coquillettes complètes + sauce tomate

½ mangue

SOUPE AU CHOU

Plongez ¼ de chou vert dans une grande casserole d'eau salée pendant 20 minutes. Détaillez en petits morceaux 1 oignon, 1 gousse d'ail, 1 carotte, 1 branche de céleri, 3 branches de persil. Ajoutez-les dans la casserole avec du poivre et 1 c. à thé de curry. Poursuivez la cuisson pendant 15 minutes.

Aérez la maison au moins ¼ d'heure.

Bain

Bain hyperthermique au citron. Diluez 10 gouttes d'huile essentielle de citron dans 1 bouchon de base pour bain et versez l'eau.

Exercice respiratoire

Exercice 3 (voir p. 179).

Coucher

1 tisane détox* (voir p. 247)

Réflexo

Stimulez le point « côlon » à n'importe quel moment de la journée.

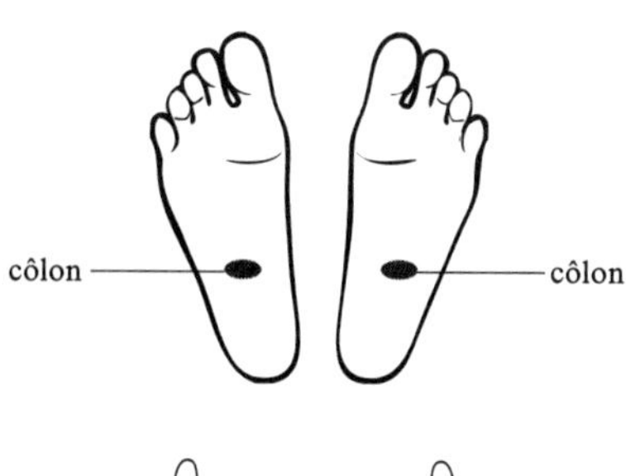

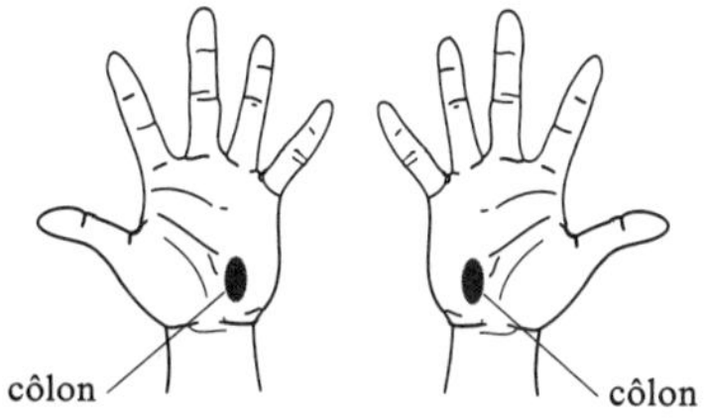

Plus blanc ton pain, plus proche ta fin.
Anonyme

JEUDI

Journée végétarienne. Ça fait déjà trois jours que vous vous êtes lancé à la recherche de votre équilibre acido-basique tout en travaillant à alléger votre organisme de ses toxines, vous voilà prêt à attaquer une journée végétarienne.

LEVER

1 grand verre d'eau minérale, comme la Courmayeur + ½ citron pressé

Au diable les frileux, aérez la maison au moins ¼ d'heure !

EXERCICE

Souplesse avant (voir p. 248)

DÉJEUNER

Thé détox*
2 tranches de pain complet + confiture
Kakis à volonté

COLLATION

Smoothie aux légumes détox* (voir p. 245)

DÎNER

Salade de pois chiches
Riz basmati aux aubergines*
Compote d'abricot

Diurétique, très peu calorique, l'aubergine est une complice de choix pour une opération détox. Pour en avoir toujours à disposition, congelez-en, après un passage rapide (5 min) dans l'eau bouillante.

RIZ BASMATI AUX AUBERGINES

Faites revenir 1 oignon nouveau dans un filet d'huile d'olive avec un petit morceau de gingembre râpé pendant 5 minutes. Ajoutez 1 petite aubergine détaillée en dés et poursuivez la cuisson 15 minutes. Incorporez 100 g de riz basmati cuit, saupoudrez de curcuma et laissez sur feu doux pendant 5 minutes. Parsemez de coriandre.

COLLATION

1 thé détox*

1 salade de fruits (½ pomme, 1 kiwi, 1 banane)

SOUPER

Salade d'endives + échalotes + ciboulette

Potée végétarienne

1 yogourt bifidus + 1 goutte d'huile essentielle de citron

POTÉE VÉGÉTARIENNE

Répartissez dans le fond d'une cocotte ½ oignon émincé, ¼ de chou vert émincé finement, 1 pincée de thym, 2 feuilles de laurier, 1 carotte en rondelles, 2 navets en fines tranches et 1 pomme de terre en petits cubes. Arrosez de 1 c. à soupe d'huile d'olive, salez légèrement. Couvrez et faites cuire à feu doux pendant 1 heure. Servez parsemé de persil ciselé.

EXERCICE RESPIRATOIRE

Exercice 4 (voir p. 181).

Aérez la maison au moins ¼ d'heure.

COUCHER

1 tisane détox* (voir p. 247)

RÉFLEXO

Stimulez le point «côlon» à n'importe quel moment de la journée.

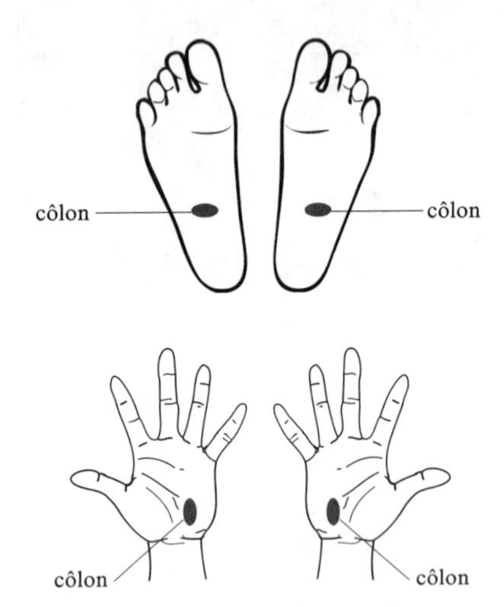

Les excès tuent plus sûrement que les épées.
Proverbe chinois

VENDREDI

Votre chasse aux toxines doit commencer à porter ses fruits, félicitations ! Adieu surcharge alimentaire et son cortège de troubles intestinaux et de mine en papier mâché, place au teint de bébé ! Courage, vous êtes sur la bonne voie et si vous continuez à jouer le jeu, un bonus vous attend : quelques centimètres de hanches, de tour de cuisses et d'estomac en moins !

Lever

1 grand verre d'eau minérale, comme la Courmayeur + ½ citron pressé

Aérez la maison au moins ¼ d'heure

Exercices

Flexion… extension (voir p. 244).

Déjeuner

Thé détox*
1 fromage blanc
1 bol de fraises

Encore plus riche en vitamine C que l'orange, la fraise, hélas, disparaît, des étals de novembre à février… remplacez-la alors par le kaki.

Douche

Avant la douche, mission gant de crin, si vous l'acceptez.

Massage

Juste après la douche, appliquez 6 gouttes d'huile essentielle de cèdre mélangées à 1 c. à soupe d'huile végétale de macadamia en massages profonds sur les zones surchargées. Attention, cette huile essentielle est interdite aux femmes enceintes.

Collation

Smoothie aux légumes détox* (voir p. 245)

Dîner

Carottes râpées + citron + persil
1 filet de merlan + purée de patate douce au gingembre*
Sorbet citron vert sans sucre

PURÉE DE PATATES DOUCES

Déposez 100 g de patates douces pelées et coupées en morceaux dans le panier du cuit-vapeur pour 30 minutes de cuisson. Faites revenir 5 minutes à feu doux, avec un filet d'huile d'olive, 1 petit oignon émincé et 1 gousse d'ail écrasée. Ajoutez les patates douces, ½ c. à thé de cannelle, du poivre et 300 ml de bouillon de volaille. Portez à ébullition et poursuivez la cuisson 15 minutes toujours à feu doux. Incorporez le jus de ½ citron vert, un petit morceau de gingembre râpé puis passez la préparation au presse-purée.

Collation

1 thé détox* (voir p. 245)
4 abricots

Débrouillez aussi votre teint : faites un gommage à base de poudre de noyaux d'abricot (en boutiques diététiques) : mélangez une c. à soupe de poudre avec un peu d'huile de noyau d'abricot, appliquez sur le visage en frottant doucement par mouvements circulaires. Rincez abondamment à l'eau fraîche.

Souper

Soupe de poireaux
Salade d'orge aux calamars*
1 pêche

SALADE D'ORGE AUX CALAMARS

Faites cuire 50 g d'orge perlé dans 1 litre d'eau bouillante salée pendant 20 minutes. Pendant ce temps, coupez 200 g de calamars décongelés en petits morceaux. Faites-les revenir à feu vif dans une poêle jusqu'à ce qu'ils aient rendu leur eau. Salez, poivrez, ajoutez 1 pincée de muscade, 1 c. à soupe d'huile d'olive et poursuivez la cuisson pendant 10 minutes. Détaillez 1 courgette en fins bâtonnets. Versez l'orge égoutté dans un saladier, ajoutez les calamars, les courgettes, arrosez de 2 c. à thé de jus de citron. Mélangez.

Exercice respiratoire

Exercice 1 (voir p. 247).

Aérez la maison au moins ¼ d'heure.

Coucher

1 tisane détox* (voir p. 247)

Réflexo

Stimulez le point « poumons » à n'importe quel moment de la journée.

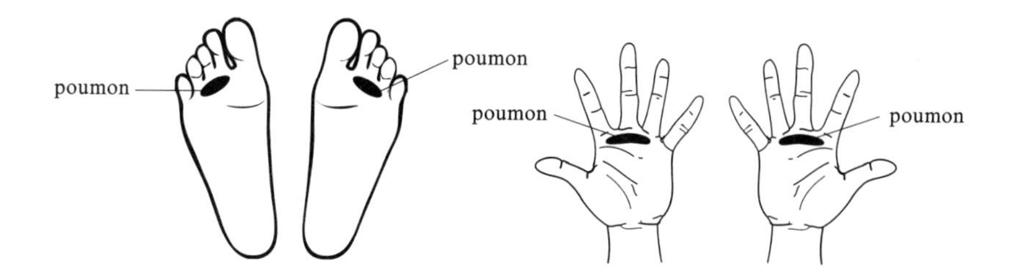

Sur dix cuisiniers, neuf se gardent de trop saler.
Proverbe chinois

SAMEDI

C'est la fin de semaine, ne baissez pas la garde! Admirez plutôt les changements qui s'opèrent dans votre organisme: pour vous en convaincre, retournez en page 12 et comptabilisez tous les mauvais gestes acidifiants auxquels vous avez tordu le cou durant cette semaine.

Lever

1 grand verre d'eau minérale, comme la Courmayeur + ½ citron pressé

Aérez la maison au moins ¼ d'heure. Si c'est jour de ménage, faites-le toutes fenêtres ouvertes.

Exercice

Flexion… extension (voir p. 244).

Déjeuner

Thé détox* (voir p. 245)
1 yogourt de soja + miel
Cerises

Hors saison, ou tout simplement si vous n'en trouvez pas, ne vous privez pas pour autant de cerises: buvez un grand verre de jus de cerises bien noires allongées d'eau pour profiter de ces alliées indéfectibles de l'équilibre acido-basique.

Collation

Smoothie aux légumes détox* (voir p. 245)

Dîner

Betterave, persil, échalote
12 huîtres
Crumble aux poires*

 CRUMBLE DE POIRES AUX FLOCONS D'AVOINE

Mixez 100 g de poires au sirop léger avec le jus de ½ citron et versez dans un ramequin. Parsemez 1 c. à soupe de flocons d'avoine par-dessus et enfournez dans un four chaud (350 °F/180 °C) pour 10 minutes.

 COLLATION

1 thé détox* (voir p. 245)
2 noix
1 yogourt bifidus + 1 goutte d'huile essentielle de citron

SOUPER

Salade de tomate (1) + concombre (½)
Œufs brouillés* + chou-fleur vapeur
Salade de fruits (½ pamplemousse, ½ banane, ½ pomme)

ŒUFS BROUILLÉS

Battez 2 œufs avec 5 tiges de ciboulette ciselées et du poivre. Versez-les dans une casserole et faites cuire 5 minutes au bain-marie en remuant sans arrêt au fouet.

 EXERCICES

C'est la fin de semaine : tout le monde à la piscine + exercices de respiration 1, 2, 3 et 4 (p. 247, 249, 179, 181).

Aérez la maison au moins ¼ d'heure.

 BAIN

Bain hyperthermique de pamplemousse. Diluez 10 gouttes d'huile essentielle de pamplemousse dans 1 bouchon de base pour bain et versez dans l'eau.
Le rêve : rester allongé ½ heure et… transpirer !

Attention ce bain hyperthermique est à proscrire sur un terrain à problème cardiaques ou veineux!

COUCHER

1 tisane détox* (voir p. 247)

RÉFLEXO

Stimulez le point «reins» à n'importe quel moment de la journée.

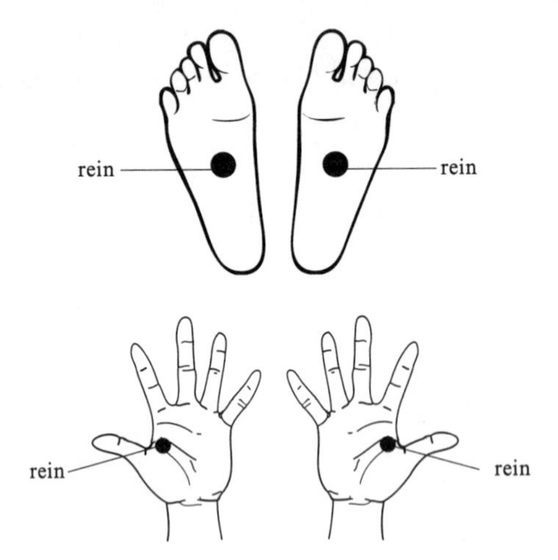

Trois cents pas après une bonne chère évitent d'entrer chez l'apothicaire.
Proverbe chinois

DIMANCHE

Vous méritez votre permis de chasse aux toxines, vous êtes devenu un vrai pro du nettoyage intérieur ! Ne vous arrêtez pas en si bon chemin, faites du zèle : encore deux petites semaines à ce rythme et vous serez comme neuf. Organisez la suite en piochant menus et gestes détox dans ce programme, bonne chasse !

LEVER

1 grand verre d'eau minérale, comme la Courmayeur + ½ citron pressé

Aérez la maison au moins ¼ d'heure.

EXERCICE

Souplesse avant (voir p. 248).

DÉJEUNER

Thé détox* (voir p. 245)
1 fromage blanc + miel
1 petite poignée d'amandes

DOUCHE

Frictionnez votre peau au gant de crin et filez sous la douche.

> **MASQUE À L'ARGILE**
> Appliquez la pâte d'argile en couche épaisse sur une peau parfaitement propre et légèrement humidifiée, en évitant le contour des yeux. Laissez poser 15 minutes en réhumidifiant à l'aide d'un brumisateur si l'argile sèche. Rincez à l'eau tiède, puis à l'eau froide. Passez sur votre peau un coton imbibé d'eau florale de rose.

COLLATION

Smoothie aux légumes détox* (voir p. 245)

DÎNER

Salade avocat pamplemousse
Rouget en papillote* + brocoli + quinoa
Smoothie cerises*

ROUGET EN PAPILLOTE

Déposez un rouget vidé dans une feuille de papier sulfurisé avec le jus de ½ citron, du sel, du poivre et du thym. Faites cuire 15 minutes à 410 °F (210 °C).

SMOOTHIE CERISES

Versez dans le mélangeur 150 g de cerises surgelées avec leur jus, le jus de ½ citron, 4 feuilles de menthe et mixez jusqu'à obtention d'un mélange mousseux.

EXERCICES

Marche nordique 1 heure. Qu'est-ce que c'est, la marche nordique? C'est la marche, mais en mieux (à pratiquer dans les bois, sur la plage, dans les champs…). Le principe: propulser le corps en avant, en poussant sur deux bâtons. Plantez le bâton droit devant vous, à hauteur de hanche, bras très légèrement plié, la jambe gauche en avant elle aussi, puis poussez dessus et dès que votre corps dépasse le bâton, allez planter l'autre, tandis que vous avancez en même temps la jambe droite. Les enjambées doivent être larges. On avance très vite!

Exercices respiratoires 1, 2, 3 et 4 autant de fois que vous pouvez dans la journée.

COLLATION

1 thé détox* (voir p. 245)
2 clémentines (ou 2 abricots)

Souper

Salade de concombre
Filet de cabillaud + épinards + riz basmati + muscade râpée
Verrine de mangue au basilic*

Le concombre est plus facile à digérer s'il garde sa peau. Celle-ci renferme de la pepsine, une enzyme qui facilite la digestion. Son CV nous intéresse au plus haut point. Le concombre est très peu calorique, riche en minéraux : un poids lourd pour perdre des kilos et éliminer.

VERRINE DE MANGUE AU BASILIC
Coupez ½ mangue en petits dés, arrosez-les du jus de ½ citron vert et parsemez de basilic ciselé. Placez 1 heure au frais.

Aérez la maison au moins ¼ d'heure.

Bain

Bain hyperthermique au citron. Diluez 10 gouttes d'huile essentielle de citron dans 1 bouchon de base pour bain et versez dans l'eau.

Coucher

1 tisane détox* (voir p. 247).

Réflexo

Stimulez le point « foie » à n'importe quel moment de la journée.

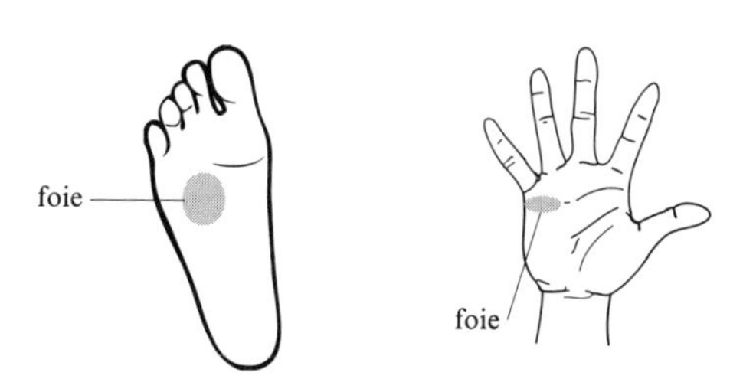

PROGRAMME
IMMUNITÉ
1 SEMAINE POUR FORTIFIER SES DÉFENSES

C'est décidé, vous ne prendrez que le bon de l'hiver, halte aux virus de toute sorte! Même punition pour les maux de gorge printaniers, les rhumes à répétition de l'automne, dehors!, vous allez consolider vos défenses immunitaires sur tous les fronts. Vos armes? Le zinc, la vitamine C, des probiotiques (des «gentilles» bactéries embarquées dans les aliments fermentés et lactofermentés qui viennent prêter main-forte à notre flore intestinale), des fibres, des antioxydants... convoqués pour combler toutes les brèches où pourraient s'introduire les attaquants. Votre allié le plus sûr, à part vous-même et votre volonté? Tout ce qui concourt à retrouver ce fameux équilibre acido-basique, tant dans les menus proposés et savamment dosés que par les petits gestes préconisés qui vont égrener vos journées.

Vos menus de la semaine d'un coup d'œil

LUNDI

- Thé blanc, tartines au miel, yogourt bifidus, compote de pomme.
- Salade d'artichauts violets, omelette ciboulette, tomate au four, orange à la cannelle.
- Velouté d'asperges aux courgettes, sushis, poire au vin rouge.

MARDI

- Thé blanc, tartines au miel, yogourt bifidus, kiwis.
- Saumon, ½ mangue, choucroute à la pomme, bifidus.
- Soupe de carottes Vichy, jambon purée de fèves, banane bien dans sa peau.

MERCREDI

- Thé blanc, tartines au miel, yogourt bifidus, pamplemousse.
- Salade de chou alsacienne, poulet à la sauge et aux noix de cajou, brocoli, ananas.
- Soupe de potiron, rollmops et fenouil, pêche au vin.

JEUDI

- Thé blanc, tartines au miel, yogourt bifidus, ananas.
- Salade de poireaux crus, quinoa du soleil, brugnon à la menthe.
- Soupe de topinambours, pâtes à l'ail, crème de soja au chocolat.

VENDREDI

- Thé blanc, tartines au miel, yogourt bifidus, pomme.
- Melon, cabillaud, salsifis caramélisés et riz complet, compote d'abricots au thym.
- Betterave râpée à l'huile de noix, orgetto au crabe et à l'estragon, écrasé de tofu aux framboises.

SAMEDI

- Thé blanc, tartines au miel, yogourt bifidus, ½ melon.
- Salade de chou rouge, pétoncles aux shiitakés, smoothie banane.
- Omelette au nori, tagliatelles de courgettes au pesto, salade de fruits rouges.

DIMANCHE

- Thé blanc, tartines au miel, yogourt bifidus, poire.
- Salade de lentilles corail, plateau de fruits de mer, café frappé.
- Carottes râpées, pâtes aux palourdes, banane écrasée au citron.

Votre liste de courses à photocopier pour ne rien oublier !

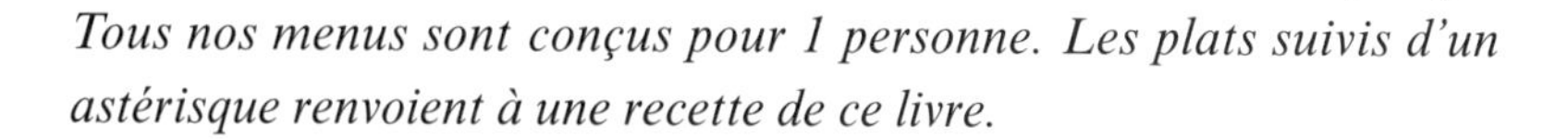

Tous nos menus sont conçus pour 1 personne. Les plats suivis d'un astérisque renvoient à une recette de ce livre.

Épicerie

- ❑ Amandes
- ❑ Bouillon de volaille
- ❑ Cacao
- ❑ Café
- ❑ Cannelle
- ❑ Câpres
- ❑ Chair de crabe
- ❑ Choucroute cuite
- ❑ Clou de girofle
- ❑ Courmayeur
- ❑ Cumin
- ❑ Curry
- ❑ Filets d'anchois
- ❑ Huile d'olive
- ❑ Huile de noix
- ❑ Huile de sésame
- ❑ Lentilles corail
- ❑ Miel
- ❑ Moutarde
- ❑ Noix de cajou non salées
- ❑ Noix de muscade
- ❑ Œufs
- ❑ Olives noires
- ❑ Orge perlé
- ❑ Piment de Cayenne
- ❑ Quinoa
- ❑ Raifort
- ❑ Riz complet
- ❑ Salsifis
- ❑ Sauce soja
- ❑ Spaghettis complets
- ❑ Sucre complet
- ❑ Sucre roux
- ❑ Thé blanc
- ❑ Vichy Saint-Yorre
- ❑ Vin blanc sec
- ❑ Vin rouge bordeaux
- ❑ Vinaigre de cidre

Rayon bio (si possible)

- ❑ Choucroute crue
- ❑ Crème soja chocolat
- ❑ Huile essentielle de basilic
- ❑ Lait de soja
- ❑ Nori
- ❑ Thym (tisane)
- ❑ Tofu soyeux

Frais

- ❑ Crème liquide
- ❑ Lait fermenté
- ❑ Compote de pomme
- ❑ Yogourt bifidus

Poissonnerie (surgelé ou frais)

- ❑ Cabillaud
- ❑ Palourdes
- ❑ Pétoncles
- ❑ Plateau de fruits de mer
- ❑ Rollmops
- ❑ Saumon fumé
- ❑ Sushis

Viande

- ❑ Jambon
- ❑ Poitrine de poulet

Légumes

- ❑ Ail
- ❑ Aneth
- ❑ Artichauts violets
- ❑ Asperges vertes
- ❑ Basilic
- ❑ Betterave crue
- ❑ Brocolis
- ❑ Carottes
- ❑ Chou rouge
- ❑ Ciboulette
- ❑ Concombres
- ❑ Coriandre
- ❑ Courgettes
- ❑ Échalotes
- ❑ Estragon
- ❑ Fenouil
- ❑ Menthe
- ❑ Oignons
- ❑ Oignons nouveaux
- ❑ Persil
- ❑ Poireaux primeurs
- ❑ Potiron
- ❑ Sauge
- ❑ Shiitakés
- ❑ Thym
- ❑ Thym citronné
- ❑ Tomates
- ❑ Topinambours

Fruits

- ❑ Abricots
- ❑ Ananas
- ❑ Bananes
- ❑ Brugnon
- ❑ Citrons
- ❑ Framboises
- ❑ Gingembre
- ❑ Kiwis
- ❑ Mangue
- ❑ Melon
- ❑ Orange
- ❑ Pamplemousse
- ❑ Pêche
- ❑ Poires
- ❑ Pommes

Surgelés

- ❑ Fèves pelées
- ❑ Fruits rouges

Pensez au pain !

- ❑ Pain complet

La meilleure santé, c'est de ne pas sentir sa santé.
Jules Renard

LUNDI

Probiotiques, prébiotiques, zinc... ce programme aux airs de médicament cache bien son jeu: c'est en coulisse qu'il travaille à renforcer vos défenses immunitaires; dans l'assiette, c'est un régal. Vous allez adorer vous faire du bien.

Lever

1 grand verre d'eau minérale, comme la Courmayeur

De l'air, de l'air, ouvrez toutes les fenêtres au moins ¼ d'heure. Respirez à même le flacon d'huile essentielle de ravintsara.

Déjeuner

Thé blanc
2 tranches de pain complet + miel
Yogourt au bifidus
Compote de pomme

Le thé blanc aide à vaincre les microbes, les virus et les champignons (mycoses). Il coûte un peu plus cher, mais est désormais disponible dans tous les supermarchés. Il contiendrait 3 fois plus de polyphénols que le thé vert!

Simplifiez-vous le réflexe bifidus, un basique flore intestinale, en faisant vos yogourts vous-même: versez 1 yogourt bifidus, 1 c. à soupe de lait concentré non sucré et 1 litre de lait 2% dans un récipient, battez le tout au fouet. Transvasez dans les pots de la yogourtière pour une dizaine d'heures. Coiffez-les de leurs couvercles et placez au frais pendant au moins 4 heures avant d'en profiter.

Douche

Avant de filer sous la douche, enfilez le gant de crin et frictionnez-vous avec douceur, de la tête aux pieds (mais en commençant par les pieds et en remontant vers le cœur). Les plus courageux termineront la séance par un jet d'eau bien fraîche.

Massage

Appliquez 5 gouttes d'huile essentielle de ravintsara sur le thorax et le haut du dos en massage léger.

L'huile essentielle de ravintsara renforce l'immunité en stimulant les glandes surrénales, organes essentiels de la réponse immunitaire.

Collation

Smoothie aux légumes auto-défense

SMOOTHIE AUX LÉGUMES AUTO-DÉFENSE

Faites blanchir ¼ de bulbe de fenouil 5 minutes dans de l'eau bouillante, égouttez-le, passez-le sous l'eau froide, coupez-le en morceaux. Épluchez ¼ de concombre, coupez-le en cubes. Pressez ½ citron. Rincez 4 feuilles de menthe et 4 feuilles de coriandre. Mettez tous les ingrédients dans le mélangeur, mélangez jusqu'à obtention d'une consistance lisse.

Dîner

Salade d'artichauts violets*
Omelette (2 œufs) + ciboulette + 1 tomate au four + thym
Orange en tranches + cannelle

SALADE D'ARTICHAUTS VIOLETS

Coupez les queues de 2 artichauts violets, ôtez les plus grosses feuilles pour ne garder que les cœurs et les feuilles tendres. Détaillez-les en fines lanières, pressez le jus de ½ citron dessus. Arrosez de 1 c. à soupe d'huile d'olive, saupoudrez de fleur de sel, donnez 1 tour de moulin à poivre. Ajoutez 1 c. à thé de câpres et 2 filets d'anchois. Parsemez de basilic ciselé.

Les violets, aussi appelés « poivrades » ou « artichauts bouquet », sont ces petits artichauts très tendres, vendus généralement en botte.
Pensez à garder le reste de l'orange pour le dessert du soir.

COLLATION

1 thé blanc
1 banane

EXERCICE

Pompe ultradouces. À quatre pattes, les mains posées au sol devant vous, bras tendus, les paumes à plat et les doigts pointant en direction des genoux. Tendez complètement les bras afin d'atteindre la tension maximale. Gardez la position pendant 20 à 30 secondes puis relâchez lentement la position. Tout au long de cet exercice respirez le plus naturellement possible, bloquez la respiration 5 secondes et expirez profondément et régulièrement.

Relaxez, ne forcez pas, le but de l'exercice est de dénouer les tensions : il est prouvé que le stress fait baisser les défenses immunitaires.

SOUPER

Velouté d'asperges aux courgettes*
8 sushis + raifort
Poire au vin rouge* (p. 232)

> VELOUTÉ D'ASPERGES AUX COURGETTES
>
> Dans le cuit-vapeur, faites cuire 100 g d'asperges vertes et 1 courgette détaillée en morceaux pendant 10 minutes. Chauffez 150 ml de lait de soja, versez-le dans le mélangeur avec les légumes, ajoutez ½ c. à thé de cumin en poudre et mixez jusqu'à obtention d'une consistance homogène.

Aérez la maison à fond au moins ¼ d'heure.

EXERCICE RESPIRATOIRE

Exercice 1. Placez-vous dans l'encadrement d'une porte, et saisissez les bords latéraux en dessous du niveau des épaules. Penchez le buste lentement vers l'avant, le dos bien droit jusqu'à ce que vos bras soient tendus. Tenez la position une minute. Inspirez lentement, et expirez en ouvrant largement vos épaules.

COUCHER

1 tisane auto-défense*

> TISANE AUTO-DÉFENSE
>
> Versez 250 ml d'eau frémissante sur 1 c. à thé de thym. Laissez infuser 10 minutes. Filtrez. Ajoutez 1 goutte d'huile essentielle de basilic diluée dans une petite c. à thé de miel.

RÉFLEXO

Stimulez les points «reins» et «ganglions lymphatiques» à n'importe quel moment de la journée.

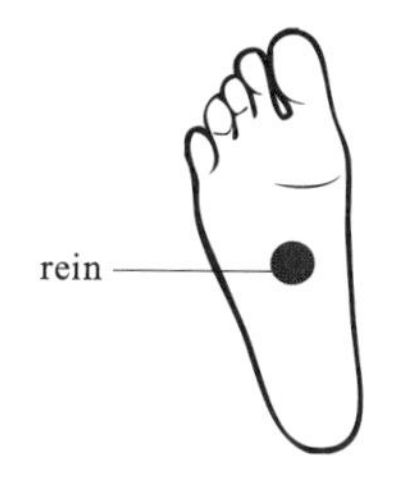

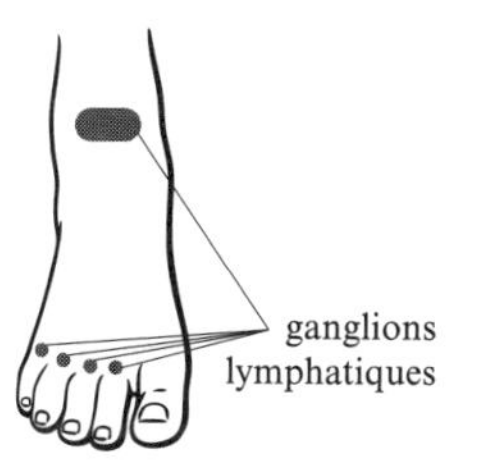

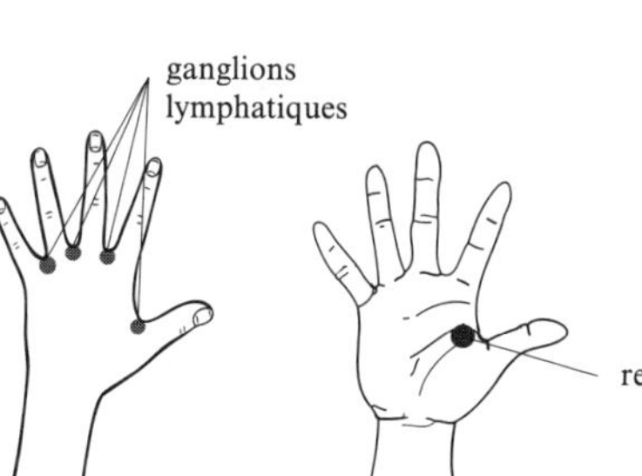

J'ai décidé d'être heureux parce que c'est bon pour la santé.

Voltaire

MARDI

Le rôle d'écologiste de votre corps semble vous aller à merveille, puisque vous voilà prêt à débuter cette deuxième journée ! Et c'est tant mieux, car le renforcement de l'immunité est un travail de développement durable…

LEVER

1 grand verre d'eau minérale, comme la Courmayeur

Offrez un grand bol d'air à votre maison : ouvrez toutes les fenêtres au moins ¼ d'heure.

Respirez à même le flacon d'huile essentielle de ravintsara.

DÉJEUNER

Thé blanc

2 tranches de pain complet + miel

1 yogourt bifidus

2 kiwis

Si vous n'aimez pas le goût délicat du thé blanc, remplacez-le par du vert ou du noir.

COLLATION

Smoothie aux légumes auto-défense* (voir p. 271)

DÎNER

Saumon au bifidus*

Choucroute à la pomme*

½ mangue

SAUMON À L'ACIDOPHILUS

Coupez une tranche de saumon fumé en tout petits morceaux, mettez ce « hachis » dans un petit saladier avec 1 oignon nouveau émincé et ¼ de concombre râpé. Arrosez du jus de ½ citron. Incorporez ½ yogourt bifidus, poivrez et mélangez. Parsemez d'aneth et dégustez bien frais.

Glutamine (saumon), prébiotiques (oignon), probiotiques (yogourt)... ce « yogourt nordique » est une véritable manne pour prévenir les infections et renforcer votre immunité !

CHOUCROUTE À LA POMME

Rincez et égouttez 100 g de choucroute, étalez-en la moitié au fond d'un petit plat à four, recouvrez de fines lamelles de pomme verte, puis d'une couche de choucroute, puis d'une couche de pomme. Arrosez de 50 ml de vin blanc, saupoudrez de noix de muscade et de poivre. Couvrez et enfournez pour 20 minutes à 350 °F (180 °C).

COLLATION

Thé blanc

½ mangue

EXERCICE RESPIRATOIRE

Exercice 2. Debout, les pieds joints, bras le long du corps, inspirez profondément en gonflant le ventre ; rentrez-le sur l'expiration. Bloquez votre souffle trois secondes, puis recommencez le cycle inspiration-expiration-blocage dix fois de suite.

SOUPER

Soupe de carottes cuites à l'eau de Vichy + curcuma + coriandre ciselée
1 tranche de jambon + purée de fèves
1 banane bien dans sa peau* (voir p. 151)

Mariez toujours le curcuma avec une pincée de poivre, c'est l'assurance de profiter à plein de ses pouvoirs antioxydants, antiseptiques et antibactériens.

Aérez la maison au moins ¼ d'heure.

COUCHER

1 tisane auto-défense* (voir p. 273)

RÉFLEXO

Stimulez les points « foie » et « ganglions lymphatiques » à n'importe quel moment de la journée.

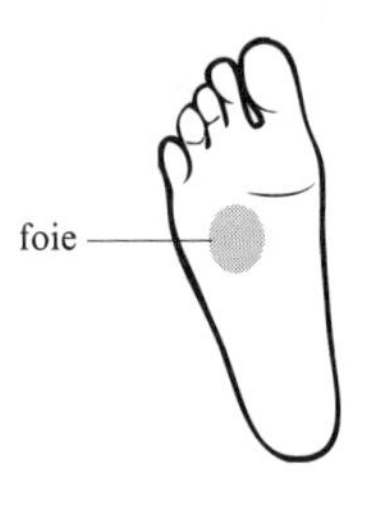

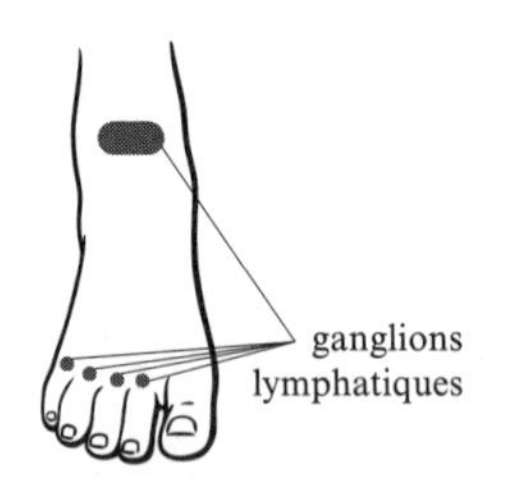

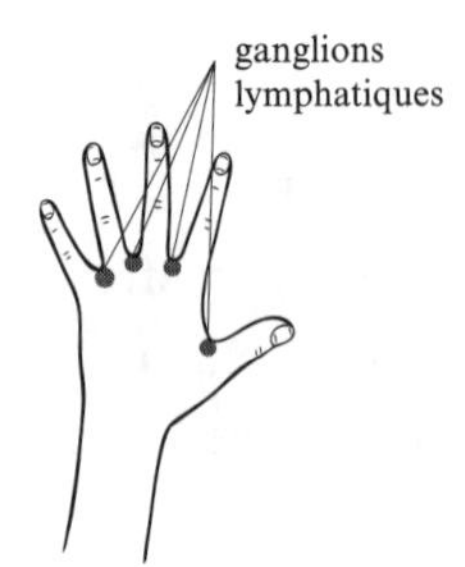

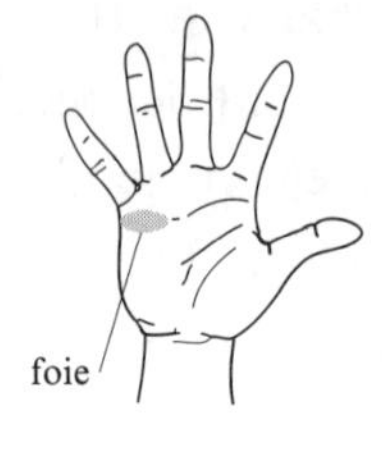

La santé, c'est un esprit sain dans un corps sain.

Homère

MERCREDI

En bon stratège, faites le point sur ce qui vous complique la vie dans ce programme et opérez quelques ajustements d'organisation. Déléguez les courses, par exemple, vous aurez tout le loisir de les faire pour toute la maisonnée cet hiver, quand vous déborderez d'énergie, sans l'ombre d'un rhume !

Lever

1 grand verre d'eau minérale, comme la Courmayeur

Aérez la maison en grand au moins ¼ d'heure.
Respirez à même le flacon d'huile essentielle de ravintsara.

Déjeuner

Thé blanc
2 tranches de pain complet + miel
1 yogourt bifidus
½ pamplemousse

Collation

Smoothie aux légumes auto-défense* (voir p. 271)

Dîner

Salade de chou alsacienne*
Poitrine de poulet à la sauge et aux noix de cajou + brocoli + muscade
2 tranches d'ananas

SALADE DE CHOU ALSACIENNE

Rincez 1 minute 100 g de choucroute crue à l'eau courante, égouttez-la. Épluchez 1 pomme et ½ carotte, puis râpez-les. Émincez une échalote. Mélangez les ingrédients dans un saladier, assaisonnez de 1 c. à soupe de vinaigre de cidre, 1 c. à soupe d'huile de noix et 1 c. à thé de curry. Placez au frais.

La salade de chou alsacienne fait ici son cinéma dans une version bollywood : le curry, en artiste invité, épaule la choucroute pour renforcer son rôle de probiotique.

EXERCICES

Fessiers de rêve. Allongé au sol sur le ventre, les coudes sont pliés et vos deux mains sont posées devant vous (en appui sur les avant-bras). Contractez les fessiers, puis poussez sur les avant-bras en soulevant le buste et en redressant le torse. Cambrez le bas du dos (les lombaires), vous devez ressentir une légère tension dans le milieu et le bas du dos (il faut veiller à maintenir le haut du bassin sur le sol). Tenez cette position pendant 30 secondes et revenez lentement à la position de départ. Faites une série de 10 répétitions. Tout au long de cet exercice respirez le plus naturellement possible en expirant profondément et régulièrement.

COLLATION

1 thé blanc
4 abricots

SOUPER

Soupe de courge (voir p. 154)
2 rollmops + ¼ bulbe de fenouil cru + jus de ½ citron + huile d'olive + persil
Pêche au vin*

PÊCHE AU VIN

Pelez 1 pêche, ôtez son noyau et coupez-la en 4. Saupoudrez les quartiers de 1 c. à soupe de sucre roux et placez au frais pendant 1 heure. Faites bouillir 100 ml de bordeaux rouge avec 1 c. à soupe de sucre roux et 1 c. à thé de cannelle en poudre. Déposez-y les quartiers de pêche avec leur jus et laissez cuire pendant 10 minutes. Égouttez les fruits et faites réduire le jus de cuisson pendant 5 minutes. Nappez les pêches du sirop.

Aérez la maison au moins ¼ d'heure.

BAIN

Bain hyperthermique au ravintsara. Diluez 10 gouttes d'huile essentielle de ravintsara dans 1 bouchon de base pour bain et versez dans l'eau déjà coulée.

EXERCICE RESPIRATOIRE

Exercice 3 (voir p. 179).

COUCHER

1 tisane auto-défense* (voir p. 273)

RÉFLEXO

Stimulez les points «côlon» et «ganglions lymphatiques» à n'importe quel moment de la journée.

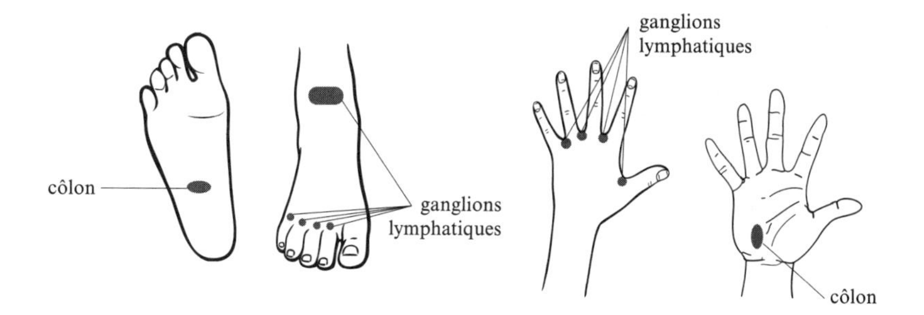

Les neuf dixièmes de notre bonheur reposent sur la santé.
Avec elle, tout devient source de plaisir.
Arthur Schopenhauer

JEUDI

Journée végétarienne. Punition pour les uns, récompense pour d'autres, cette journée végétarienne est une aubaine pour tous les candidats à l'équilibre acido-basique ! Ce défi, vous le relevez depuis déjà trois jours : bravo et bienvenue dans le monde merveilleux d'un corps apaisé et aux défenses immunitaires boostées.

Lever

1 grand verre d'eau minérale, comme la Courmayeur

Au diable les frileux, aérez la maison au moins ¼ d'heure !
Respirez à même le flacon d'huile essentielle de ravintsara.

Déjeuner

Thé blanc
2 tranches de pain complet + miel
1 yogourt bifidus
2 tranches d'ananas

Collation

Smoothie aux légumes auto-défense* (voir p. 271)

Dîner

Salade de poireaux crus*
Quinoa du soleil*
1 brugnon en tranches + filet de citron + 1 c. à thé de miel + feuilles de menthe fraîche ciselées

SALADE DE POIREAUX CRUS

Lavez soigneusement 2 blancs de poireaux primeurs et émincez-les en fines rondelles. Arrosez-les du jus de ½ citron. Dans un bol, émulsionnez ½ yogourt bifidus, 1 c. à thé de moutarde, du sel et du poivre. Arrosez la salade de cette sauce.

QUINOA DU SOLEIL

Faites revenir 1 petit oignon et 2 carottes émincés dans un filet d'huile d'olive pendant 5 minutes. Ajoutez 80 g de quinoa et versez le double de son volume d'eau. Couvrez et faites cuire pendant 15 minutes à feu doux. Puis laissez gonfler 5 minutes hors du feu. Parsemez de 5 branches de persil ciselé et d'une dizaine d'olives noires dénoyautées.

COLLATION

1 thé blanc
1 pomme

SOUPER

Soupe de topinambours*
Pâtes à l'ail*
1 bol de crème de soja au chocolat + 2 grains de café à croquer pour chasser le goût de l'ail.

Antioxydant, antibiotique naturel, protecteur du cœur, du cerveau, des bronches… l'ail est si bénéfique qu'il se situe à la frontière entre l'aliment et le médicament !

SOUPE DE TOPINAMBOURS

Lavez et brossez 150 g de topinambours (s'ils ne sont pas bio, épluchez-les) puis émincez-les. Versez 1 filet d'huile d'olive dans une sauteuse et, quand elle est bien chaude, faites-y revenir le banc de 1 poireau émincé et 1 gousse d'ail hachée. Ajoutez les

→

Programme immunité Jeudi

topinambours et laissez cuire à feu vif pendant 3 minutes. Puis recouvrez de 1 litre d'eau. Salez, poivrez, couvrez et laissez cuire 30 minutes à feu doux. Versez le tout dans le mélangeur, ajoutez 2 c. à soupe de crème liquide. Mixez jusqu'à obtention d'une consistance onctueuse.

 PÂTES À L'AIL

Faites cuire 100 g de spaghettis complets dans une grande quantité d'eau salée, le temps indiqué sur l'emballage. Pelez et hachez 2 gousses d'ail. Versez 2 c. à soupe d'huile d'olive dans une poêle et, quand elle est bien chaude, faites-y dorer l'ail et 1 pincée de piment de Cayenne. Égouttez les pâtes, versez-les dans la poêle et mélangez bien. Parsemez de quelques feuilles de basilic.

EXERCICE RESPIRATOIRE

Exercice 4 (voir p. 181).

Aérez la maison au moins ¼ d'heure.

 COUCHER

1 tisane auto-défense* (voir p. 273)

 RÉFLEXO

Stimulez les points « côlon » et « ganglions lymphatiques » à n'importe quel moment de la journée.

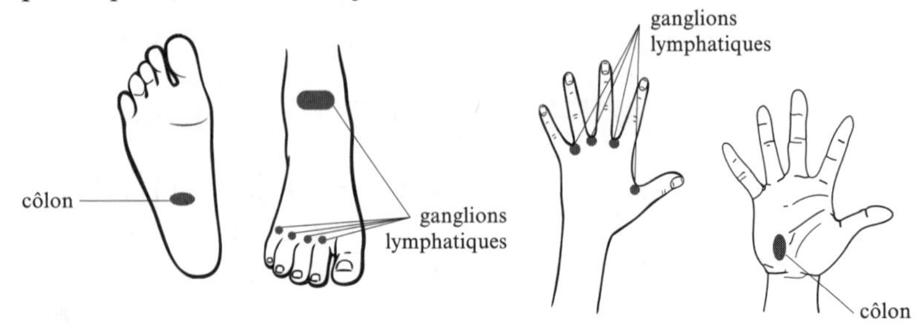

Point de santé si l'on ne se donne tous les jours suffisamment de mouvement.
Arthur Schopenhauer

VENDREDI

Bravo, la fin de semaine est à une encablure et vous jouez le jeu ! Pensez à vos défenses immunitaires que vous réarmez petit à petit : un vrai cheval de Troie prêt à surprendre et repousser les virus et bactéries de tout poil.

Lever

1 grand verre d'eau minérale, comme la Courmayeur

Aérez la maison au moins ¼ d'heure.
Respirez à même le flacon d'huile essentielle de ravintsara.

Déjeuner

Thé blanc
2 tranches de pain complet + miel
1 yogourt bifidus
1 pomme

Douche

Avant la douche, n'oubliez pas de vous frictionner doucement au gant de crin.

Massage

Juste après la douche, appliquez 5 gouttes d'huile essentielle de ravintsara sur le thorax et le haut du dos.

Collation

Smoothie aux légumes auto-défense* (voir p. 271)

DÎNER

½ melon

Pavé de cabillaud + salsifis caramélisés* + riz complet

Compote d'abricots au thym*

SALSIFIS CARAMÉLISÉS

Rincez et égouttez 1 petite conserve de salsifis. Faites-les revenir dans une poêle avec un filet d'huile d'olive. Ajoutez 1 gousse d'ail hachée, 1 pincée de thym, du sel, du poivre et 2 c. à thé de miel. Laissez caraméliser 5 minutes à feu vif.

COMPOTE D'ABRICOTS AU THYM

Coupez 4 abricots dénoyautés en morceaux, placez-les dans une casserole avec un fond d'eau, ajoutez 2 c. à thé de miel, 1 branche de thym-citron et laissez cuire une bonne demi-heure.

EXERCICE

Fente avant. Debout face à un mur, exécutez une fente avant, le buste est aligné dans le prolongement de la jambe arrière dont le pied est posé au sol (il ne faut surtout pas que le talon du pied arrière soit décollé). Posez les deux paumes des mains sur le mur. Allongez la nuque (comme si la tête était attirée vers le haut). Le genou de la jambe avant est plié et celui-ci doit rester à l'aplomb de la cheville (le genou et la cheville doivent se trouver sur le même axe vertical). En pliant un peu plus le genou avant, passez tout le poids du corps en avant, vous devez ressentir l'étirement dans le mollet de la jambe arrière qui reste toujours tendue durant l'exercice. Ensuite, pliez le genou (légèrement) de la jambe qui est tendue (jambe arrière) sans décoller le talon du sol. Gardez la position pendant 30 secondes et faites l'exercice de l'autre côté. Tout au long de cet exercice respirez le plus naturellement possible et en expirant profondément et régulièrement.

Collation

1 thé blanc

1 poignée d'amandes

Souper

Betterave crue râpée + échalote + vinaigre de cidre + huile de noix

Orgetto au crabe et à l'estragon*

Écrasé de tofu aux framboises*

ORGETTO AU CRABE ET À L'ESTRAGON

Faites revenir ½ échalote dans un filet d'huile d'olive 3 minutes à feu moyen. Ajoutez 80 g d'orge perlé et laissez cuire 3 minutes en remuant sans cesse. Versez 300 ml de bouillon de volaille, couvrez et laissez cuire à feu doux pendant 30 minutes. Ajoutez 80 g de chair de crabe, 1 c. à soupe d'estragon ciselé, salez, poivrez et poursuivez la cuisson 3 minutes.

ÉCRASÉ DE TOFU AUX FRAMBOISES

Rincez vite fait 100 g de framboises, écrasez-les dans 80 g de tofu soyeux. Ajoutez 1 c. à thé de miel et fouettez bien.

Exercice respiratoire

Exercice 1 (voir p. 273).

Aérez la maison au moins ¼ d'heure.

Coucher

1 tisane auto-défense* (voir p. 273)

RÉFLEXO

Stimulez les points « poumons » et « ganglions lymphatiques » à n'importe quel moment de la journée.

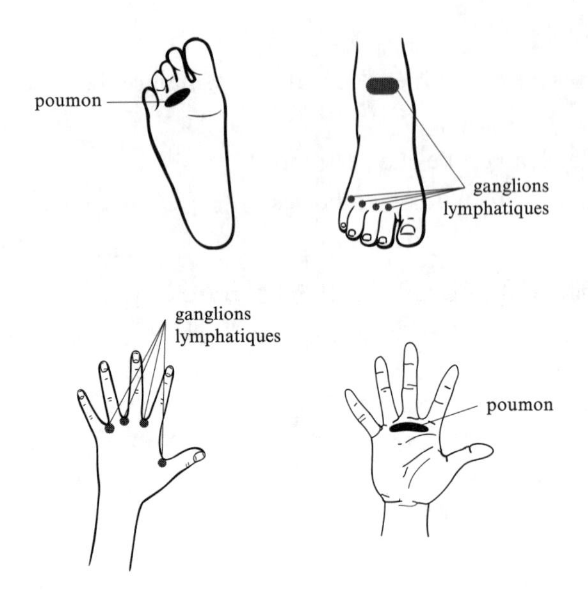

Se coucher de bonne heure et se lever matin
procure santé, fortune et sagesse.
George Washington

SAMEDI

C'est la fin de semaine, il est temps de vous féliciter ! Admirez les changements qui s'opèrent dans votre organisme : pour vous en convaincre, retournez en page 12 et comptabilisez tous les mauvais gestes acidifiants auxquels vous avez tordu le cou durant cette semaine.

Lever

1 grand verre d'eau minérale, comme la Courmayeur

Aérez la maison au moins ¼ d'heure. Si c'est jour de ménage, faites-le toutes fenêtres ouvertes.
Respirez à même le flacon d'huile essentielle de ravintsara.

Déjeuner

Thé blanc
2 tranches de pain complet + miel
1 yogourt bifidus
½ melon

Collation

Smoothie aux légumes auto-défense* (voir p. 271)

Dîner

Salade de chou rouge + échalote + persil + huile de noix
Pétoncles aux shiitakés*
Smoothie banane*

SMOOTHIE BANANE

Versez 200 ml de lait fermenté dans le mélangeur, ajoutez 1 banane épluchée, ½ c. à thé de cannelle, 2 glaçons et mixez suffisamment pour obtenir une consistance onctueuse.

PÉTONCLES AUX SHIITAKÉS

Faites revenir 100 g de pétoncles dans un filet d'huile de sésame 1 minute de chaque côté. Ôtez les pétoncles et mettez dans la poêle 1 gousse d'ail pressée, 4 shiitakés hachés et 1 petit morceau de gingembre râpé. Salez et poivrez et laissez cuire 2 minutes à feu vif. Posez les pétoncles par-dessus et faites réchauffer 1 minute.

Pour un lassi, remplacez le lait fermenté par 100 ml de yogourt et 100 ml d'eau de source. Congelez vos bananes ¾ d'heure avant de préparer ce smoothie, il n'en sera que plus onctueux et cela vous évitera d'ajouter des glaçons.

COLLATION

1 thé blanc
1 petite poignée de noix de cajou

SOUPER

Omelette au nori*
Tagliatelles de courgettes au pesto*
Salade de fruits rouges + filet de citron + 1 c. à thé de miel

OMELETTE AU NORI

Détaillez 1 poireau en tronçons de 2 cm. Faites-les cuire à la vapeur pendant 10 minutes. Réhydratez 10 g de nori pendant 10 minutes dans un bol d'eau tiède. Égouttez les algues et les poireaux. Détaillez-les en en tout petits morceaux. Battez 2 œufs en omelette, ajoutez les poireaux et les algues. Salez et poivrez. Versez la préparation dans une poêle légèrement huilée et faites cuire l'omelette baveuse.

Vous trouverez du nori en épiceries asiatiques et au rayon exotique des supermarchés.

 TAGLIATELLES DE COURGETTES AU PESTO

Détaillez 2 courgettes en tagliatelles à l'aide d'un économe et faites-les cuire 5 minutes dans le panier du cuit-vapeur. Mixez ensemble 1 tomate pelée, les feuilles de 5 branches de basilic, ½ gousse d'ail et 1 c. à soupe d'huile d'olive. Versez sur les courgettes et mélangez.

En optant pour des courgettes bio vous vous épargnez la séance d'épluchage.

 EXERCICES

C'est la fin de semaine : tout le monde à la piscine + exercices de respiration 1, 2, 3 et 4 (p. 273, 275, 179, 181)

Aérez la maison au moins ¼ d'heure.

BAIN

Bain hyperthermique de ravintsara. Diluez 10 gouttes d'huile essentielle de ravintsara dans 1 bouchon de base pour bain et versez dans l'eau.

 COUCHER

1 tisane auto-défense* (voir p. 273)

 RÉFLEXO

Stimulez les points « reins » et « ganglions lymphatiques » à n'importe quel moment de la journée.

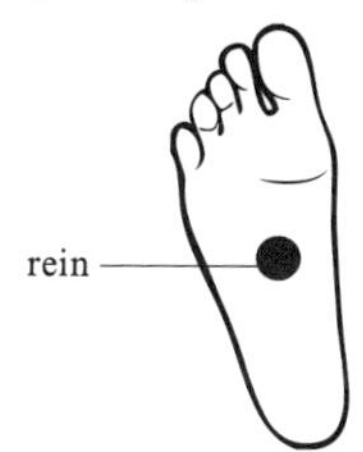

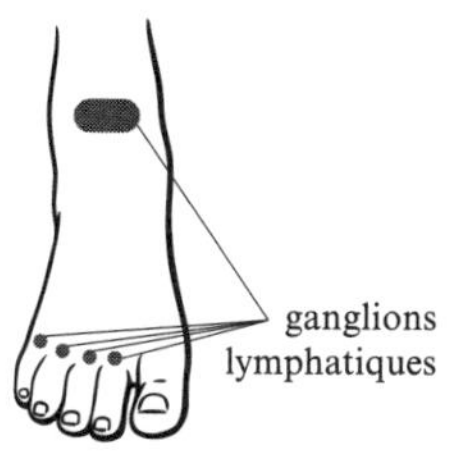

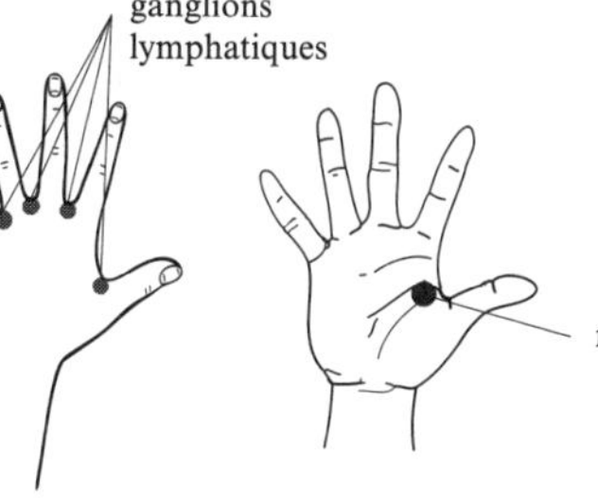

Les graines d'un vieillissement en bonne santé se sèment tôt.
Kofi Annan

DIMANCHE

Vous avez mené cette mission comme un chef! Un maître d'œuvre, aussi, car vous avez consolidé les fondations de votre ligne de défense, levé des remparts contre les agressions. Vous avez remporté la bataille, il ne tient qu'à vous de gagner la guerre en poursuivant votre objectif: piochez menus et gestes dans nos autres programmes et repartez en campagne… bien armé, cette fois-ci.

LEVER

1 grand verre d'eau minérale, comme la Courmayeur

Aérez la maison toute la matinée.
Respirez à même le flacon d'huile essentielle de ravintsara.

DÉJEUNER

Thé blanc
2 tranches de pain complet + miel
1 yogourt bifidus
1 poire

DOUCHE

Frictionnez votre peau au gant de crin et filez sous la douche.

COLLATION

Smoothie aux légumes auto-défense* (voir p. 271)

Dîner

Salade de lentilles corail + 1 c. à thé de sauce soja + 1 c. à soupe d'huile d'olive + 1 petite échalote émincée
Plateau de fruits de mer
Café frappé*

> **CAFÉ FRAPPÉ**
> Dans le mélangeur, versez une tasse d'espresso, 1 c. à thé de miel et un nuage de crème liquide. Ajoutez 3 glaçons et mixez.

Quand vous faites cuire des lentilles, prévoyez pour plusieurs fois, il est si facile de les accommoder différemment !
En salade, en purée, en soupe…

Exercices

Grande balade de 1 h 30 : relevez ce défi, vous avez tout à y gagner ! À pied, à vélo, à trottinette ou en patins à roues alignées, tout compte pour du muscle et de l'os neufs !
Exercices respiratoires 1, 2, 3 et 4 autant de fois que vous pouvez dans la journée.

Collation

1 thé blanc
1 pomme

Souper

Carottes râpées + citron + persil + huile de sésame
Pâtes aux palourdes*
1 banane écrasée + filet de citron

PÂTES AUX PALOURDES

Nettoyez 250 g de palourdes. Faites revenir 1 gousse d'ail entière avec un filet d'huile d'olive. Ajoutez les palourdes, couvrez et laissez cuire 1 à 2 minutes à feu vif afin qu'elles s'ouvrent. Mettez les coquillages de côté et filtrez le jus de cuisson. Faites revenir 1 bouquet de brocoli détaché en fleurettes dans une poêle 1 ou 2 minutes à feu vif avec un filet d'huile d'olive. Cuisez les pâtes al dente. Égouttez-les et ajoutez-les aux brocolis. Ajoutez les palourdes et leur jus.

Aérez la maison au moins ¼ d'heure.

Bain

Bain hyperthermique au ravintsara. Diluez 10 gouttes d'huile essentielle de ravintsara dans 1 bouchon de base pour bain et versez dans l'eau.

Coucher

1 tisane auto-défense* (voir p. 273).

Réflexo

Stimulez les points « foie » et « ganglions lymphatiques » à n'importe quel moment de la journée.

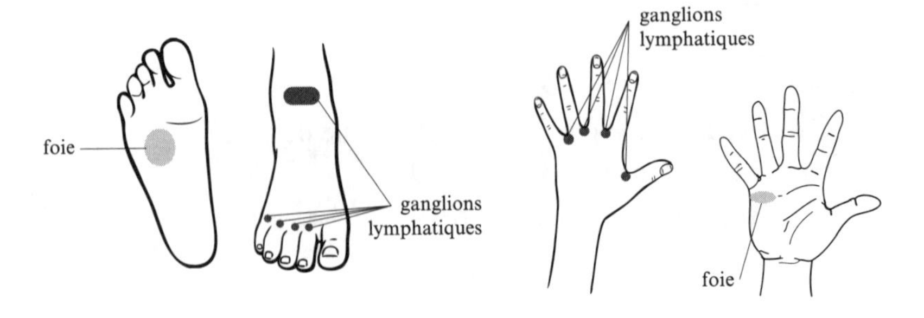

PROGRAMME ANTIHYPERTENSION ARTÉRIELLE, ANTICHOLESTÉROL

1 SEMAINE POUR PROTÉGER SON CŒUR

Les maladies cardio-vasculaires sont une cause majeure de mortalité en France. Une information qui fait froid dans le dos, sachant que lorsqu'on est sujet à l'hypertension ou qu'on a trop de mauvais cholestérol, notre organisme ne le manifeste pas par une douleur immédiate. Sans vérification annuelle, ces ennemis de notre cœur font leur travail de sape dans l'ombre, avec tous les dommages collatéraux bien connus, comme l'insuffisance cardiaque, les calculs biliaires... on en passe et des pires. Mais les histoires de cœur ne finissent pas toujours mal et il n'y a pas de fatalité en la matière: le meilleur médicament, c'est vous! Si vous acceptez de changer vos habitudes et suivez le programme que nous vous proposons, vous aurez les clés pour contrôler ces débordements. Et le menu est plutôt festif: des petits plats riches en végétaux de toutes les couleurs et pauvres en acides gras saturés, des fibres, des sucres «lents», des épices pour avoir la main légère sur le sel, des échappées respiratoires portées par les huiles essentielles, des gestes simples pour stimuler le travail d'élimination de vos reins et... un peu d'exercice. Pour certains, c'est là que le bât blesse: trouver l'énergie de s'y plier est déjà un effort de trop, même s'ils savent que c'est le moyen à la fois le plus économique et le plus payant pour stimuler le cœur et nettoyer les artères. Pas question de laisser qui que ce soit au bord de la route, nous allons chaque jour vous soutenir, avec des conseils pour vous faire bouger sans (presque) vous en apercevoir.

Vos menus de la semaine d'un coup d'œil

LUNDI

- Thé, pain complet purée d'amandes, pomme.
- Salade de lentilles au saumon, framboises.
- Soupe de tomates, escalope de veau, blé et courgettes sautées, ananas.

MARDI

- Thé, yogourt de soja à la cannelle et aux flocons d'avoine, pamplemousse.
- Carottes râpées au citron, papillote de maquereau aux légumes, fraises à la menthe.
- Pâtes aux courgettes, pastèque.

MERCREDI

- Thé, pain complet purée d'amandes, pamplemousse pressé.
- Taboulé aux haricots blancs, kiwis.
- Soupe de cresson, omelette brocoli, pomme râpée à la cannelle et au citron.

JEUDI

- Thé, yogourt soja à la cannelle et aux flocons d'avoine, oranges pressées.
- Avocat pamplemousse, salade de quinoa au tofu, pomme au four.
- Gaspacho, salade de pâtes au pesto, mangue.

VENDREDI

- Thé, pain complet purée d'amandes, banane.
- Asperges vinaigrette, poulet au curcuma et aux petits légumes, cerises.
- Artichaut vinaigrette, blanc de dinde tomates à la provençale, pamplemousse.

SAMEDI

- Thé, yogourt soja à la cannelle et aux flocons d'avoine, kiwis.
- Salade de pois chiches, jambon de dinde, salade d'orange.
- Cresson aux noix, omelette aux épinards, mangue poêlée.

DIMANCHE

- Thé, yogourt soja à la cannelle et aux flocons d'avoine, abricots.
- Caviar d'aubergines, aiguillettes de canard à l'orange, haricots blancs, yogourt aux fraises.
- Papillote de cabillaud, tomates, quinoa et courgettes sautées, compote de pêches.

Votre liste de courses à photocopier pour ne rien oublier !

Tous nos menus sont conçus pour 1 personne. Les plats suivis d'un astérisque renvoient à une recette de ce livre.

Épicerie
- ❑ Amandes
- ❑ Blé à cuire
- ❑ Bouillon de volaille
- ❑ Cannelle
- ❑ Câpres
- ❑ Cardamome
- ❑ Chapelure
- ❑ Chocolat noir
- ❑ Curcuma
- ❑ Flocons d'avoine
- ❑ Fruits secs
- ❑ Gingembre en poudre
- ❑ Haricots blancs
- ❑ Hépar (eau minérale)
- ❑ Huile de colza
- ❑ Huile d'olive
- ❑ Huile de noix
- ❑ Lentilles
- ❑ Muscade
- ❑ Noix
- ❑ Œufs
- ❑ Olives noires
- ❑ Penne semi-complètes
- ❑ Piment d'Espelette
- ❑ Pistaches non salées
- ❑ Pois chiches
- ❑ Thé
- ❑ Thon nature
- ❑ Tomates pelées
- ❑ Vinaigre de cidre

Rayon bio
- ❑ Aubépine tisane
- ❑ Graines de lin
- ❑ Lait d'amande
- ❑ Purée d'amandes blanche
- ❑ Tofu
- ❑ Yogourt de soja

Poissonnerie (surgelé ou frais)
- ❑ Cabillaud
- ❑ Maquereau
- ❑ Pavé de saumon

Viande
- ❑ Aiguillettes de canard
- ❑ Escalope de veau
- ❑ Jambon de dinde
- ❑ Poitrine de dinde
- ❑ Poitrine de poulet

Légumes
- ❑ Ail
- ❑ Artichaut
- ❑ Asperges (ou surgelées)
- ❑ Aubergine
- ❑ Avocat
- ❑ Basilic
- ❑ Brocolis
- ❑ Carottes
- ❑ Céleri branche
- ❑ Concombre
- ❑ Coriandre
- ❑ Courgettes
- ❑ Cresson
- ❑ Échalote
- ❑ Épinards
- ❑ Estragon
- ❑ Haricots verts
- ❑ Menthe
- ❑ Oignons
- ❑ Persil
- ❑ Piment rouge
- ❑ Pois gourmands
- ❑ Poivron jaune
- ❑ Pommes de terre
- ❑ Roquette
- ❑ Tomates
- ❑ Topinambours

Fruits
- ❑ Abricots
- ❑ Bananes
- ❑ Cerises
- ❑ Citrons jaunes
- ❑ Citron vert
- ❑ Fraises
- ❑ Framboises
- ❑ Gingembre
- ❑ Grenade
- ❑ Kiwis
- ❑ Mangue
- ❑ Oranges
- ❑ Pamplemousses
- ❑ Pastèque
- ❑ Pêches
- ❑ Pommes
- ❑ Prunes

Surgelés
- ❑ Asperges (ou fraîches si saison)

Pensez au pain !
- ❑ Pain complet ou aux céréales

À cœur vaillant rien d'impossible
Devise de Jacques Cœur (1395-1456)
qui fut notamment l'argentier de Charles VII.

LUNDI

Jour «j» comme «j» e traîne des pieds ou jour «j» comme «j'» y crois, bienvenue dans cette première journée! Vous allez mettre du soleil dans votre assiette, de l'air dans votre maison, de l'énergie dans votre emploi du temps... il y a de quoi se lever le cœur léger!

Lever

1 grand verre d'eau minérale, comme l'eau Hépar

De l'air, de l'air, ouvrez toutes les fenêtres au moins ¼ d'heure.
Appliquez 1 goutte d'huile essentielle d'ylang-ylang sur la face interne de vos poignets et respirez profondément.

Déjeuner

1 thé (sans sucre et sans lait)
2 tranches de pain complet ou aux céréales avec 1 c. à soupe de purée d'amandes
1 pomme

Extrêmement parfumée et nourrissante, la purée d'amandes remplace avantageusement le beurre et/ou la confiture pour le petit déjeuner. N'hésitez pas à lui ajouter de la cannelle ou du cacao, tous deux excellents pour le cœur!

Douche

Avant de filer sous la douche, enfilez le gant de crin et frictionnez-vous avec douceur, de la tête aux pieds (en commençant par les pieds et en remontant vers le cœur). Les plus courageux termineront la séance par un jet d'eau bien fraîche.

Collation

Smoothie aux légumes cœur d'acier*

> **SMOOTHIE AUX LÉGUMES CŒUR D'ACIER**
> Mettez dans le mélangeur ½ avocat, 6 feuilles de roquette, 3 branches de persil, 1 petit verre de lait d'amandes, 1 c. à thé de graines de lin (préalablement trempées 1 nuit dans un petit verre d'eau) et mixez jusqu'à obtention d'un mélange homogène.

Dîner

Salade de lentilles au saumon*
Framboises

> **SALADE DE LENTILLES AU SAUMON**
> Faites cuire 50 g de lentilles dans une casserole. Déposez 1 pavé de saumon dans le panier supérieur du cuit-vapeur et 50 g de haricots verts dans le panier inférieur et laissez cuire pendant 10 minutes. Déposez dans un saladier 1 poignée de roquette, 1 tomate coupée en petits dés, 3 c. à soupe de graines de grenade, le saumon émietté et les haricots verts coupés en tronçons. Arrosez d'un filet de citron, 2 c. à soupe d'huile de noix, poivrez, saupoudrez de 1 c. à thé de curcuma, 1 pincée de poivre et parsemez de persil plat ciselé.

Ne salez pas l'eau de cuisson des lentilles, sinon elles resteraient dures et cuiraient difficilement.

Marche

On ne va pas vous cueillir avec 1 heure de marche (idéalement) le premier jour, mais pour signifier une déclaration de guerre à votre canapé, une balade de 20 minutes, montre en main (c'est important), fera l'affaire : pas de zèle non plus, il ne s'agit pas de vous essouffler, mais de trouver un rythme de croisière tranquille, régulier.

Collation

1 verre de jus de grenade
1 banane

La grenade est une bombe antioxydante et anti-inflammatoire. De plus c'est une précieuse alliée pour les messieurs car elle prend soin de leur prostate.

Souper

Soupe de tomates*
1 escalope de veau grillée + blé + 2 courgettes sautées + 1 c. à soupe d'huile de colza + persil + ail
2 tranches d'ananas

> **SOUPE DE TOMATES**
> Faites revenir ½ oignon émincé avec un filet d'huile de colza dans une casserole, ajoutez 1 petite conserve de tomates pelées et la même quantité d'eau. Laissez cuire 10 minutes, poivrez et mixez. Parsemez de basilic ciselé.

Aérez la maison au moins ¼ d'heure.

Exercice respiratoire

Exercice 1. Placez-vous dans l'encadrement d'une porte, et saisissez les bords latéraux en dessous du niveau des épaules. Penchez le buste lentement vers l'avant, le dos bien droit jusqu'à ce que vos bras soient tendus. Tenez la position une minute. Inspirez lentement, et expirez en ouvrant largement vos épaules.

 COUCHER

1 tisane cœur de lion*

Programme antihypertension artérielle... Lundi

TISANE CŒUR DE LION

Versez 1 c. à thé d'aubépine dans une tasse d'eau bouillante. Laissez infuser 5 minutes et filtrez.

L'aubépine est LA plante du cœur : sédative, vasodilatatrice artériolaire, elle améliore la circulation coronarienne et la nutrition du muscle cardiaque : profitez-en 2 à 3 fois par jour.

RÉFLEXO

Stimulez le point « reins » à n'importe quel moment de la journée.

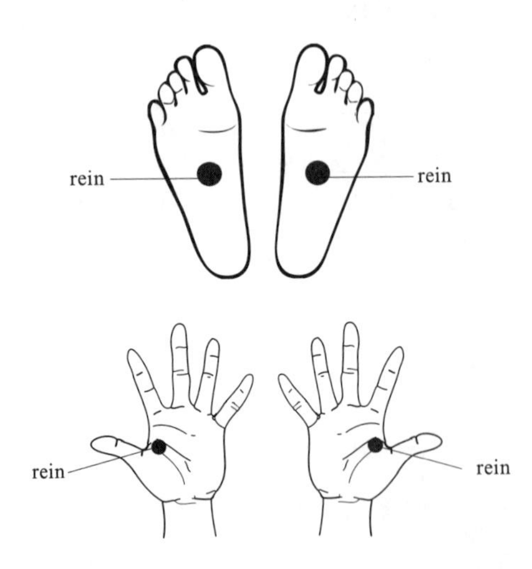

Le cholestérol, ça ressemble aux westerns : il y a un bon et un méchant.

Jean Lemieux

MARDI

Comment vous sentez-vous, ce matin ? Fier de vous être glissé dans la peau d'un super-héros de l'hygiène de vie ? Il y a de quoi !

Lever

1 grand verre d'eau minérale, comme l'eau Hépar

Offrez un grand bol d'air à votre maison : ouvrez toutes les fenêtres au moins ¼ d'heure. Respirez à même le flacon d'huile essentielle d'ylang-ylang.

Déjeuner

Thé

1 yogourt soja avec 1 c. à thé de cannelle + 2 c. à soupe de flocons d'avoine + 1 c. à thé de graines de lin trempées

½ pamplemousse

Pour profiter des bienfaits des graines de lin, broyez-les ou mettez 1 c. à thé le soir dans un petit verre d'eau : elles gonfleront dans la nuit et libéreront leurs composants bénéfiques, emprisonnés dans leur coque dure et fibreuse. Le lendemain, consommez graines + eau (cela n'a strictement aucun goût) mélangées à vos céréales ou, bien meilleures, en smoothie cœur d'acier (voir p. 298).

Collation

Smoothie aux légumes cœur d'acier* (voir p. 298)

Dîner

Carottes râpées + citron

Papillote de maquereau aux légumes*

Fraises + jus de citron + 3 feuilles de menthe

PAPILLOTE DE MAQUEREAU AUX LÉGUMES

Mélangez dans un petit saladier 1 courgette coupée en deux dans la longueur puis détaillée en fines lamelles, ¼ d'oignon émincé, 50 g de pois gourmands, 1 petite branche de céleri en tronçons, ½ poivron jaune. Arrosez d'un filet de citron vert et saupoudrez de 1 pincée de piment d'Espelette. Mélangez et versez dans une papillote en silicone. Déposez 2 filets de maquereau par-dessus et enfournez à four déjà chaud (460 °F/240 °C) pour 10 minutes.

MARCHE

Et si vous refaisiez le même trajet qu'hier (20 minutes de promenade) mais que vous y ajoutiez 10 minutes en accélérant la cadence?

COLLATION

Thé
3 carrés de chocolat noir
1 kiwi

EXERCICE RESPIRATOIRE

Exercice 2. Debout, les pieds joints, bras le long du corps, inspirez profondément en gonflant le ventre; rentrez-le sur l'expiration. Bloquez votre souffle trois secondes, puis recommencez le cycle inspiration-expiration-blocage dix fois de suite.

SOUPER

Pâtes aux courgettes*
1 tranche de pastèque (ou 1 pomme)

PÂTES AUX COURGETTES

Faites cuire 100 g de penne semi-complètes selon les indications de l'emballage. Faites revenir ½ échalote émincée dans un filet d'huile de colza puis saisissez 1 courgette coupée en fines lamelles à l'économe pendant 3 minutes. Poivrez. Répartissez 1 petite poignée de roquette puis les courgettes sur les pâtes cuites al dente. Si vous aimez l'ail, ajoutez-en allégrement à ce plat de pâtes : protecteur patenté du cœur, il fluidifie le sang et abaisse la tension et le taux de cholestérol.

Aérez la maison au moins ¼ d'heure.

COUCHER

1 tisane cœur de lion* (voir p. 300)

RÉFLEXO

Stimulez le point « foie » à n'importe quel moment de la journée.

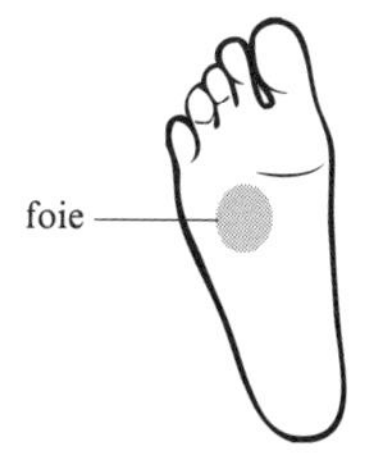

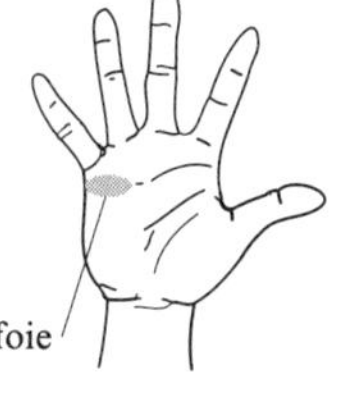

Les deux tiers des enfants du monde meurent de faim, alors même que le troisième tiers crève de son excès de cholestérol.
Pierre Desproges

MERCREDI

C'est le moment d'ajuster votre organisation pour ne pas être accaparé par l'intendance. L'eau minérale près du lit, si vous préférez la boire à jeun, ou à côté de la brosse à dents, etc. Ou en collant des post-it aux endroits stratégiques: la recette du bain sur le miroir à côté de la baignoire, les courses de demain dans le portefeuille… Bravo, vous avez trouvé un second souffle!

Lever

1 grand verre d'eau minérale, comme l'eau Hépar

Aérez la maison en grand au moins ¼ d'heure.
Respirez à même le flacon d'huile essentielle d'ylang-ylang.

Déjeuner

Thé
2 tranches de pain complet ou aux céréales avec 1 c. à soupe de purée d'amandes
Jus de ½ pamplemousse

Collation

Smoothie aux légumes cœur d'acier* (voir p. 298)

Marche

Il pleut des cordes? Vous êtes dispensé de marcher pour cette fois. Mais pas de bouger! Les plus motivés filent à la piscine, au cours de fitness, chaussent leurs bottes et vont ramasser des champignons! Les autres iront faire du magasinage (à pied, bien sûr), prendront les escaliers et délaisseront l'ascenseur, ou feront une partie de bowling sur la Wii du petit dernier. Motivé, motivé !

DÎNER

Taboulé aux haricots blancs*
2 kiwis

> **TABOULÉ AUX HARICOTS BLANCS**
> Faites cuire 2 petites pommes de terre nouvelles dans l'eau bouillante et 4 asperges surgelées au cuit-vapeur. Mélangez dans un saladier les pommes de terre coupées en dés et les asperges en tronçons. Ajoutez 1 petite conserve de haricots blancs égouttés, 1 c. à soupe de câpres, ¼ d'oignon émincé, 1 conserve de thon nature émietté, ¼ de poivron jaune en lamelles et 5 olives noires dénoyautées et détaillées en rondelles. Arrosez de 1 c. à soupe de vinaigre de cidre et 2 c. à soupe d'huile de colza. Parsemez d'estragon ciselé.

Championne en oméga-3, l'huile de colza est bonne pour le cœur, le système vasculaire et source de vitamine E : 4 bonnes raisons de l'inviter dans vos salades.

COLLATION

1 thé
1 petite poignée de pistaches non salées

SOUPER

Soupe de cresson*
Omelette + brocoli
1 pomme râpée + cannelle + citron

SOUPE DE CRESSON

Faites revenir ½ botte de cresson lavé et épluché dans un filet d'huile de colza pendant 3 minutes sur feu doux, en remuant sans cesse. Ajoutez 300 ml d'eau et 1 pomme de terre coupée en dés. Salez légèrement et laissez cuire à couvert 20 minutes. Mixez.

Cuit, le brocoli protège surtout le cœur. Cru, il déploie sa puissance anticancer. Rien n'empêche de se préserver tous azimuts : mangez les deux !

Aérez la maison au moins ¼ d'heure.

Bain

Bain hyperthermique à la lavande. Diluez 10 gouttes d'huile essentielle de lavande vraie dans 1 bouchon de base pour bain et versez dans l'eau déjà coulée.

Exercice respiratoire

Exercice 3 (voir p. 179).

Coucher

1 tisane cœur de lion* (voir p. 300)

Réflexo

Stimulez le point « côlon » à n'importe quel moment de la journée.

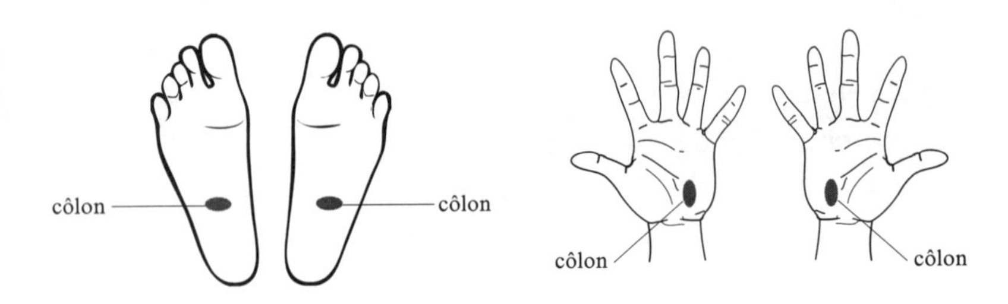

Je conduis bien trop vite pour me préoccuper
de mon taux de cholestérol.
Steven Wright

JEUDI

Journée végétarienne. Trois jours déjà que vous travaillez vaillamment à votre équilibre acido-basique, c'est le moment de passer un cran au-dessus : cette journée végétarienne va balayer les agressions acidifiantes tout en veillant à nettoyer vos artères. Et ça, ça met du baume au cœur…

Lever

1 grand verre d'eau minérale, comme l'eau Hépar

Au diable les frileux, aérez la maison au moins ¼ d'heure !
Appliquez 2 gouttes d'huile essentielle d'ylang-ylang sur la face interne des poignets et respirez profondément.

Déjeuner

Thé
1 yogourt soja avec 1 c. à thé de cannelle + 2 c. à soupe de flocons d'avoine + 1 c. à thé de graines de lin trempées
2 oranges pressées

Achetez les graines de lin entières et broyez-les vous-même dans un mixeur à herbes, c'est le meilleur moyen de profiter pleinement de leurs propriétés bénéfiques. On les trouve dans n'importe quelle boutique bio ou diététique, mais aussi, de plus en plus, au supermarché, rayon « fruits secs » ou « diététique » et dans les jardineries.

Collation

Smoothie aux légumes cœur d'acier* (voir p. 298)

Dîner

Salade avocat-pamplemousse (½ avocat, ½ pamplemousse)
Salade de quinoa au tofu*
1 pomme au four

Salade de quinoa

Faites cuire 80 g de quinoa selon les indications de l'emballage puis rincez-le sous l'eau froide. Détaillez en petits dés 50 g de tofu ferme, 1 tomate et ¼ de concombre, incorporez-les au quinoa. Arrosez du jus de ½ citron, parsemez de 3 branches de menthe ciselée.

L'avocat : redécouvrez cet admirable fruit, car c'en est un, nature, épicé ou en guise de beurre sur vos sandwiches !

Marche

Il fait trop chaud pour bouger... le seul sport que vous envisagez est le hamac... La piscine, à la rigueur : c'est parfait, la piscine ! Faites des longueurs tranquillement, la natation est un excellent sport de fond, qui peut parfaitement remplacer la marche. Pas de piscine, pas de mer, pas de rivière ? C'est décidé, vous ferez une marche « à la fraîche », juste avant d'aller vous coucher. En plus, vous dormirez comme un bébé.

Collation

1 thé
4 prunes
2 carrés de chocolat noir

Souper

Gaspacho (2 tomates, ½ concombre, vinaigre)
Salade de pâtes au pesto*
½ mangue

PÂTES AU PESTO

Faites cuire 100 g de penne le temps indiqué sur l'emballage. Mixez 50 g de pistaches non salées, 10 olives noires dénoyautées, le jus de ½ citron, ½ gousse d'ail, 5 feuilles de basilic et du poivre. Versez en filet 2 c. à soupe d'huile de colza tout en continuant de mixer jusqu'à obtenir un mélange onctueux. Passez les pâtes, laissez-les refroidir et versez le pesto par-dessus.

Citron, cannelle, herbes aromatiques, curcuma… sont des substituts malins et parfumés au sel, trouvez ceux qui vous vont le mieux au goût.

EXERCICE RESPIRATOIRE

Exercice 4 (voir p. 181).

Aérez la maison au moins ¼ d'heure.

COUCHER

1 tisane cœur de lion* (voir p. 300)

RÉFLEXO

Stimulez le point «foie» à n'importe quel moment de la journée.

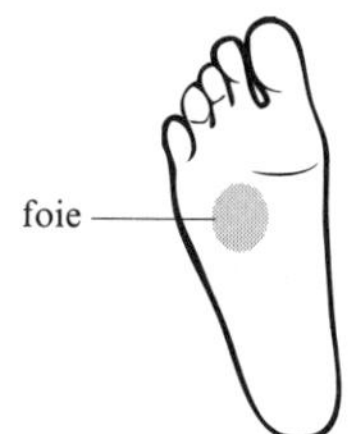

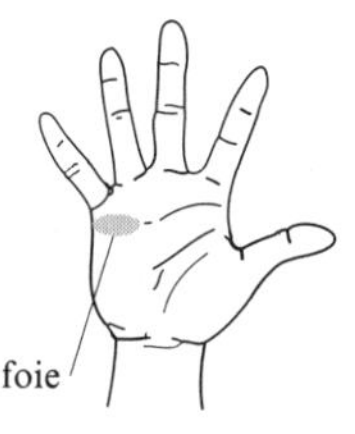

Il faut accepter de changer.
Dès qu'on se durcit, les artères en font autant.
Allan Gurganus

VENDREDI

En forme? Normal, 4 jours déjà que vous avez renoué avec l'activité physique. Vous vous surprenez même à faire les cent pas plutôt que d'attendre le bus planté comme un piquet? Félicitations, votre persévérance paiera!

Lever

1 grand verre d'eau minérale, comme l'eau Hépar

Aérez la maison au moins ¼ d'heure.
Respirez à même le flacon d'huile essentielle d'ylang-ylang.

Déjeuner

Thé
2 tranches de pain complet ou aux céréales avec 1 c. à soupe de purée d'amandes
1 banane

Douche

Avant la douche, mission gant de crin, si vous l'acceptez.

Massage

L'huile essentielle d'ylang-ylang bio est conseillée en cas d'hypertension artérielle, de stress et toutes formes de nervosité. Appliquez 3 gouttes de cette huile sur le plexus solaire. Attention! L'utilisation de cette huile est déconseillée aux femmes enceintes et allaitantes.

Collation

Smoothie aux légumes cœur d'acier* (voir p. 298)

Dîner

Asperges ou poireaux vinaigrette
Poulet au curcuma et aux petits légumes*
1 bol de cerises ou 1 grappe de raisin

POULET AU CURCUMA ET AUX PETITS LÉGUMES

Glissez 1 poitrine de poulet dans un sac de congélation avec 1 c. à thé de curcuma, 1 petit morceau de gingembre râpé, ½ gousse d'ail haché et du poivre. Fermez le sac, secouez bien et placez au frais pendant 1 heure. Faites dorer 1 petit oignon émincé dans un filet d'huile de colza, ajoutez 2 topinambours, 1 petite carotte et 1 pomme de terre tranchés en fines lamelles, poivrez et laissez cuire 5 minutes. Recouvrez-les de bouillon de volaille et poursuivez la cuisson le temps de faire dorer le poulet dans une autre poêle avec un filet d'huile de colza 5 minutes de chaque côté.

Marche

C'est devenu un réflexe et tous les prétextes sont bons pour vous échapper : vous avez dîné « efficacement » au boulot, vous vous offrez 30 minutes de promenade digestive : effet déstressant garanti et la moitié de votre « quota marche quotidiennne » est atteint. Profitez-en pour rendre visite à une amie (à pied), faire un tour de pâté de maisons, passer prendre une lettre à la poste…

Collation

1 thé
1 petite poignée de fruits secs
1 banane

Souper

1 artichaut vinaigrette
1 poitrine de dinde + tomates à la provençale*
½ pamplemousse

TOMATES À LA PROVENÇALE

Coupez 2 tomates en deux, ôtez les pépins et déposez-les dans un plat à four. Dans un bol, mélangez 1 gousse d'ail hachée, 1 c. à thé de persil ciselé, 1 c. à thé de basilic haché, 1 c. à soupe d'huile d'olive, 1 c. à soupe de chapelure et du poivre. Répartissez ce mélange sur les tomates et versez un peu d'eau dans le fond du plat. Enfournez à four chaud (350 °F/180 °C) pour 15 minutes.

La tomate donne toute la puissance de sa substance reine, le lycopène (un antioxydant super-puissant), lorsqu'elle est cuite et (légèrement) additionnée d'huile d'olive.

Exercice respiratoire

Exercice 1 (voir p. 299).

Aérez la maison au moins ¼ d'heure.

Coucher

1 tisane cœur de lion* (voir p. 300)

Réflexo

Stimulez le point «poumons» à n'importe quel moment de la journée.

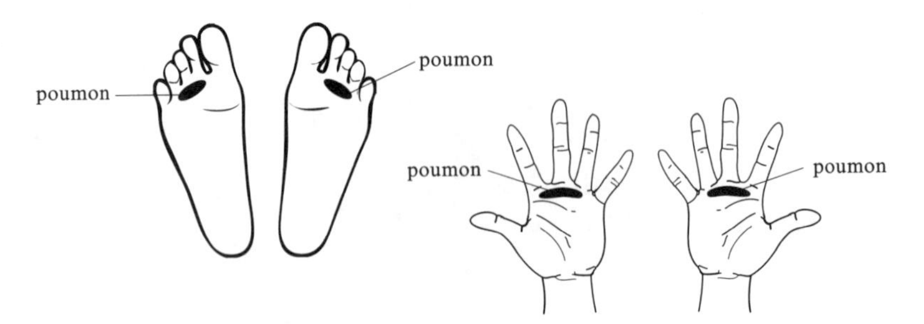

On a peut-être l'âge de ses artères mais le cœur n'a pas d'âge.

Stephen King

SAMEDI

Hauts les cœurs! C'est la fin de semaine, il est temps de vous féliciter. Voyez les changements qui s'opèrent dans votre organisme: retournez en page 12 et comptabilisez tous les mauvais gestes acidifiants auxquels vous avez tordu le cou durant cette semaine.

Lever

1 grand verre d'eau minérale, comme l'eau Hépar

Aérez la maison au moins ¼ d'heure. Si c'est jour de ménage, faites-le toutes fenêtres ouvertes.

Respirez à même le flacon d'huile essentielle d'ylang-ylang.

Déjeuner

Thé

1 yogourt soja + 1 c. à thé de cannelle + 2 c. à soupe de flocons d'avoine + 1 c. à thé de graines de lin trempées

2 kiwis

Collation

Smoothie aux légumes cœur d'acier* (voir p. 298)

Dîner

Salade de pois chiches*

2 tranches de jambon de dinde

Salade d'orange + cardamome + pistaches concassées

SALADE DE POIS CHICHES

Mélangez une petite conserve de pois chiches rincés, 8 olives noires dénoyautées, ¼ de poivron jaune coupé en dés, ½ piment rouge en fines lanières, 3 branches de persil plat ciselé, 3 branches de coriandre ciselée, 5 feuilles de menthe ciselées. Arrosez d'un filet de citron et de 1 c. à soupe d'huile de colza.

Forts de leurs phytostérols, les pois chiches, et légumineuses en général, constituent les meilleurs anticholestérol naturels. Si votre intestin les supporte mal, ajoutez des herbes aromatiques, comme ici, ce sont d'excellentes aides à la digestion.

COLLATION

1 thé
1 pomme
3 carrés de chocolat noir

SOUPER

Salade de cresson aux noix + huile de colza
Omelette + épinards + huile de colza + muscade
½ mangue poêlée*

MANGUE POÊLÉE

Faites dorer ½ mangue bien mûre dans une poêle antiadhésive. Arrosez du jus de ½ citron vert et parsemez de basilic ciselé.

Non, l'œuf n'est pas le fournisseur agréé du mauvais cholestérol, comme on l'entend dire si souvent. À condition de ne pas en abuser.

En revanche, il est acidifiant puisque très protéiné, mais avec les légumes qui l'accompagnent on ne risque rien.

 EXERCICES

C'est la fin de semaine : tout le monde à la piscine. La piscine est fermée pour travaux ? Qu'à cela ne tienne, organisez une chasse à l'escargot, aux champignons, aux fleurs bleues, au trésor, au petit-bois pour faire un feu de joie… mais bougez !

Exercices de respiration 1, 2, 3 et 4 (p. 299, 302, 179, 181)

Aérez la maison au moins ¼ d'heure.

 BAIN

Bain hyperthermique d'ylang-ylang. Diluez 10 gouttes d'huile essentielle d'ylang-ylang dans 1 bouchon de base pour bain et versez dans l'eau.

 COUCHER

1 tisane cœur de lion* (voir p. 300)

 RÉFLEXO

Stimulez le point « reins » à n'importe quel moment de la journée.

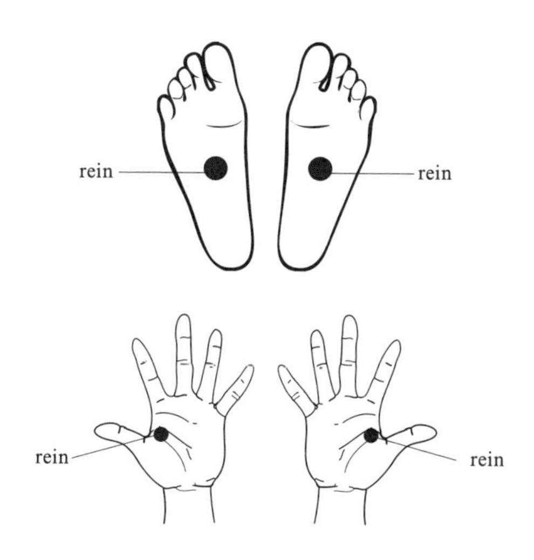

La santé, c'est le silence des organes.
Paul Valéry

DIMANCHE

Fini de vous faire un sang d'encre sur l'avenir de vos artères, vous avez tenu pendant ces 7 jours, et vous savez quoi faire pour que cela devienne une habitude quotidienne. Et si vous vous offriez un podomètre, pour calculer votre nombre de pas (idéalement, 10 000 par jour) ? C'est très stimulant…

Lever

1 grand verre d'eau minérale, comme l'eau Hépar

Aérez la maison toute la matinée.
Respirez à même le flacon d'huile essentielle d'ylang-ylang.

Déjeuner

Thé
1 yogourt soja + 1 c. à thé de cannelle + 2 c. à soupe de flocons d'avoine + 1 c. à thé de graines de lin trempées
3 abricots

Douche

Frictionnez votre peau doucement au gant de crin et filez sous la douche.

Collation

Smoothie aux légumes cœur d'acier* (voir p. 298)

Dîner

Caviar d'aubergines*

Aiguillettes de canard + orange + haricots blancs

1 yogourt de soja + 6 fraises en dés

1 verre de vin rouge

> **CAVIAR D'AUBERGINES**
>
> Déposez 1 aubergine pelée et coupée en rondelles dans le panier du cuit-vapeur pour 20 minutes puis mixez-les avec 1 gousse d'ail et 1 c. à soupe d'huile de colza. Saupoudrez de 1 pincée de gingembre en poudre et parsemez de coriandre.

Oui, vous avez bien lu, ce repas s'accompagne d'un verre de vin pour ceux qui apprécient. N'y voyez pas une récompense, vous pouvez boire un petit verre de vin rouge maximum par repas, c'est bon pour le cœur.

Exercices

Qu'il pleuve, qu'il vente ou que le soleil soit de la partie, sortez pour une grande balade d'au moins 1 heure à pied, à cheval ou… à vélo. En ville, redécouvrez des quartiers méconnus, faites la tournée des espaces verts proches, allez écumer les vide-greniers, profitez des endroits réservés aux patins à roues alignées, organisez un tournoi de soccer dans votre quartier...

Exercices respiratoires 1, 2, 3 et 4 autant de fois que vous pouvez dans la journée.

Collation

1 thé

1 petite poignée d'amandes

 Souper

Papillote de cabillaud + tomates + courgette sautée + quinoa
Compote de pêches*

 COMPOTE DE PÊCHES

Faites cuire 300 g de pêches (fraîches ou surgelées) avec 1 c. à soupe de cannelle à feu doux pendant 20 minutes. Parsemez de noix concassées.

Aérez la maison au moins ¼ d'heure.

 Bain

Bain hyperthermique à l'ylang-ylang. Diluez 10 gouttes d'huile essentielle d'ylang-ylang dans 1 bouchon de base pour bain et versez dans l'eau.

 Coucher

1 tisane cœur de lion* (voir p. 300).

Réflexo

Stimulez le point « foie » à n'importe quel moment de la journée.

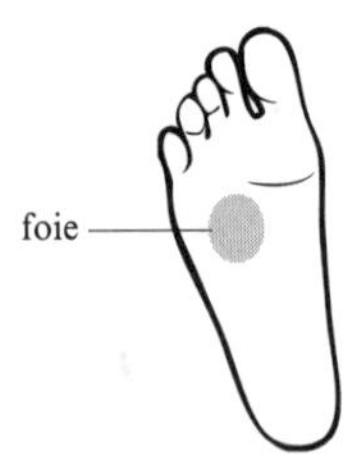

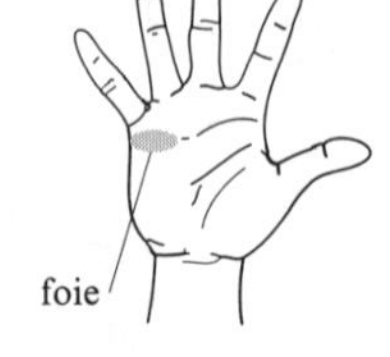

PROGRAMME
ANTIDIABÈTE/TONUS/ ÉNERGIE

1 SEMAINE POUR S'INITIER À L'IG

Nous savons tous que sucre et diabète ne font pas bon ménage, mais nous ne savons pas toujours qu'il y a sucre et sucre : celui des bonbons, strictement interdits, est aussi redoutable que celui du pain et du riz blancs pour le pancréas (grand ordonnateur de l'insuline, une hormone indispensable à notre organisme pour que nos cellules puissent absorber le glucose). Nous savons aussi que l'hormone du stress, le cortisol, augmente le taux de sucre sanguin, que les « mauvaises graisses » n'arrangent rien et que le manque d'activité physique et un sommeil perturbé aggravent le tableau. Pourtant, il est relativement facile de prévenir ce fléau, c'est-à-dire le diabète dit de type 2 – celui qui apparaît à l'âge adulte et maintenant, hélas, chez les ados en surpoids !

Mais les diabétiques et les pré-diabétiques ne sont pas les seuls concernés par l'IG. En réalité, nous devrions tous autant que nous sommes apprendre à manger « IG bas », car c'est la seule façon saine de se nourrir, de respecter nos systèmes hormonaux, d'être bien (bien-être et déséquilibre hormonal sont incompatibles) et, surtout, de ne pas grossir. Enfin, pas de tonus ni d'énergie, physique et psychique, sans contrôle de la glycémie, donc de l'index glycémique des aliments. Les sautes d'humeur et les « coups de mou » sont presque toujours liés à des caprices glycémiques*.

* Glycémie = taux de sucre dans le sang.

Dans l'assiette, farandole de fruits et légumes, fruits de mer, légumineuses, céréales complètes, poissons, dinde, fruits secs… de quoi vous régaler sans prendre de poids ni révolutionner vos habitudes, sauf si votre nourriture de base s'appelle pizza-frites-boissons gazeuses-chips. Dans la journée, des petits gestes simples, comme des exercices déstressants, des points de réflexologie en automassage pour stimuler les organes émonctoires (foie, pancréas, poumons, reins)… Le tout organisé de façon à faciliter la recherche d'un équilibre acido-basique propre à réguler les pH du corps et chasser les mille maux liés à l'hyperacidité. Voici un programme qui fait la part belle à la détente et au plaisir de se chouchouter.

Vos menus de la semaine d'un coup d'œil

LUNDI

- Thé, flocons d'avoine, pamplemousse.
- Radis roses à la croque, ratatouille au thon et haricots rouges, salade de fruits à la cannelle.
- Salade de champignons, omelette aux épinards, compote de rhubarbe.

MARDI

- Thé, pain aux céréales, beurre et confiture, pomme.
- Asperges vinaigrette, escalope de dinde, brocolis et riz complet, poire pochée à la cannelle.
- Soupe à l'oignon, filets de rougets, choucroute et pomme de terre, prunes.

MERCREDI

- Thé, flocons d'avoine à la cannelle, pêche.
- Carottes râpées au citron, daurade grillée, chou et lentilles, mousse au chocolat noir.
- Soupe de carottes au cumin, poulet petits pois, sorbet à la pêche.

JEUDI

- Thé, pain aux céréales, beurre, yogourt de soja, orange.
- Taboulé provençal, banane à la poêle.
- Soupe de légumes, salade de lentilles quinoa, fraises.

VENDREDI

- Thé, flocons d'avoine à la cannelle, poire.
- Concombre à la menthe, carpaccio de saumon aux haricots verts et boulgour, ananas.
- Soupe à l'oseille, œufs brouillés, carottes Vichy, pêche poêlée.

SAMEDI

- Thé, pain aux céréales, beurre, confiture, raisin.
- Salade mâche betterave à l'huile de noisette, haddock au chou, mangue.
- Salade composée, flan de poire.

DIMANCHE

- Thé, flocons d'avoine à la cannelle, compote de pomme.
- Salade de tomates au basilic, assiette de fruits de mer, smoothie myrtilles.
- Artichaut vinaigrette, steak haché, aubergine au four, riz basmati, sorbet citron.

Votre liste de courses à photocopier pour ne rien oublier !

Tous nos menus sont conçus pour 1 personne. Les plats suivis d'un astérisque renvoient à une recette de ce livre.

Épicerie
- ❑ Abricots secs
- ❑ Agar-agar
- ❑ Amandes
- ❑ Bouillon de légumes
- ❑ Boulgour
- ❑ Cannelle
- ❑ Chocolat noir 70 % de cacao
- ❑ Confiture allégée en sucre
- ❑ Cumin
- ❑ Extrait de vanille
- ❑ Farine complète
- ❑ Flocons d'avoine
- ❑ Fructose en poudre
- ❑ Haricots rouges
- ❑ Harissa
- ❑ Hépar (eau minérale)
- ❑ Huile d'olive
- ❑ Huile de colza
- ❑ Huile de noisette
- ❑ Jus de poire
- ❑ Lait 2 %
- ❑ Lentilles
- ❑ Maïs
- ❑ Miel
- ❑ Noisettes
- ❑ Œufs
- ❑ Pois chiches
- ❑ Pommes séchées
- ❑ Quatre épices
- ❑ Quinoa
- ❑ Raisins secs
- ❑ Riz basmati
- ❑ Riz complet
- ❑ Sel de céleri
- ❑ Sirop d'érable
- ❑ Thé
- ❑ Vanille
- ❑ Vichy Saint-Yorre
- ❑ Vinaigre de cidre
- ❑ Vinaigre de vin

Rayon bio (si possible)
- ❑ Choucroute nature
- ❑ Géranium Robert tisane
- ❑ Lait de soja ou d'amande
- ❑ Menthe tisane
- ❑ Tofu soyeux
- ❑ Yogourt de soja

Frais
- ❑ Beurre
- ❑ Compote de rhubarbe
- ❑ Compote (poire ou pomme sans sucre)
- ❑ Feta
- ❑ Gruyère râpé

Poissonnerie (surgelé ou frais)
- ❑ Assiette de fruits de mer
- ❑ Daurade
- ❑ Filets de rouget
- ❑ Haddock
- ❑ Saumon frais
- ❑ Thon frais

Viande
- ❑ Escalope de dinde
- ❑ Jambon blanc
- ❑ Poulet
- ❑ Steak haché

Légumes
- ❑ Ail
- ❑ Aneth
- ❑ Artichaut
- ❑ Asperges
- ❑ Aubergines
- ❑ Basilic
- ❑ Betterave cuite
- ❑ Brocolis
- ❑ Carottes
- ❑ Céleri branche
- ❑ Cerfeuil
- ❑ Champignons
- ❑ Chou vert
- ❑ Ciboulette
- ❑ Concombre
- ❑ Coriandre
- ❑ Courgettes
- ❑ Échalote
- ❑ Épinards frais
- ❑ Haricots verts
- ❑ Laurier
- ❑ Mâche
- ❑ Menthe
- ❑ Navet
- ❑ Oignons
- ❑ Oseille
- ❑ Persil
- ❑ Petits pois
- ❑ Poireau
- ❑ Poivron vert
- ❑ Pommes de terre
- ❑ Radis roses
- ❑ Roquette
- ❑ Thym
- ❑ Tomates
- ❑ Tomates cerises

Fruits
- ❑ Abricots
- ❑ Ananas
- ❑ Bananes
- ❑ Citrons jaunes
- ❑ Citrons verts
- ❑ Fraises
- ❑ Kiwis
- ❑ Mangue
- ❑ Oranges
- ❑ Pamplemousse
- ❑ Pêches
- ❑ Poires
- ❑ Pommes
- ❑ Prunes
- ❑ Raisin

Surgelés
- ❑ Bleuets
- ❑ Pêches
- ❑ Sorbet citron

Pensez au pain !
- ❑ Pain aux céréales

Bien manger, c'est atteindre le ciel.
Proverbe chinois

LUNDI

« Il faut manger pour se soigner et non se soigner pour manger. » La célèbre réplique de Valère, dans *L'Avare* de Molière, est justifiée, parce que oui, une bonne santé passe par une « bonne » assiette ! Et celles qui vous attendent cette semaine ne sont pas qu'appétissantes, elles renferment peu de sucre, et seulement des « bons ».

LEVER

1 grand verre d'eau minérale, comme l'eau Hépar

De l'air, de l'air, ouvrez toutes les fenêtres au moins ¼ d'heure. Respirez à même le flacon d'huile essentielle de géranium bourbon. Antifringale, anti-coup de pompe, l'HE de géranium est un remarquable équilibrant hormonal et nerveux et une alliée de choix pour réguler le métabolisme du sucre.

DÉJEUNER

Thé sans sucre
Flocons d'avoine au lait de soja ou d'amande + cannelle + fructose
½ pamplemousse

Le pamplemousse est un agrume peu calorique sous un volume appréciable. Pour conserver ses bénéfices santé, n'ajoutez pas de sucre. Ce conseil est valable pour tous les fruits, sans exception : ils sont naturellement sucrés, et par des sucres à IG bas. Pourquoi en rajouter ?

DOUCHE

Avant de filer sous la douche, enfilez le gant de crin et frictionnez-vous avec douceur, de la tête aux pieds (mais en commençant par les pieds et en remontant vers le cœur). Les plus courageux termineront leur douche par un jet d'eau bien fraîche.

Collation

Smoothie aux légumes IGZ*

SMOOTHIE AUX LÉGUMES IGZ (INDEX GLYCÉMIQUE ZÉRO)

Mettez dans le mélangeur 1 branche de céleri coupée en tronçons, le jus de 1 citron vert, la chair de 1 kiwi, 1 pincée de sel de céleri et 200 ml d'Hépar glacée. Mixez jusqu'à obtention d'une consistance homogène.

Dîner

Radis roses à la croque au poivre

Ratatouille au thon et haricots rouges*

Salade de fruits (½ pamplemousse, 2 tranches d'ananas, 1 pomme, ½ citron) + cannelle

RATATOUILLE

Faites fondre 1 petit oignon dans 2 c. à soupe d'huile d'olive et ½ c. à thé de harissa. Ajoutez ½ poivron vert en rondelles et laissez cuire 5 minutes. Incorporez 1 courgette et ½ aubergine en dés puis 2 tomates pelées. Remuez et ajoutez 1 tranche de thon frais détaillée en petits cubes, 1 gousse d'ail hachée, 1 feuille de laurier et 1 pincée de thym. Salez, poivrez et laissez cuire doucement 30 minutes. En fin de cuisson, ajoutez une petite conserve de haricots rouges sans l'eau de conserve et prolongez la cuisson 5 minutes.

Exercices au bureau

Étirements. Bien calé au fond du siège, les pieds au sol, inspirez. Sur l'expiration, tendez vos jambes la pointe des pieds dirigée vers vous, comptez jusqu'à 5, puis relâchez. Faites une série de 5.

Toujours assis, les pieds à plat, inspirez profondément en étirant vos bras vers le haut, sans forcer sur les épaules, c'est le dos qui doit s'étirer. Sur l'expiration, tendez vos bras devant vous en serrant le ventre. Faites une série de 5 de chaque.

Étirez maintenant votre nuque, en souplesse: penchez la tête sur le côté en rapprochant le plus possible votre oreille droite de votre épaule droite, sans soulever l'épaule; alternez avec le côté gauche. Faites une série de 3. Pour finir, balancez très doucement la tête de gauche à droite, en formant un demi-cercle une dizaine de fois.

Collation

Thé
1 yogourt soja + copeaux chocolat

Souper

Salade de champignons
Omelette aux épinards*
Compote de rhubarbe

OMELETTE AUX ÉPINARDS

Versez 1 c. à soupe d'huile d'olive dans une poêle et mettez-y 300 g d'épinards frais à suer pendant 5 minutes sur feu doux. Battez 2 œufs avec 1 c. à soupe de cerfeuil et de ciboulette ciselés. Poivrez. Versez la préparation sur les épinards, augmentez le feu et laissez cuire jusqu'à ce que l'omelette soit prise.

Aérez la maison au moins ¼ d'heure.

Exercice respiratoire

Exercice 1. Placez-vous dans l'encadrement d'une porte, et saisissez les bords latéraux en dessous du niveau des épaules. Penchez le buste lentement vers l'avant, le dos bien droit jusqu'à ce que vos bras soient tendus. Tenez la position une minute. Inspirez lentement, et expirez en ouvrant largement vos épaules.

COUCHER

1 tisane IG*

TISANE IG

Mettez 1 c. à thé de géranium Robert + 1 c. à thé de menthe dans 250 ml d'eau froide. Faites bouillir pendant 5 minutes. Ôtez du feu et laissez infuser 5 minutes. Filtrez.

RÉFLEXO

Stimulez les points «reins» et «surrénales» à n'importe quel moment de la journée.

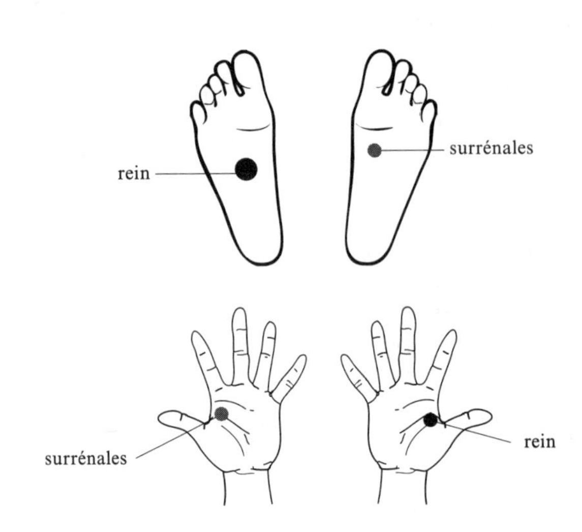

Qui peut manger des racines de légumes peut tout faire.

Proverbe chinois

MARDI

Vous en redemandez ? Formidable, on va faire du bon travail, ensemble ! Mais ne confondez pas discipline et stress : ne vous laissez pas accaparer par l'intendance, prenez 5 minutes pour organiser votre planning de la journée.

LEVER

1 grand verre d'eau minérale, comme l'eau Hépar

L'Hépar est riche en magnésium. Depuis une quinzaine d'années, des études font un lien entre manque de magnésium et diabète. Ce minéral contribue dans l'organisme au bon usage du glucose et à l'action de l'insuline. Un bon apport de magnésium participe à la prévention du diabète de type 2.

Offrez un grand bol d'air à votre maison : ouvrez toutes les fenêtres au moins ¼ d'heure.
Respirez à même le flacon d'huile essentielle de géranium bourbon.

DÉJEUNER

Thé
3 tranches de pain aux céréales + beurre + confiture allégée
1 pomme

COLLATION

Smoothie aux légumes IGZ* (voir p. 324)

DÎNER

Asperges vinaigrette
Escalope de dinde + brocolis + riz complet
Poire pochée à la cannelle*

POIRE POCHÉE À LA CANNELLE

Pelez 1 poire en la gardant entière et arrosez-la de jus de citron. Faites bouillir 300 ml d'eau avec 1 c. à soupe de miel, ½ gousse de vanille fendue en deux et 1 c. à thé de cannelle pendant 5 minutes. Déposez la poire dans ce sirop et laissez cuire pendant 25 minutes.

MARCHE

Savez-vous combien de pas nous devons faire quotidiennement pour brûler les calories en trop ? 10 000 ! Pas un de moins ! Ce chiffre n'est pas sorti de notre imagination, c'est une étude réalisée au Japon par le docteur Yoshiro Hatano qui l'a établi. L'étude dit aussi que lors de nos déplacements incontournables (aller à la salle de bains, faire le ménage, s'occuper des enfants, etc.) nous en ferions déjà 6 000 : les 4 000 pas restants représentent… 30 minutes de marche tonique.

Pensez à boire beaucoup d'eau, lorsque vous faites un exercice physique.

COLLATION

Thé
Pommes séchées

EXERCICE RESPIRATOIRE

Exercice 2. Debout, les pieds joints, bras le long du corps, inspirez profondément en gonflant le ventre ; rentrez-le sur l'expiration. Bloquez votre souffle trois secondes, puis recommencez le cycle inspiration-expiration-blocage dix fois de suite.

SOUPER

Soupe à l'oignon*
Filets de rougets + choucroute nature + pomme de terre
4 prunes

SOUPE À L'OIGNON

Faites revenir 1 oignon coupé en fines rondelles dans une 1 c. à soupe d'huile d'olive. Saupoudrez de ½ c. à soupe de farine complète et remuez jusqu'à ce que le mélange brunisse. Versez 300 ml d'eau, salez, poivrez et laissez cuire à feu doux pendant 20 minutes. Versez dans un bol allant au four, déposez sur le dessus des croûtons de pain complet, parsemez de 1 c. à soupe de gruyère râpé et faites gratiner cinq minutes sous le gril du four.

La prune est riche en fructose et en sorbitol, ce qui lui confère un goût bien plus sucré que ne le voudrait sa valeur calorique (55 cal/100 g). On peut même la conseiller au grignoteur adepte du sucré.

Aérez la maison au moins ¼ d'heure.

COUCHER

1 tisane IG* (voir p. 326)

RÉFLEXO

Stimulez les points « foie » et « surrénales » à n'importe quel moment de la journée.

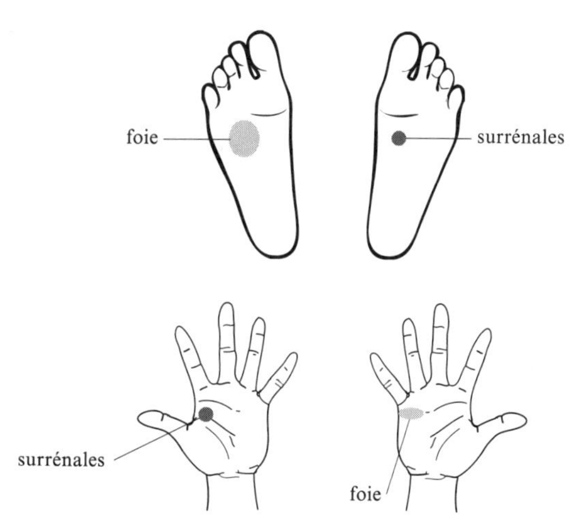

Si la cuisine n'est pas un art dans les campagnes,
La pharmacie n'y est pas une science.
Proverbe chinois

MERCREDI

Des fibres, du magnésium, de la vitamine C comme s'il en pleuvait et… une mousse au chocolat : qui a dit que vous étiez au régime ?

LEVER

1 grand verre d'eau minérale, comme l'eau Hépar

Aérez la maison en grand au moins ¼ d'heure.
Respirez à même le flacon d'huile essentielle de géranium bourbon.

DÉJEUNER

Thé
Flocons d'avoine au lait de soja ou d'amande + cannelle + fructose
1 pêche ou 2 clémentines

Soyez léger, léger sur le fructose, car même si c'est un sucre naturel présent dans les fruits, il a un pouvoir sucrant 2 fois supérieur au sucre classique : ½ c. à thé suffit pour sucrer un bol de petit déjeuner.

COLLATION

Smoothie aux légumes IGZ* (voir p. 324)

DÎNER

Carottes râpées + citron
Daurade grillée + chou vert + lentilles
Mousse au chocolat noir*

MOUSSE AU CHOCOLAT NOIR

Faites fondre 50 g de chocolat noir au bain-marie. Ajoutez 2 jaunes d'œufs. Incorporez 2 blancs d'œufs battus en neige ferme. Versez dans une coupe et placez au réfrigérateur pendant 4 heures.

COLLATION

1 thé
5 amandes
2 abricots

EXERCICES AU BUREAU

Cuisses et abdos. Bien calé au fond du siège, les mains à plat sur le bureau (ou la table), tendez une jambe horizontalement en décollant un peu la cuisse de l'assise (sans vous déhancher), la pointe du pied vers vous. Tenez la position 15 secondes. Recommencez l'exercice avec l'autre jambe. Faites une série de 5 de chaque côté.

SOUPER

Soupe de carottes + cumin
Poulet petits pois + riz complet
2 boules de sorbet à la pêche*

SORBET MINUTE À LA PÊCHE

Mixez rapidement 2 pêches surgelées avec le zeste de ½ citron bio et 1 c. à thé de sirop d'érable.

Aérez la maison au moins ¼ d'heure.

BAIN

Bain hyperthermique à la lavande et au géranium. Diluez 5 gouttes d'huile essentielle de lavande vraie et 5 gouttes d'huile essentielle de géranium bourbon dans 1 bouchon de base pour bain et versez dans l'eau déjà coulée.

EXERCICE RESPIRATOIRE

Exercice 3 (voir p. 179).

COUCHER

1 tisane IG* (voir p. 326)

RÉFLEXO

Stimulez les points «côlon» et «surrénales» à n'importe quel moment de la journée.

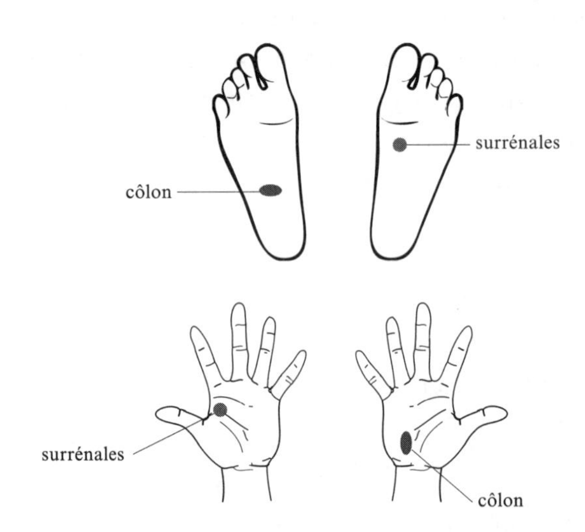

L'homme intelligent regarde la cuisson, le sot regarde le chaudron.

Proverbe chinois

JEUDI

Journée végétarienne. Vous poursuivez sans faiblir votre recherche d'un équilibre acido-basique et tenez à l'œil votre IG. Aujourd'hui, vous allez passer la vitesse supérieure, avec des menus végétariens à l'indice glycémique idéal… humm, c'est votre ligne qui va se régaler !

Lever

1 grand verre d'eau minérale, comme l'eau Hépar

Au diable les frileux, aérez la maison au moins ¼ d'heure !
Respirez à même le flacon d'huile essentielle de géranium bourbon.

Déjeuner

Thé
3 tranches de pain aux céréales + beurre
1 yogourt soja
1 orange

Vous n'êtes pas très petit déjeuner, ça ne vous dérange pas d'en faire l'impasse : erreur ! Au mieux, vous allez engloutir votre repas de midi en restant sur votre faim… Et si vous alliez faire un tour 10 minutes, histoire de vous ouvrir l'appétit ?

Collation

Smoothie aux légumes IGZ* (voir p. 324)

Dîner

Taboulé provençal*
Banane à la poêle

TABOULÉ PROVENÇAL

Versez 750 ml de bouillon de légumes bouillant sur 75 g de boulgour, couvrez pendant 5 minutes puis égrainer à la fourchette. Arrosez du jus de ½ citron, 1 c. à soupe de vinaigre de cidre et 2 c. à soupe d'huile d'olive. Ajoutez 6 feuilles de menthe, 3 branches de coriandre ciselées, 1 c. à soupe de raisins secs et 80 g de pois chiches. Faites dorer à l'huile d'olive 1 courgette et ½ aubergine détaillées en lamelles et 6 tomates-cerises coupées en deux. Incorporez ces légumes au taboulé et mélangez.

Marche

Marcher pour marcher, quand bien même c'est pour votre santé, vous ne savez pas faire... Qu'à cela ne tienne, rusez avec vous-même : descendez une station (deux, c'est mieux) avant celle de votre destination ; partez en repérage pour votre magasinage ; jardinez ; boudez l'ascenseur ; faites la tournée des espaces verts de votre quartier...

Collation

1 thé
2 carrés de chocolat noir (70 % de cacao minimum)

Souper

Salade de lentilles quinoa*
1 bol de fraises

SALADE DE LENTILLES QUINOA

Faites cuire 50 g de quinoa selon les indications de l'emballage. Versez 1 petite conserve de lentilles rincées dans un saladier, ajoutez ¼ de poivron en lamelles, ½ échalote émincée, 1 poignée de roquette hachée grossièrement et le quinoa. Arrosez du jus de ½ citron, 2 c. à soupe d'huile de colza, poivrez. Émiettez 20 g de feta et saupoudrez de persil finement ciselé.

EXERCICE RESPIRATOIRE

Exercice 4 (voir p. 181).

Aérez la maison au moins ¼ d'heure.

COUCHER

1 tisane IG* (voir p. 326)

RÉFLEXO

Stimulez les points « reins » et « surrénales » à n'importe quel moment de la journée.

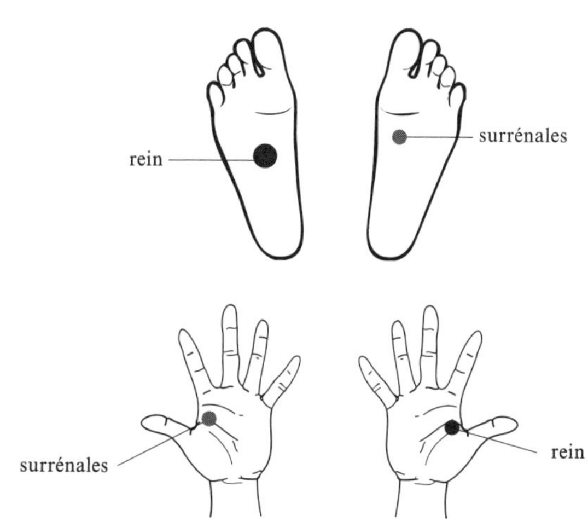

La vie engendre la vie. L'énergie produit l'énergie.
C'est en se dépensant soi-même que l'on devient riche.
Sarah Bernhardt

VENDREDI

Bien dormi? Ce n'est pas étonnant, 4 jours déjà que vous réveillez vos muscles tout en surveillant votre poids, mine de rien. Vous commencez à récolter les fruits de votre travail, chapeau!

Lever

1 grand verre d'eau minérale, comme l'eau Hépar

Aérez la maison au moins ¼ d'heure.
Respirez à même le flacon d'huile essentielle de géranium bourbon.

Déjeuner

Thé
Flocons d'avoine au lait de soja ou d'amande + cannelle + xylitol
1 poire

Le xylitol (sucre de bouleau) possède un IG extrêmement bas: 8! On le trouve enfin, depuis peu, en grande surface. Comme le fructose, le xylitol est un sucre naturellement présent dans de nombreux fruits.

Douche

Avant la douche, mission gant de crin, si vous l'acceptez.

Collation

Smoothie aux légumes IGZ* (voir p. 324)

DÎNER

Concombre à la menthe*
Carpaccio de saumon (+ citron vert + aneth) + haricots verts et boulgour en salade
2 tranches d'ananas

CONCOMBRE À LA MENTHE

Râpez ½ concombre, arrosez de 1 c. à soupe de vinaigre de vin, 1 c. à soupe d'huile d'olive. Poivrez et parsemez de 3 brins de menthe ciselée.

Vous pouvez choisir des tranches d'ananas au sirop pour aller plus vite, mais veillez à ne pas consommer le jus qui est très sucré.

EXERCICES AU BUREAU

Fessiers. Bien calé au fond du siège, les pieds à plat au sol, contractez vos muscles fessiers au maximum en soufflant. Inspirant en décontractant les muscles. Comptez jusqu'à 10, puis recommencez. Faites 3 séries de 10 contractions.

Discret et efficace, cet exercice peut être réalisé à la volée assis dans le bus ou le métro, par exemple… à condition de ne pas souffler comme un bœuf.

COLLATION

1 thé
1 yogourt au soja + dés de kiwi
1 banane peu mûre

Pourquoi une banane pas trop mûre? Parce que plus elle mûrit, plus ses sucres « lents » se transforment en sucres « rapides ». En plus, peu mûre, elle donne tout son potentiel en vitamine C!

Souper

Soupe à l'oseille (+ 2 pommes de terre + ½ échalote)
Œufs brouillés + carottes Vichy*
Pêches poêlées

> **CAROTTES VICHY**
> Mettez à cuire 250 g de carottes coupées en rondelles de 3 mm environ dans une cocotte avec 1 noix de beurre, mélangez bien. Recouvrez-les de 250 ml d'eau de Vichy, poivrez et poursuivez la cuisson pendant 40 minutes.

Gorgée de carotène, entre autres vitamines, l'oseille nous protège tous azimuts : le cœur, les yeux, les intestins… Attention ! tout comme les épinards, elle fond comme neige au soleil à la cuisson : prévoyez 350 g d'oseille crue pour 1 portion de soupe.

Exercice respiratoire

Exercice 1 (voir p. 325).

Aérez la maison au moins ¼ d'heure.

Coucher

1 tisane IG* (voir p. 326)

Réflexo

Stimulez les points « poumons » et « surrénales » à n'importe quel moment de la journée.

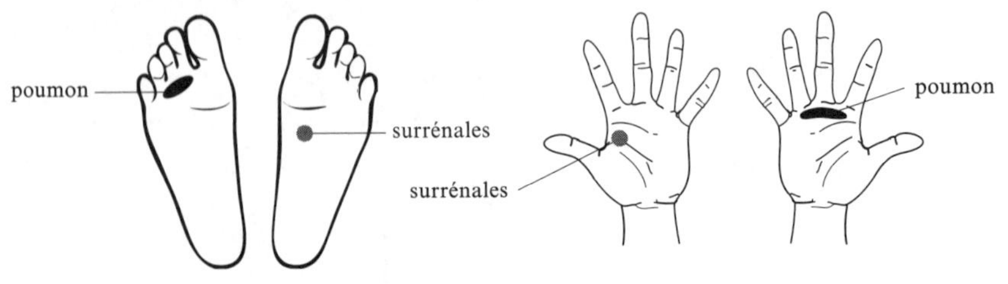

C'est bon de ne pas regarder à la dépense de son énergie!
Jules Renard

SAMEDI

C'est déjà la fin de semaine, l'heure est aux félicitations. Vous sentez les changements qui s'opèrent en vous: pour vous en convaincre, retournez en page 12 et refaites le test... on s'approche du sans-faute!

Lever

1 grand verre d'eau minérale, comme l'eau Hépar

Aérez la maison au moins ¼ d'heure. Si c'est jour de ménage, faites-le toutes fenêtres ouvertes.
Respirez à même le flacon d'huile essentielle de géranium bourbon.

Déjeuner

Thé
3 tranches de pain aux céréales + beurre + confiture allégée en sucre
1 grappe de raisin

Collation

Smoothie aux légumes IGZ* (voir p. 324)

Dîner

Salade mâche betterave + huile de noisette + ciboulette
Haddock au chou*
½ mangue

HADDOCK AU CHOU

Faites cuire ¼ de chou vert en lamelles 15 minutes dans l'eau bouillante salée pendant 15 minutes. Plongez 1 petit filet de haddock dans un mélange de 250 ml de lait et 250 ml d'eau, portez à ébullition et laissez pocher le poisson hors du feu pendant 10 minutes. Égouttez le chou et le haddock, poivrez et saupoudrez 1 pincée de 4 épices.

Une petite merveille, cette mâche : seul légume autorisé à arborer la mention « naturellement riche en oméga-3 », c'est aussi le plus pauvre en sodium !

COLLATION

Thé
1 petite poignée de noisettes

SOUPER

Salade composée (maïs + tomate + concombre + ¼ de poivron brocoli cuit + oignon + jambon blanc + filet de citron + huile d'olive + persil)
Flan de poire*

FLAN DE POIRE

Pelez une poire et coupez-la en petits dés. Mettez-les dans une casserole avec 5 c. à soupe de jus de poire et ½ c. à thé d'extrait de vanille. Faites cuire 10 minutes et écrasez-les à la fourchette. Ajoutez ½ sachet d'agar-agar (1 g) et laissez bouillir pendant 2 minutes. Versez dans un moule individuel et placez 2 heures au réfrigérateur.

EXERCICES

C'est la fin de semaine : tout le monde à la piscine + exercices de respiration 1, 2, 3 et 4 (p. 325, 328, 179, 181).

Chassez les idées reçues, pratiquer une activité physique le soir n'a jamais empêché quiconque de dormir. Ce qui perturbe le sommeil, c'est une hausse de la température corporelle : une activité douce (natation, aquagym – beaucoup de piscines ferment à 21 heures, voire à 23 heures pour les chanceux), une promenade, ou même du sport en salle ne posent pas de problème, à condition que l'activité soit suivie d'un moment de relaxation, afin de faire redescendre la température interne. En revanche, oubliez le squash, le rugby, le saut à l'élastique et la boxe !

Aérez la maison au moins ¼ d'heure.

Bain

Bain hyperthermique de lavande et géranium. Diluez 5 gouttes d'huile essentielle de lavande craie et 5 gouttes d'huile essentielle de géranium bourbon dans 1 bouchon de base pour bain et versez dans l'eau.

Coucher

1 tisane IG* (voir p. 326)

Buvez 3 tasses de cette tisane (en dehors des repas) pour stimuler vos reins.

Réflexo

Stimulez les points « reins » et « surrénales » à n'importe quel moment de la journée.

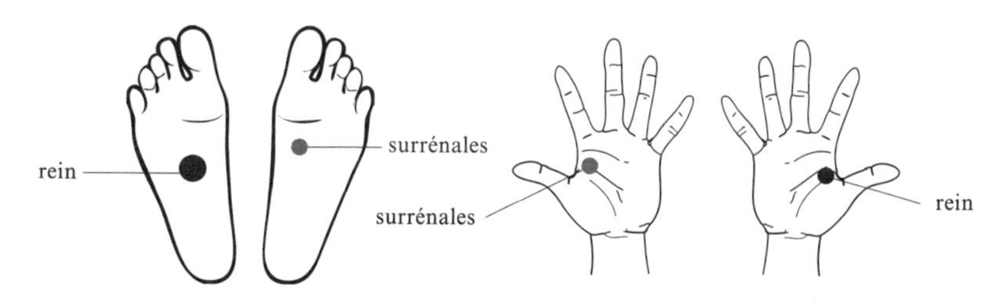

Tu es laid… sois terrible, on oubliera ta laideur.
Tu es vieux… sois énergique, on oubliera ton âge.
Eugène Sue

DIMANCHE

Bravo, vous pouvez être fier d'avoir tenu 7 jours! Nous sommes sûrs que vous saurez relever le prochain défi avec la même détermination. Vous connaissez les bons gestes, à vous d'en faire des réflexes.

Lever
1 grand verre d'eau minérale, comme l'eau Hépar

Aérez la maison toute la matinée.
Respirez à même le flacon d'huile essentielle de géranium bourbon.

Déjeuner
Thé
Flocons d'avoine au lait de soja ou d'amande + cannelle + sirop d'érable
1 compote sans sucre

Douche
Frictionnez votre peau au gant de crin et filez sous la douche.

Collation
Smoothie aux légumes IGZ* (voir p. 324)

Dîner
Salade tomates basilic
Assiette de fruits de mer
Smoothie myrtilles*

 SMOOTHIE MYRTILLES

Mettez dans le bol du mélangeur 100 g de myrtilles surgelées (ou de bleuets), ½ mangue, 50 g de tofu soyeux égoutté et le jus de 1 orange. Mixez jusqu'à obtention d'une consistance lisse.

Pensez à inviter basilic, citron, cannelle, curcuma dans votre assiette, ce sont des substituts malins au sel.

 EXERCICES

C'est le moment de mettre votre podomètre à profit : allez marcher (débusquer le mouton à cinq pattes dans une brocante, promener le chien, acheter des herbes aromatiques au marché aux fleurs...) avec votre mini-entraîneur en poche. Au retour, notez le nombre de pas comptabilisés : les prochains jours, vous saurez combien de temps marcher et à quel rythme pour décrocher les fameux 10 000 pas santé préconisés. Attention, pas d'excès, on se prend vite au jeu ! Exercices respiratoires 1, 2, 3 et 4 autant de fois que vous pouvez dans la journée.

COLLATION

1 thé
4 abricots secs

SOUPER

Artichaut vinaigrette
Steak haché + aubergine au four* + riz basmati
Sorbet citron

AUBERGINE AU FOUR

Coupez une petite aubergine en deux dans la longueur, saupoudrez de sel et laissez dégorger ½ heure. Poivrez, parsemez de 1 c. à thé de basilic haché, arrosez d'huile d'olive et enfournez pour 25 minutes à (350 °F/180 °C).

Bien placée dans le top 10 des légumes les moins caloriques, l'aubergine abaisse aussi le taux de cholestérol sanguin en empêchant l'intestin d'absorber une partie des graisses alimentaires.

Aérez la maison au moins ¼ d'heure.

BAIN

Bain hyperthermique à la lavande et au géranium. Diluez 5 gouttes d'huile essentielle de lavande vraie et 5 gouttes d'huile essentielle de géranium bourbon dans 1 bouchon de base pour bain et versez dans l'eau.

COUCHER

1 tisane IG* (voir p. 326).

RÉFLEXO

Stimulez les points « foie » et « surrénales » à n'importe quel moment de la journée.

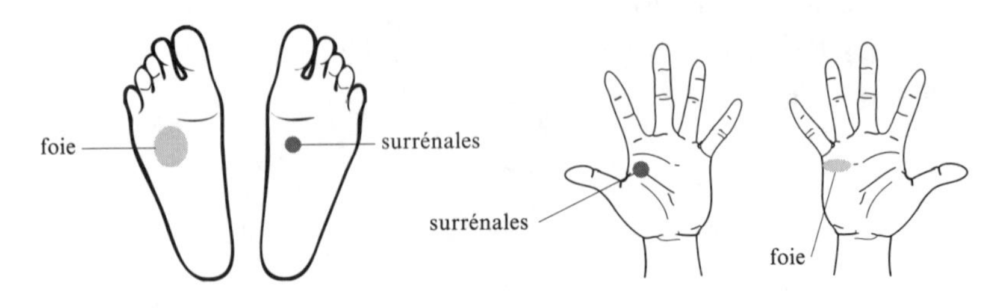

TABLE DES ALIMENTS PAR ORDRE ALPHABÉTIQUE

Tous les aliments dont le chiffre est supérieur à 0 sont acidifiants. Plus le chiffre grimpe, plus l'aliment est acidifiant.

ALIMENT	PRAL*
Abricot confit	-4,98
Abricot en conserve	-3,49
Abricot frais	-4,33
Abricot séché	-21,66
Agar-agar	-6,74
Agneau	13,5
Aiglefin	10,57
Ail cru	-2,65
Ail en poudre	-2,01
Aile de poulet rôti avec la peau	14,2
Algue kombu (varech)	-4,82
Algue nori	-3,45
Amande avec peau	2,29
Amande grillée	2,36
Amande sans peau	4,13
Ananas	-2,34
Ananas confit	-18,37
Anchois à l'huile	7,25
Aneth (graines)	-33,19
Aneth déshydraté	-74,51

ALIMENT	PRAL
Aneth frais	-15,49
Anguille	13,49
Anis (graines)	-18,17
Araignée de mer	10,09
Artichaut	-4,69
Asperge en conserve	-1,75
Asperge fraîche	-2,19
Aubergine	-1,99
Avocat	-8,19
Avoine	13,31
Bacon grillé	25
Banane	-6,94
Banane plantain	-9,2
Bar	12,32
Barbue	10,7
Basilic déshydraté	-85,36
Basilic frais	-10,01
Beignet de crabe	12,03
Beignet nature	8,64
Bette	-12,38
Betterave	-3,13

ALIMENT	PRAL
Beurre	0,44
Bière	-0,11
Bigorneau	5,88
Biscuit à l'avoine	3,82
Biscuit aux figues	-1,77
Biscuit barquette avec pulpe de fruit	1,04
Biscuit fourré au chocolat	0,57
Biscuit petit beurre	3,74
Bison	13,31
Blanquette de veau	8,28
Blé soufflé	4,39
Boisson aux agrumes	-0,96
Bouchée à la reine	2,31
Boudin	4,26
Boudoir	4,5
Bouillon ou consommé bœuf poulet (déshydraté)	0,15
Boulgour	0,6
Bretzels	-0,11

* Voir p. 78.

ALIMENT	PRAL
Brie	11,02
Brioche	5,51
Brochet	13,59
Brocoli	-3,57
Cacahuètes	5,75
Cacao en poudre (maigre)	-30,7
Cacao en poudre (riche en matières grasses)	-11,86
Café	-0,96
Café décaféiné	-1,2
Café expresso	-4,2
Caille	14,49
Calmar	10,72
Camembert	13,05
Canard rôti	10,23
Cannegerge séchée sucrée	-0,77
Cannelle	-23,76
Cantal	15,86
Cappuccino	-0,87
Câpres	-0,69
Caramel	-3,49
Cardamome	-22,57
Cardon	-9,06
Carotte crue	-5,71
Carotte cuite	-4,1
Carpe	20,22
Carvi (graines)	-13,33
Cassis	-5,23
Cassonade	-8,31
Cassoulet	1,43
Caviar	10,05
Cédrat confit	-2,77
Céleri	-5,04
Céleri (graines)	-34,72
Céleri-rave	-2,39
Cerfeuil déshydraté	-92,4
Cerise	-3,03
Cerise confite	-3,35
Cerise en conserve	-1,61
Cervelas	6,72
Cervelle d'agneau	18,27
Cervelle de bœuf	12,5
Cervelle de veau	12,64
Champignon	-3,58
Champignon (conserve)	0,12
Champignon cru	-2,2
Chapon	17,13
Châtaigne	-8,99
Chausson aux pommes	3,15
Cheval	14,21
Chevreuil	15,41
Chili con carne (conserve)	0,06
Chili en poudre	-31,05
Chipolata	8,86
Chips	-18,43
Chocolat	-1,99
Chocolat à croquer	-2,18
Chocolat à cuire	-6,12
Chocolat au lait	-0,46
Chocolat chaud (poudre)	-4,41
Chocolat chaud maison	-0,49
Chocolat liquide	-13,57
Chorizo	8,43
Chou à la crème	3,73
Chou cavalier	-2,63
Chou chinois	-4,68
Chou cru	-4,61
Chou cuit	-1,59
Chou de Chine cuit	-3,22
Chou rouge cru	-4,29
Chou rouge cuit	-4,53
Chou vert frisé cru	-8,34
Chou vert frisé cuit	-4,23
Choucroute	-3,38
Choucroute (conserve)	-3,11
Choucroute garnie	1,25
Chou-fleur	-1,34
Chou-fleur cru	-4,44
Chouquette	6,73
Chou-rave cru	-5,62
Chou-rave cuit	-5,41
Choux de Bruxelles	-4,32
Ciboulette	-4,76
Ciboulette lyophilisée	-59,81
Cidre	-2,49
Citron	-2,31
Citrouille	-3,43
Clou de girofle en poudre	-31,59
Cœur d'agneau	16,88
Cœur de bœuf	18,14
Cœur de veau	18,77
Cœurs de palmier (conserve)	-1,82
Cola	0,42
Colin	11,43
Comté	23,99
Concombre	-2,43
Confiture	-1,22
Coquille Saint-Jacques	8,51
Coriandre (graines)	-23,21
Coriandre fraîche	-9,67
Corned-beef	14,01
Cornet de glace à la vanille	1,08
Corn Flakes	2,69
Cornichons	0,09
Cornichons sucrés	-0,2
Côte d'agneau	12,55
Côte de bœuf	11,16
Côte de veau	12,12
Coulommiers	10,42
Courge	-8,68
Courgette crue	-4,14
Courgette cuite	-4,26
Couscous (mouton)	2,34
Couscous cuit	1,14

ALIMENT	PRAL
Crème fouettée	0,53
Crème fraîche 30% MG	0,15
Crème fraîche légère	-0,14
Crème glacée à la fraise, à la vanille	-0,6
Crème glacée au chocolat	-1,58
Crêpe nature maison	2,98
Cresson cru	-10,68
Cresson cuit	-6,18
Crevette	10,1
Croissant	4,53
Croque-monsieur	6,93
Croûtons	5,69
Cuisse de dinde rôtie avec la peau	14,13
Cuisse de faisan	14,13
Cuisse de poulet	12,63
Cuisses de grenouille	8,36
Cumin (graines)	-31,98
Curcuma en poudre	-46,67
Datte	-11,91
Dinde rôtie avec la peau	14,41
Dragée	0,82
Eau du robinet	-0,05
Échalote crue	-4,6
Échalote lyophilisée	-22,75
Éclair	3,43
Écrevisse	10,98
Édam	17,85
Edamame (fève de soja cuite)	-2,87
Emmental	21,29
Endive	-3,54
Épaule d'agneau grillée	13,49
Épaule d'agneau rôtie	13,16
Épaule de porc rôtie	11,56
Épeautre	10,16
Éperlan	11,69
Épinard (conserve)	-5,15
Épinard cru	-11,84
Épinard cuit	-10,29
Épinards à la crème	-0,1
Escalope de veau	18,89
Espadon	16,2
Esquimau	2,36
Estragon déshydraté	-64,51
Farine de blé	4,36
Farine de blé avec levure	19,37
Farine de blé complète	6,98
Farine de maïs	4,34
Farine de pois chiches	0,07
Farine de riz	3,91
Farine de sarrasin	-0,52
Farine de seigle	2,86
Faux-filet cuit	12,74
Fécule de maïs	0,44
Fenouil (graines)	-35,37
Fenouil cru	-7,32
Fenugrec (graines)	-1,2
Feta	11,46
Fève	-0,27
Figue	-4,88
Figue de barbarie	-6,31
Figue sèche	-14,06
Flan	-0,08
Flan en sachet	-0,56
Flan pâtissier	3,29
Flan pâtissier en sachet	0,02
Flétan	7,97
Flocons d'avoine	-1,52
Flocons de maïs	2,47
Foie d'agneau	20,2
Foie de bœuf	24,62
Foie de morue	7,23
Foie de porc	18,02
Foie de veau	23,18
Foie gras	7,35
Fondue savoyarde	9,3
Fraise	-2,54
Framboise	-2,41
Frites	-8,78
Fromage bleu	11,97
Fromage de chèvre demi-sec	16,5
Fromage de chèvre frais	15,76
Fromage de chèvre sec	27,88
Fromage de tête	6,89
Fromage des Pyrénées	17,24
Fromage fondu	24,99
Fromage type Bonbel-Babybel	16,62
Fructose	0
Fruit de la passion	-4,62
Fruits au sirop (conserve)	-1,61
Fruits confits	-1,18
Galette de riz	7,7
Galettes de maïs	3,27
Gâteau au fromage blanc	2,44
Gâteau de riz	1,35
Gaufre nature	3,75
Gaufrette fourrée	2,32
Gelée de fruit	-1,09
Gésier de poulet	17,83
Gigot d'agneau	13,61
Gingembre confit	-44,96
Gingembre en poudre	-24,55
Gingembre frais	-7,89
Gomme à mâcher sans sucre	-0,26
Gouda	20,26
Goyave	-6,83
Graine de courge	28,15
Graine de sésame	-0,17

ALIMENT	PRAL
Graine de tournesol	36,87
Graine de tournesol séchée	12,07
Graisse (saindoux, de canard...)	0
Grenade	-4,79
Groseille	-4,23
Groseille à maquereau	-3,31
Gruyère	21,21
Guimauve	0,98
Hachis parmentier	0,69
Halvah	18,56
Hamburger	5,89
Hamburger au fromage	5,63
Hareng fumé	12,39
Hareng grillé	11,67
Hareng mariné	7,59
Haricots beurre cuits	1,7
Haricots blancs (conserve)	-0,68
Haricots blancs cuits	-2,48
Haricots rouges (conserve)	-0,39
Haricots rouges maison	-1,36
Haricots verts	-5,24
Homard	7,79
Hot-dog	5,14
Houmous maison	1,43
Huile (arachide, olive, colza, noix...)	0
Huître	3,37
Igname	-12,18
Jambon	12,22
Jambon de dinde	9,87
Jus d'ananas	-5,2
Jus de carotte	-4,11
Jus de citron	-2,44
Jus de fruit de la passion	-5,66
Jus de mandarine	-3,42
Jus de pamplemousse	-3,07
Jus de pomme	-2,38
Jus de raisin	-2,47
Jus de tomate	-4,48
Jus d'orange	-3,66
Kaki	-2,81
Kiwi	-5,62
Kumquat	-3,61
Lait concentré sucré	1,08
Lait de brebis	2,92
Lait de chèvre	-0,54
Lait de coco	-1,51
Lait de riz	-1,69
Lait de soja	0,48
Lait 2%	0,14
Lait écrémé	0,2
Lait écrémé en poudre	-1,21
Lait entier	0,21
Lait fermenté bifidus	0,06
Laitue pommée	-2,2
Laitue romaine	-4,27
Langouste	14,9
Langue de bœuf	10,5
Langue de bœuf en conserve	11,59
Langue de veau	14,82
Lapin	16,17
Lardon fumé	12,07
Lardon nature	4,75
Lasagnes	2,87
Laurier (feuille)	-17,16
Lentilles	2,15
Lièvre	18,71
Limonade	-0,13
Lin (graine moulue)	-3,18
Litchi	-2,36
Longe de porc braisée	11,42
Loup	11,29
Macaron	-0,56
Macaroni au blé complet	4,01
Macédoine de légumes (conserve)	-1,5
Mâche	-7,53
Madeleine	9,1
Maïs doux (conserve)	-1,07
Mandarine	-3,14
Mangue	-2,98
Manioc	-4,78
Maquereau	10,83
Margarine	-0,05
Marjolaine déshydratée	-49,3
Marmelade	-1,03
Mayonnaise	0,6
Mayonnaise allégée	0,98
Mélasse	-38,55
Melon	-5,07
Menthe déshydratée	-55,42
Menthe fraîche	-12,65
Merguez	5,82
Merlan	9,87
Mérou	6,25
Miel	-0,93
Mille-feuilles	0,69
Millet	2,93
Mirabelle	-3,8
Miso (soja fermenté)	5,21
Morbier	18,04
Mortadelle	5,22
Morue	9,89
Morue salée	29,78
Moule crue	5,18
Moule cuite	15,19
Moutarde brune	3,51
Moutarde jaune	-0,01
Moutarde jaune (graines)	14,49
Mozzarella	14,74
Muesli	3,84

ALIMENT	PRAL
Muffin	3,13
Mulet	10,31
Munster	15,95
Mûre	-2,8
Muscade en poudre	-3,76
Myrtille	-1,04
Navet	-3,07
Nectar de pêche	-0,65
Nectar de poire	-0,25
Nectarine	-3,05
Nèfle	-4,92
Nem	-0,39
Noisette	-3,12
Noix	5,62
Noix de Brésil	8,15
Noix de cajou rôtie	6,42
Noix de coco	-2,68
Noix de Macadamia	-1,38
Noix de pécan	2,08
Noix de pécan rôtie	2,22
Nougat	0,21
Nouilles chinoises	5,93
Nouilles de riz cuites	0,97
Œuf	7,47
Œuf (blanc seul)	2,25
Œuf (jaune seul)	19,1
Œuf à la coque	8,97
Œuf au plat	10,18
Œuf brouillé	7,59
Œuf de caille	10,81
Œuf omelette	7,93
Œuf poché	9,38
Œufs de poisson	26,1
Oie rôtie avec peau	14,67
Oignon cru	-2,12
Oignon cuit	-2,1
Oignon en poudre	-10,16
Oignon vert cru	-4,99
Oignon vert cuit	-2,54
Olives	-0,89
Orange	-3,03
Orge	0,44
Origan en poudre	-49,77
Paella	2,52
Pain (baguette)	4,16
Pain au chocolat	3,57
Pain au lait	3,11
Pain au levain	4,15
Pain au raisin	1,6
Pain au son	3,32
Pain aux céréales	4,57
Pain aux raisins	-2,15
Pain classique	4,3
Pain de seigle	3,31
Pain d'épices	2,33
Pain noir	4,19
Palette de veau	16,94
Palourde crue	5,08
Palourde cuite	10,17
Pamplemousse	-2,31
Panais	-5,74
Papaye	-5,49
Paprika	-36,34
Parmesan	27,79
Pastèque	-2
Pastrami	9,13
Patate douce au four avec la peau	-8,19
Patate douce bouillie	-3,79
Pâte à tartiner chocolat-noisettes	-3,34
Pâte d'amandes	1,75
Pâté de foie	10,21
Pâte de fruit	-0,93
Pâté en croûte	7,26
Pâte feuilletée (prête-à-cuire)	3,97
Pâtes aux œufs	3,58
Pâtes maison	2,78
Pâtisson	-2,09
Pavot (graines)	-1,88
Pêche	-3,12
Pêche au sirop	-2,01
Perche	11,81
Perrier	-0,18
Persil déshydraté	-81,49
Persil frais	-11,13
Petits pois cuits	-0,1
Petit-suisse	3,91
Pétoncles	10,95
Pieds de porc	2,43
Pigeonneaux	13,32
Pignon	8,71
Pilon de poulet pané et frit	8,67
Piment de Cayenne	-31,44
Piment en poudre	-26,86
Piment fort (conserve)	-3,31
Piment rouge séché	-31,08
Pintade	12,36
Pissenlit cru	-7,94
Pissenlit cuit	-4,78
Pistache	1,97
Pita	3,73
Pizza	7,31
Poire	-2,2
Poire au sirop	-1,7
Poireaux crus	-3,25
Poireaux cuits	-1,56
Poitrine de dinde rôtie	4,4
Poitrine de dinde rôtie avec la peau	14,76
Poitrine de poulet pané et frit	9,33
Poitrine de poulet rôti avec la peau	16,01
Pois cassés	-0,97
Pois chiches	2,56
Pois mange-tout	-2,62
Poisson pané	5,93
Poivre	-25,4
Poivron	-2,75
Pomélo	-3,74
Pomme	-1,92

ALIMENT	PRAL
Pomme de terre bouillie	-6,09
Pomme de terre rissolée	-9,13
Port-salut	13,04
Pot-au-feu	4,78
Potée auvergnate	2,02
Poudre de cacao non sucré	-9,88
Poudre de noix de coco	-3,09
Poulet mijoté	12,84
Poulet rôti	15,44
Poulpe	8,77
Pourpier cru	-10,72
Pourpier cuit	-10,9
Pousses de bambou	-9,94
Prune	-2,62
Prune au sirop	-2,19
Pruneau	-13,38
Purée de pommes de terre	-3,75
Purée de sésame (tahin)	17,38
Quatre-quarts	4,11
Quenelle	1,16
Queue de porc	6,41
Quiche Lorraine	8,1
Quinoa	-0,19
Raclette	18,38
Radis	-4,4
Raifort	-9,73
Raisin blanc	-4,54
Raisin noir	-6,09
Raisin sec	-14,29
Ratatouille	-4,17
Ravioli (conserve)	-1,47
Reblochon	11,19
Reine-Claude	-4,05
Rhubarbe	-6,52
Rhubarbe (compote)	-3,73
Ricotta	5,8
Rillettes	8,27
Ris de veau	24,5
Riz blanc	1,55
Riz brun	2,18
Riz sauvage	2
Rognon d'agneau	17,83
Rognon de bœuf	21,22
Rognon de veau	22,32
Rognons de porc	17,69
Romarin déshydraté	-37,43
Romarin frais	-16,45
Roquefort	13,76
Roquette	-7,86
Rôti de porc cuit	13,35
Rôti de viande froid	4,63
Rouleau de printemps	0,22
Rutabaga	-5,36
Sablé	3,99
Saccharose (sucre)	0
Safran	-29,59
Saint-Nectaire	13,72
Saké (alcool de riz)	-0,28
Salade de fruits (conserve)	-1,35
Salade de pommes de terre	-3,24
Salade frisée	-3,14
Salami	7,72
Salsifis	-3,61
Sanglier	9,6
Sardine à l'huile	15,88
Sardines aux tomates	12,6
Sarrasin	3,43
Sarriette en poudre	-51,11
Sauce aigre-douce	-1,23
Sauce barbecue	-2,75
Sauce béarnaise	-0,86
Sauce béchamel	-2,22
Sauce blanche	0,33
Sauce chili	-5,19
Sauce hollandaise	0,04
Sauce Mornay	1,98
Sauce salsa	-5,08
Sauce tartare	0,25
Sauce tomate	-7,18
Saucisse de dinde	12,09
Saucisse de Morteau	9,66
Saucisse de Strasbourg	9,03
Saucisse de Toulouse	8,88
Saucisse fumée	3,2
Saucisse knackwurst	4,46
Sauge en poudre	-46,5
Saumon Atlantique (élevage)	11,11
Saumon rose	13,67
Saumon rose (conserve)	36,25
Scarole	-6,01
Seiche	20,1
Seigle	11,95
Sel de table	-0,51
Semoule de blé dur	5,9
Semoule de maïs	3,49
Shiitaké cuit	-1,02
Shiitaké séché	-20,22
Sirop d'agave	0
Sirop de grenadine	-0,62
Sirop de maïs	-0,96
Sirop d'érable	-5,45
Soda à l'orange	-0,1
Soja (pousses) cru	-0,36
Soja (pousses) cuit	-0,61
Soja germé sauté	-1,06
Sole (poisson plat)	13,57
Son d'avoine cuit	2,87
Son de blé	3,44
Sorbet à l'orange	-0,91
Sorbet au citron	0,12
Soufflé au fromage	6,75
Soupe à l'oignon en sachet	0
Soupe aux asperges en sachet	-0,38

ALIMENT	PRAL
Soupe aux champignons en sachet	-0,51
Soupe de poireaux en sachet	-0,14
Soupe de pois cassés	0,81
Soupe de tomates en sachet	-1,34
Soupe minestrone en conserve	-3,09
Soupe minestrone en sachet	-1,34
Soupe poulet et nouilles en sachet	0,48
Spaghetti	3,13
Spaghetti au blé complet	4,01
Strudel aux pommes	-0,72
Sucre de table	0
Sucre d'orge	-0,11
Sucre glace	-0,06
Surimi	7,97
Tabasco	-1,67
Tablette de chocolat pâtissier	-6,12
Taco	1,76
Taco et chili con carne	0,56
Tamari (sauce soja)	4,21
Tapioca	-0,01
Tarte au citron meringuée	1,63
Tarte aux légumes	1,15
Tarte aux pommes	0,13
Thé	-0,82
Thon à l'huile (en conserve)	20,46
Thon albacore	9,86
Thon nature (conserve)	12,71
Thym déshydraté	-35,48
Thym frais	-15,57
Tisane	-0,24
Tofu	1,74
Tomate (conserve)	-4,66
Tomate confite (à l'huile)	-27,96
Tomate crue	-3,71
Tomate farcie	0,52
Tomate, purée (en conserve)	-7,76
Tomme	14,14
Topinambour	-5,77
Tortilla	2,59
Tourteau	-0,02
Tripes à la mode de Caen	6,97
Truite	13,5
Truite arc-en-ciel	10,52
Truite saumonée	11,89
Turbot	7,8
Vanille (extrait)	-3,31
Veau	16,74
Végétaline	0
Viande des Grisons	15,74
Vin blanc	-1,49
Vin doux	-1,82
Vin rosé	-1,79
Vin rouge	-2,18
Vinaigre	-2,42
Vinaigrette	-0,17
Wakamé (algues)	-1,34
Yogourt	0,66
Zeste de citron	-4,31
Zeste de citron confit	0,2

TABLE DES ALIMENTS PAR ORDRE CROISSANT D'ACIDIFICATION

Tous les aliments dont le chiffre est supérieur à 0 sont acidifiants. Plus le chiffre grimpe, plus l'aliment est acidifiant.

ALIMENT	PRAL*
Cerfeuil déshydraté	-92,4
Basilic déshydraté	-85,36
Persil déshydraté	-81,49
Aneth déshydraté	-74,51
Estragon déshydraté	-64,51
Ciboulette lyophilisée	-59,81
Menthe déshydratée	-55,42
Sarriette en poudre	-51,11
Origan en poudre	-49,77
Marjolaine déshydratée	-49,3
Curcuma en poudre	-46,67
Sauge en poudre	-46,5
Gingembre confit	-44,96
Mélasse	-38,55
Romarin déshydraté	-37,43
Paprika	-36,34
Thym déshydraté	-35,48
Fenouil (graines)	-35,37
Céleri (graines)	-34,72
Aneth (graines)	-33,19
Cumin (graines)	-31,98

ALIMENT	PRAL
Clou de girofle en poudre	-31,59
Piment de Cayenne	-31,44
Piment rouge séché	-31,08
Chili en poudre	-31,05
Cacao en poudre (maigre)	-30,7
Safran	-29,59
Tomate confite (à l'huile)	-27,96
Piment en poudre	-26,86
Poivre	-25,4
Gingembre en poudre	-24,55
Cannelle	-23,76
Coriandre (graines)	-23,21
Échalote lyophilisée	-22,75
Cardamome	-22,57
Abricot séché	-21,66
Shiitaké séché	-20,22
Chips	-18,43
Ananas confit	-18,37
Anis (graines)	-18,17
Laurier (feuille)	-17,16
Romarin frais	-16,45

ALIMENT	PRAL
Thym frais	-15,57
Aneth frais	-15,49
Raisin sec	-14,29
Figue sèche	-14,06
Chocolat liquide	-13,57
Pruneau	-13,38
Carvi (graines)	-13,33
Menthe fraîche	-12,65
Bette	-12,38
Igname	-12,18
Datte	-11,91
Cacao en poudre (riche en matières grasses)	-11,86
Épinard cru	-11,84
Persil frais	-11,13
Pourpier cuit	-10,9
Pourpier cru	-10,72
Cresson cru	-10,68
Épinard cuit	-10,29
Oignon en poudre	-10,16
Basilic frais	-10,01
Pousses de bambou	-9,94

* Voir p. 78.

ALIMENT	PRAL
Poudre de cacao non sucré	-9,88
Raifort	-9,73
Coriandre fraîche	-9,67
Banane plantain	-9,2
Pomme de terre rissolée	-9,13
Cardon	-9,06
Châtaigne	-8,99
Frites	-8,78
Courge	-8,68
Chou vert frisé cru	-8,34
Cassonade	-8,31
Avocat	-8,19
Patate douce au four avec la peau	-8,19
Pissenlit cru	-7,94
Gingembre frais	-7,89
Roquette	-7,86
Tomate, purée (en conserve)	-7,76
Mâche	-7,53
Fenouil cru	-7,32
Sauce tomate	-7,18
Banane	-6,94
Goyave	-6,83
Agar-agar	-6,74
Rhubarbe	-6,52
Figue de barbarie	-6,31
Cresson cuit	-6,18
Chocolat à cuire	-6,12
Tablette de chocolat pâtissier	-6,12
Pomme de terre bouillie	-6,09
Raisin noir	-6,09
Scarole	-6,01
Topinambour	-5,77
Panais	-5,74
Carotte crue	-5,71
Jus de fruit de la passion	-5,66
Chou-rave cru	-5,62
Kiwi	-5,62
Papaye	-5,49
Sirop d'érable	-5,45
Chou-rave cuit	-5,41
Rutabaga	-5,36
Haricots verts	-5,24
Cassis	-5,23
Jus d'ananas	-5,2
Sauce chili	-5,19
Épinard (conserve)	-5,15
Sauce salsa	-5,08
Melon	-5,07
Céleri	-5,04
Oignon vert cru	-4,99
Abricot confit	-4,98
Nèfle	-4,92
Figue	-4,88
Algue kombu (varech)	-4,82
Grenade	-4,79
Pissenlit cuit	-4,78
Manioc	-4,78
Ciboulette	-4,76
Artichaut	-4,69
Chou chinois	-4,68
Tomate (conserve)	-4,66
Fruit de la passion	-4,62
Chou cru	-4,61
Échalote crue	-4,6
Raisin blanc	-4,54
Chou rouge cuit	-4,53
Jus de tomate	-4,48
Chou-fleur cru	-4,44
Chocolat chaud (poudre)	-4,41
Radis	-4,4
Abricot frais	-4,33
Choux de Bruxelles	-4,32
Zeste de citron	-4,31
Chou rouge cru	-4,29
Laitue romaine	-4,27
Courgette cuite	-4,26
Chou vert frisé cuit	-4,23
Groseille	-4,23
Café expresso	-4,2
Ratatouille	-4,17
Courgette crue	-4,14
Jus de carotte	-4,11
Carotte cuite	-4,1
Reine-Claude	-4,05
Mirabelle	-3,8
Patate douce bouillie	-3,79
Muscade en poudre	-3,76
Purée de pommes de terre	-3,75
Pomélo	-3,74
Rhubarbe (compote)	-3,73
Tomate crue	-3,71
Jus d'orange	-3,66
Kumquat	-3,61
Salsifis	-3,61
Champignon	-3,58
Brocoli	-3,57
Endive	-3,54
Abricot en conserve	-3,49
Caramel	-3,49
Algue nori	-3,45
Citrouille	-3,43
Jus de mandarine	-3,42
Choucroute	-3,38
Cerise confite	-3,35
Pâte à tartiner chocolat-noisettes	-3,34
Groseille à maquereau	-3,31
Piment fort (conserve)	-3,31
Vanille (extrait)	-3,31
Poireaux crus	-3,25
Salade de pommes de terre	-3,24
Chou de Chine cuit	-3,22
Lin (graine moulue)	-3,18
Mandarine	-3,14
Salade frisée	-3,14

ALIMENT	PRAL
Betterave	-3,13
Noisette	-3,12
Pêche	-3,12
Choucroute (conserve)	-3,11
Poudre de noix de coco	-3,09
Soupe minestrone en conserve	-3,09
Jus de pamplemousse	-3,07
Navet	-3,07
Nectarine	-3,05
Cerise	-3,03
Orange	-3,03
Mangue	-2,98
Edamame (fève de soja cuite)	-2,87
Kaki	-2,81
Mûre	-2,8
Cédrat confit	-2,77
Poivron	-2,75
Sauce barbecue	-2,75
Noix de coco	-2,68
Ail cru	-2,65
Chou cavalier	-2,63
Pois mange-tout	-2,62
Prune	-2,62
Fraise	-2,54
Oignon vert cuit	-2,54
Cidre	-2,49
Haricots blancs cuits	-2,48
Jus de raisin	-2,47
Jus de citron	-2,44
Concombre	-2,43
Vinaigre	-2,42
Framboise	-2,41
Céleri-rave	-2,39
Jus de pomme	-2,38
Litchi	-2,36
Ananas	-2,34
Citron	-2,31
Pamplemousse	-2,31

ALIMENT	PRAL
Sauce béchamel	-2,22
Champignon cru	-2,2
Laitue pommée	-2,2
Poire	-2,2
Asperge fraîche	-2,19
Prune au sirop	-2,19
Chocolat à croquer	-2,18
Vin rouge	-2,18
Pain aux raisins	-2,15
Oignon cru	-2,12
Oignon cuit	-2,1
Pâtisson	-2,09
Ail en poudre	-2,01
Pêche au sirop	-2,01
Pastèque	-2
Aubergine	-1,99
Chocolat	-1,99
Pomme	-1,92
Pavot (graines)	-1,88
Cœurs de palmier (conserve)	-1,82
Vin doux	-1,82
Vin rosé	-1,79
Biscuit aux figues	-1,77
Asperge en conserve	-1,75
Poire au sirop	-1,7
Lait de riz	-1,69
Tabasco	-1,67
Cerise en conserve	-1,61
Fruits au sirop (conserve)	-1,61
Chou cuit	-1,59
Crème glacée au chocolat	-1,58
Poireaux cuits	-1,56
Flocons d'avoine	-1,52
Lait de coco	-1,51
Macédoine de légumes (conserve)	-1,5
Vin blanc	-1,49
Ravioli (conserve)	-1,47

ALIMENT	PRAL
Noix de Macadamia	-1,38
Haricots rouges maison	-1,36
Salade de fruits (conserve)	-1,35
Chou-fleur	-1,34
Soupe de tomates en sachet	-1,34
Soupe minestrone en sachet	-1,34
Wakamé (algues)	-1,34
Sauce aigre-douce	-1,23
Confiture	-1,22
Lait écrémé en poudre	-1,21
Café décaféiné	-1,2
Fenugrec (graines)	-1,2
Fruits confits	-1,18
Gelée de fruit	-1,09
Maïs doux (conserve)	-1,07
Soja germé sauté	-1,06
Myrtille	-1,04
Marmelade	-1,03
Shiitaké cuit	-1,02
Pois cassés	-0,97
Boisson aux agrumes	-0,96
Café	-0,96
Sirop de maïs	-0,96
Miel	-0,93
Pâte de fruit	-0,93
Sorbet à l'orange	-0,91
Olives	-0,89
Cappuccino	-0,87
Sauce béarnaise	-0,86
Thé	-0,82
Canneberge séchée sucrée	-0,77
Strudel aux pommes	-0,72
Câpres	-0,69
Haricots blancs (conserve)	-0,68

ALIMENT	PRAL
Nectar de pêche	-0,65
Sirop de grenadine	-0,62
Soja (pousses) cuit	-0,61
Crème glacée à la fraise, à la vanille	-0,6
Flan en sachet	-0,56
Macaron	-0,56
Lait de chèvre	-0,54
Farine de sarrasin	-0,52
Sel de table	-0,51
Soupe aux champignons en sachet	-0,51
Chocolat chaud maison	-0,49
Chocolat au lait	-0,46
Haricots rouges (conserve)	-0,39
Nem	-0,39
Soupe aux asperges en sachet	-0,38
Soja (pousses) cru	-0,36
Saké (alcool de riz)	-0,28
Fève	-0,27
Gomme à mâcher sans sucre	-0,26
Nectar de poire	-0,25
Tisane	-0,24
Cornichons sucrés	-0,2
Quinoa	-0,19
Perrier	-0,18
Graine de sésame	-0,17
Vinaigrette	-0,17
Crème fraîche légère	-0,14
Soupe de poireaux en sachet	-0,14
Limonade	-0,13
Bière	-0,11
Bretzels	-0,11
Sucre d'orge	-0,11
Épinards à la crème	-0,1
Petits pois cuits	-0,1
Soda à l'orange	-0,1
Flan	-0,08
Sucre glace	-0,06
Eau du robinet	-0,05
Margarine	-0,05
Tourteau	-0,02
Moutarde jaune	-0,01
Tapioca	-0,01
Fructose	0
Graisse (saindoux, de canard...)	0
Huile (arachide, olive, colza, noix...)	0
Saccharose (sucre)	0
Sirop d'agave	0
Soupe à l'oignon en sachet	0
Sucre de table	0
Végétaline	0
Flan pâtissier en sachet	0,02
Sauce hollandaise	0,04
Chili con carne (conserve)	0,06
Lait fermenté bifidus	0,06
Farine de pois chiches	0,07
Cornichons	0,09
Champignon (conserve)	0,12
Sorbet au citron	0,12
Tarte aux pommes	0,13
Lait 2%	0,14
Bouillon ou consommé bœuf poulet (déshydraté)	0,15
Crème fraîche 30% MG	0,15
Lait écrémé	0,2
Zeste de citron confit	0,2
Lait entier	0,21
Nougat	0,21
Rouleau de printemps	0,22
Sauce tartare	0,25
Sauce blanche	0,33
Cola	0,42
Beurre	0,44
Fécule de maïs	0,44
Orge	0,44
Lait de soja	0,48
Soupe poulet et nouilles en sachet	0,48
Tomate farcie	0,52
Crème fouettée	0,53
Taco et chili con carne	0,56
Biscuit fourré au chocolat	0,57
Boulgour	0,6
Mayonnaise	0,6
Yogourt	0,66
Hachis parmentier	0,69
Mille-feuilles	0,69
Soupe de pois cassés	0,81
Dragée	0,82
Nouilles de riz cuites	0,97
Guimauve	0,98
Mayonnaise allégée	0,98
Biscuit barquette avec pulpe de fruit	1,04
Cornet de glace à la vanille	1,08
Lait concentré sucré	1,08
Couscous cuit	1,14
Tarte aux légumes	1,15
Quenelle	1,16
Choucroute garnie	1,25
Gâteau de riz	1,35
Cassoulet	1,43
Houmous maison	1,43
Riz blanc	1,55
Pain au raisin	1,6
Tarte au citron meringuée	1,63
Haricots beurre cuits	1,7
Tofu	1,74

ALIMENT	PRAL
Pâte d'amandes	1,75
Taco	1,76
Pistache	1,97
Sauce Mornay	1,98
Riz sauvage	2
Potée auvergnate	2,02
Noix de pécan	2,08
Lentilles	2,15
Riz brun	2,18
Noix de pécan rôtie	2,22
Œuf (blanc seul)	2,25
Amande avec peau	2,29
Bouchée à la reine	2,31
Gaufrette fourrée	2,32
Pain d'épices	2,33
Couscous (mouton)	2,34
Amande grillée	2,36
Esquimau	2,36
Pieds de porc	2,43
Gâteau au fromage blanc	2,44
Flocons de maïs	2,47
Paella	2,52
Pois chiches	2,56
Tortilla	2,59
Corn Flakes	2,69
Pâtes maison	2,78
Farine de seigle	2,86
Lasagnes	2,87
Son d'avoine cuit	2,87
Lait de brebis	2,92
Millet	2,93
Crêpe nature maison	2,98
Pain au lait	3,11
Muffin	3,13
Spaghetti	3,13
Chausson aux pommes	3,15
Saucisse fumée	3,2
Galettes de maïs	3,27
Flan pâtissier	3,29
Pain de seigle	3,31
Pain au son	3,32
Huître	3,37
Éclair	3,43
Sarrasin	3,43
Son de blé	3,44
Semoule de maïs	3,49
Moutarde brune	3,51
Pain au chocolat	3,57
Pâtes aux œufs	3,58
Chou à la crème	3,73
Pita	3,73
Biscuit petit beurre	3,74
Gaufre nature	3,75
Biscuit à l'avoine	3,82
Muesli	3,84
Farine de riz	3,91
Petit-suisse	3,91
Pâte feuilletée (prête-à-cuire)	3,97
Sablé	3,99
Macaroni au blé complet	4,01
Spaghetti au blé complet	4,01
Quatre-quarts	4,11
Amande sans peau	4,13
Pain au levain	4,15
Pain (baguette)	4,16
Pain noir	4,19
Tamari (sauce soja)	4,21
Boudin	4,26
Pain classique	4,3
Farine de maïs	4,34
Farine de blé	4,36
Blé soufflé	4,39
Poitrine de dinde rôtie	4,4
Saucisse knackwurst	4,46
Boudoir	4,5
Croissant	4,53
Pain aux céréales	4,57
Rôti de viande froid	4,63
Lardon nature	4,75
Pot-au-feu	4,78
Palourde crue	5,08
Hot-dog	5,14
Moule crue	5,18
Miso (soja fermenté)	5,21
Mortadelle	5,22
Brioche	5,51
Noix	5,62
Hamburger au fromage	5,63
Croûtons	5,69
Cacahuètes	5,75
Ricotta	5,8
Merguez	5,82
Bigorneau	5,88
Hamburger	5,89
Semoule de blé dur	5,9
Poisson pané	5,93
Nouilles chinoises	5,93
Mérou	6,25
Queue de porc	6,41
Noix de cajou rôtie	6,42
Cervelas	6,72
Chouquette	6,73
Soufflé au fromage	6,75
Fromage de tête	6,89
Croque-monsieur	6,93
Tripes à la mode de Caen	6,97
Farine de blé complète	6,98
Foie de morue	7,23
Anchois à l'huile	7,25
Pâté en croûte	7,26
Pizza	7,31
Foie gras	7,35
Œuf	7,47
Hareng mariné	7,59
Œuf brouillé	7,59
Galette de riz	7,7

ALIMENT	PRAL
Salami	7,72
Homard	7,79
Turbot	7,8
Œuf omelette	7,93
Surimi	7,97
Flétan	7,97
Quiche Lorraine	8,1
Noix de Brésil	8,15
Rillettes	8,27
Blanquette de veau	8,28
Cuisses de grenouille	8,36
Chorizo	8,43
Coquille Saint-Jacques	8,51
Beignet nature	8,64
Pilon de poulet pané et frit	8,67
Pignon	8,71
Poulpe	8,77
Chipolata	8,86
Saucisse de Toulouse	8,88
Œuf à la coque	8,97
Saucisse de Strasbourg	9,03
Madeleine	9,1
Pastrami	9,13
Fondue savoyarde	9,3
Poitrine de poulet pané et frit	9,33
Œuf poché	9,38
Sanglier	9,6
Saucisse de Morteau	9,66
Thon albacore	9,86
Jambon de dinde	9,87
Merlan	9,87
Morue	9,89
Caviar	10,05
Araignée de mer	10,09
Crevette	10,1
Épeautre	10,16
Palourde cuite	10,17
Œuf au plat	10,18
Pâté de foie	10,21
Canard rôti	10,23
Mulet	10,31
Coulommiers	10,42
Langue de bœuf	10,5
Truite arc-en-ciel	10,52
Aiglefin	10,57
Barbue	10,7
Calmar	10,72
Œuf de caille	10,81
Maquereau	10,83
Pétoncles	10,95
Écrevisse	10,98
Brie	11,02
Saumon Atlantique (élevage)	11,11
Côte de bœuf	11,16
Reblochon	11,19
Loup	11,29
Longe de porc braisée	11,42
Colin	11,43
Feta	11,46
Épaule de porc rôtie	11,56
Langue de bœuf en conserve	11,59
Hareng grillé	11,67
Éperlan	11,69
Perche	11,81
Truite saumonée	11,89
Seigle	11,95
Fromage bleu	11,97
Beignet de crabe	12,03
Graine de tournesol séchée	12,07
Lardon fumé	12,07
Saucisse de dinde	12,09
Côte de veau	12,12
Jambon	12,22
Bar	12,32
Pintade	12,36
Hareng fumé	12,39
Cervelle de bœuf	12,5
Côte d'agneau	12,55
Sardines aux tomates	12,6
Cuisse de poulet	12,63
Cervelle de veau	12,64
Thon nature (conserve)	12,71
Faux-filet cuit	12,74
Poulet mijoté	12,84
Port-salut	13,04
Camembert	13,05
Épaule d'agneau rôtie	13,16
Avoine	13,31
Bison	13,31
Pigeonneaux	13,32
Rôti de porc cuit	13,35
Anguille	13,49
Épaule d'agneau grillée	13,49
Agneau	13,5
Truite	13,5
Sole (poisson plat)	13,57
Brochet	13,59
Gigot d'agneau	13,61
Saumon rose	13,67
Saint-Nectaire	13,72
Roquefort	13,76
Corned-beef	14,01
Cuisse de dinde rôtie avec la peau	14,13
Cuisse de faisan	14,13
Tomme	14,14
Aile de poulet rôti avec la peau	14,2
Cheval	14,21
Dinde rôtie avec la peau	14,41
Caille	14,49
Moutarde jaune (graines)	14,49
Oie rôtie avec peau	14,67
Mozzarella	14,74

ALIMENT	PRAL
Poitrine de dinde rôtie avec la peau	14,76
Langue de veau	14,82
Langouste	14,9
Moule cuite	15,19
Chevreuil	15,41
Poulet rôti	15,44
Viande des Grisons	15,74
Fromage de chèvre frais	15,76
Cantal	15,86
Sardine à l'huile	15,88
Munster	15,95
Poitrine de poulet rôti avec la peau	16,01
Lapin	16,17
Espadon	16,2
Fromage de chèvre demi-sec	16,5
Fromage type Bonbel-Babybel	16,62
Veau	16,74
Cœur d'agneau	16,88
Palette de veau	16,94
Chapon	17,13
Fromage des Pyrénées	17,24
Purée de sésame (tahin)	17,38
Rognons de porc	17,69
Gésier de poulet	17,83
Rognon d'agneau	17,83
Édam	17,85
Foie de porc	18,02
Morbier	18,04
Cœur de bœuf	18,14
Cervelle d'agneau	18,27
Raclette	18,38
Halvah	18,56
Lièvre	18,71
Cœur de veau	18,77
Escalope de veau	18,89
Œuf (jaune seul)	19,1
Farine de blé avec levure	19,37
Seiche	20,1
Foie d'agneau	20,2
Carpe	20,22
Gouda	20,26
Thon à l'huile (en conserve)	20,46
Gruyère	21,21
Rognon de bœuf	21,22
Emmental	21,29
Rognon de veau	22,32
Foie de veau	23,18
Comté	23,99
Ris de veau	24,5
Foie de bœuf	24,62
Fromage fondu	24,99
Bacon grillé	25
Œufs de poisson	26,1
Parmesan	27,79
Fromage de chèvre sec	27,88
Graine de courge	28,15
Morue salée	29,78
Saumon rose (conserve)	36,25
Graine de tournesol	36,87

INDEX DES RECETTES

TABLE DES MATIÈRES

Mes notes perso